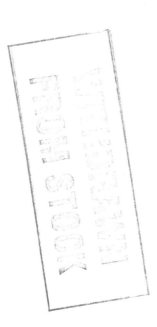

Das Buch

Sie ist jung. Sie will etwas erleben und die Welt entdecken. Also setzt sie sich in Istanbul in den Zug, der die zukünftigen »Gastarbeiter« nach Berlin bringt.

Mit dem Blick des 17jährigen Mädchens, das zuerst kein Wort Deutsch spricht und deswegen so viel sieht in dem Film, der vor ihren Augen abläuft, erzählt Emine Sevgi Özdamar über das Berlin der 60er Jahre, über ihre Leute, die, wie sie, bei Telefunken arbeiten, im Wohnheim wohnen und bei Aschinger Erbsensuppe essen. Und dann geht sie mit dem, was sie im brodelnden Berlin der Studentenunruhen gehört und gesehen hat, als junge Schauspielschülerin zurück nach Istanbul, wo sie in ein ganz anderes 68 hineingerät: brutaler und alptraumhafter als alles, was man aus Westeuropa kannte.

In ihrer ganz eigenen bildhaften und rhythmischen Sprache erzählt sie die Geschichte ihres Aufwachens als Frau zwischen zwei Welten, der politischen Explosion um sie herum und ihrer Sehnsucht nach dem Theater.

Die Autorin

Emine Sevgi Özdamar, geboren in der Türkei. 1967–70 Schauspielschule in Istanbul. 1976 Regiearbeit an der Ostberliner Volksbühne bei Benno Besson und Matthias Langhoff. Schauspielerin an großen deutschen Bühnen, in Wien, Avignon und Paris. Eigene Regiearbeit. Filmrollen u. a. in »Yasemin« von Hark Bohm und »Happy Birthday, Türke« von Doris Dörrie.

Auszeichnungen: Ingeborg-Bachmann-Preis, Walter-Hasenclever-Preis, International Book of the Year (London Times Literary Supplement), Adelbert-von-Chamisso-Preis, Künstlerinnen-Preis des Landes NRW, Preis der LiteraTour Nord, Literaturpreis der Stadt Bergen-Enkheim, Heinrich-von-Kleist-Preis, Fontane-Preis, Carl-Zuckmayer-Medaille.

Weitere Titel bei Kiepenheuer & Witsch

»Mutterzunge«, 1990, KiWi 477, 1998. »Das Leben ist eine Karawanserei ...«, 1992, KiWi 334, 1994. »Die Brücke vom Goldenen Horn«, 1998. »Der Hof im Spiegel«, KiWi 619, 2001. »Seltsame Sterne starren zur Erde«, 2003, KiWi 845, 2004. »Sonne auf halbem Weg«, 2006.

Emine Sevgi Özdamar

Die Brücke vom Goldenen Horn

Roman

Kiepenheuer & Witsch

Verlag Kiepenheuer & Witsch, FSC®-N001512

5. Auflage 2015

Umschlaggestaltung: Barbara Thoben, Köln,
nach einer Idee von Rudolf Linn, Köln
Umschlagfoto: © Ara Güler
Satz: Pinkuin Satz und Datentechnik, Berlin
Druck und Bindung: CPI books GmbH, Leck
ISBN 978-3-462-03180-5

Die Arbeit an diesem Buch
wurde gefördert durch ein Arbeitsstipendium
der Landeshauptstadt Düsseldorf

1. TEIL

DER BELEIDIGTE BAHNHOF

DIE LANGEN KORRIDORE
DES FRAUENWONAYMS

In der Stresemannstraße gab es damals, es war das Jahr 1966, einen Brotladen, eine alte Frau verkaufte dort Brot. Ihr Kopf sah aus wie ein Brotlaib, den ein verschlafener Bäckerlehrling gebacken hatte, groß und schief. Sie trug ihn auf den hochgezogenen Schultern wie auf einem Kaffeetablett. Es war schön, in diesen Brotladen hineinzugehen, weil man das Wort Brot nicht sagen mußte, man konnte auf das Brot zeigen.

Wenn das Brot noch warm war, war es leichter, die Schlagzeilen aus der Zeitung, die draußen auf der Straße in einem Glaskasten hing, auswendig zu lernen. Ich drückte das warme Brot an meine Brust und meinen Bauch und trat mit den Füßen wie ein Storch auf die kalte Straße.

Ich konnte kein Wort Deutsch und lernte die Sätze, so wie man, ohne Englisch zu sprechen, »I can't get no satisfaction« singt. Wie ein Hähnchen, das Gak gak gak macht. Gak gak gak konnte eine Antwort sein auf einen Satz, den man nicht hören wollte. Jemand fragte zum Beispiel »Niye böyle gürültüyle yürüyorsun?« (Warum machst du soviel Krach, wenn du läufst?), und ich antwortete mit einer deutschen Schlagzeile: »Wenn aus Hausrat Unrat wird.«

Vielleicht lernte ich die Schlagzeilen auswendig, weil ich, bevor ich als Arbeiterin nach Berlin gekommen war, in Istanbul sechs Jahre lang Jugend-Theater gespielt hatte. Meine Mutter, mein Vater fragten mich immer: »Wie kannst du so viele Sätze auswendig lernen, ist es nicht schwer?« Unsere Regisseure sagten uns dort: »Ihr müßt eure Texte so gut auswendig lernen, daß ihr sie sogar im Traum sprechen könntet.« Ich fing an, im Traum die Texte zu wiederholen, manchmal vergaß ich sie, wachte mit einer großen Angst auf, wiederholte sofort die Texte und schlief wieder ein. Texte vergessen – das war, als ob eine Trapezartistin in der Luft nicht die Hand ihres Partners erreicht und herunterfällt. Die Menschen aber liebten die, die zwischen Tod und Leben ihre Berufe ausübten. Ich bekam Applaus am Theater, aber nicht zu Hause von meiner Mutter. Sie hatte mir manchmal sogar ihre schönen Hüte und Ballkleider für meine Rollen geliehen, aber als ich durch das Theater die Schule fallen ließ, sagte sie zu mir: »Wieso lernst du deine Schulaufgaben nicht so gut auswendig wie deine Rollen? Du wirst sitzenbleiben.« Sie hatte recht, ich lernte nur Theatertexte, sogar die Texte der anderen, mit denen ich spielte. Als ich sechzehn Jahre alt war, spielte ich im Sommernachtstraum von Shakespeare die Rolle der Königin der Elfen, Titania.

»Haydì, halka olun, bir perì şarkısı söyleyìn
(Kommt! einen Ringel-, einen Feensang!)
Dann auf das Drittel 'ner Minute fort!
Ihr, tötet Raupen in den Rosenknospen! ...«

Ich schaffte die Schule nicht mehr. Meine Mutter weinte. »Kann jetzt Shakespeare oder Molière dir helfen? Theater hat dein Leben verbrannt.« – »Theater ist mein Leben, wie kann mein Leben sich selbst verbrennen? Jerry Lewis hat auch kein Abitur gemacht, aber du liebst ihn, Mutter. Auch Harold Pinter hat für das Theater die Schule verlassen.« – »Die heißen aber Jerry Lewis und Harold

Pinter.« – »Ich werde in die Schauspielschule gehen.« – »Wenn du keinen Erfolg hast, wirst du unglücklich. Du wirst verhungern. Mach deine Schule fertig, sonst wird dein Vater dir kein Geld geben. Du könntest Anwältin werden, du liebst es zu reden. Anwälte sind wie Schauspieler, aber sie verhungern nicht, was meinst du? Mach dein Abitur.« Ich antwortete:

»Adi olmayan cinsten bir ruhum. (Ich bin ein Geist nicht von gemeinem Stande.)«

Meine Mutter antwortete: »Du willst einen Esel aus mir machen und mir Angst machen, als wäre ich dein Todfeind, und willst mich tödlich quälen. Vielleicht habe ich daran Schuld, aber ich bin deine Mutter und verliere bald die Geduld.«

Sie weinte. Ich antwortete ihr: »Pflegt Spott und Hohn in Tränen sich zu kleiden.«

»Meine Tochter, du bist so entsetzlich wild und noch so jung.«

»Nein, nein, Mutter, ich will nicht trau'n.
Noch länger Eu'r verhaßtes Antlitz schauen,
Sind eure Hände hurtiger zum Raufen,
So hab' ich längre Beine doch zum Laufen!«

Ich lachte zu Hause nicht mehr, weil der Krach zwischen mir und meiner Mutter nie aufhörte. Mein Vater wußte nicht, was er machen sollte, und sagte nur: »Tut euch kein Leid an! Warum zwingst du uns zu harten Reden?« Ich antwortete:

»Ich werd' erstaunt euch Antwort geben.
Die schöne Helene verriet mir ihren Plan,
Aus diesem Wald zu flüchten.«

Die Sonne schien in Istanbul, und die Zeitungen hingen vor den Kiosken mit Schlagzeilen: »Deutschland möchte noch mehr türkische Arbeiter«, »Deutschland nimmt Türken«.

Ich dachte, ich werde nach Deutschland gehen, ein Jahr arbeiten, dann werde ich die Schauspielschule besuchen. Ich ging zur Istanbuler Vermittlungsstelle. »Wie alt bist du?« – »Achtzehn.« Ich war gesund und bekam nach zwei Wochen einen Paß und einen Einjahresvertrag für Telefunken in Berlin.

Meine Mutter sagte nichts mehr, sondern rauchte nur ununterbrochen. Wir saßen in Rauchschwaden, mein Vater sagte: »Allah soll dir in Deutschland Vernunft beibringen. Du kannst nicht mal Spiegeleier braten. Wie willst du bei Telefunken Radiolampen herstellen? Mach die Schule fertig. Ich will nicht, daß meine Tochter Arbeiterin wird. Das ist kein Spiel.«

Im Zug von Istanbul nach Deutschland war ich ein paar Nächte auf dem Zugkorridor hin- und hergelaufen und hatte mir alle Frauen, die als Arbeiterinnen dort hinfuhren, angeschaut. Sie hatten ihre Strümpfe bis unter die Knie gerollt, ihre Strumpfbänder aus dickem Gummi hinterließen Spuren auf der Haut. An ihren nackten Knien konnte ich besser erkennen, daß wir noch weit weg von Deutschland waren, als an den Schildern der Bahnhöfe, an denen wir vorbeifuhren und deren Namen wir nicht lesen konnten. Eine Frau sagte: »Was für ein nicht aufhörender Weg.« Alle waren schweigend einverstanden, keine hatte daran gedacht, einen Ton von sich zu geben, nur die Raucherinnen holten ihre Zigaretten heraus, schauten sich gegenseitig in ihre Gesichter und rauchten. Die, die nicht rauchten, schauten zum Fenster. Eine sagte: »Es ist wieder dunkel geworden.« Eine andere sagte: »Gestern wurde es auch so dunkel.« Jede Zigarette schob den Zug schneller voran.

Keine schaute auf die Uhr, sie schauten auf die Zigaretten, denen sie dauernd Feuer gaben. Wir hatten uns seit drei Tagen, drei Nächten nicht ausgezogen. Nur ein paar Schuhe lagen auf dem Zugboden und vibrierten mit dem Zug. Wenn eine der Frauen zur Toilette gehen wollte, zog sie sich schnell irgendwelche Schuhe an, so liefen die Frauen mit den Schuhen der anderen zu den verstopften Toiletten und hüpften dabei komisch in den fremden Schuhen. Ich merkte, daß ich Frauen suchte, die meiner Mutter ähnlich waren. Eine hatte ähnliche Fersen wie meine Mutter. Ich setzte meine Sonnenbrille auf und fing an, leise zu weinen. Ich sah auf dem Zugboden keine Schuhe, die von meiner Mutter waren. Wie schön hatten in Istanbul ihre und meine Schuhe nebeneinandergestanden. Wie leicht zogen wir zusammen unsere Schuhe an und gingen ins Kino zu Liz Taylor oder in die Oper.

Mama, Mama.

Ich dachte, ich werde ankommen, ein Bett kriegen, und dann werde ich immer an meine Mutter denken, das wird meine Arbeit sein. Ich fing an, noch stärker zu weinen, und war böse, als ob nicht ich meine Mutter, sondern meine Mutter mich verlassen hätte. Ich versteckte mein Gesicht hinter dem Shakespearebuch.

Als die Nacht zu Ende war, kam der Zug in München an. Die Frauen, die ihre Schuhe seit Tagen ausgezogen hatten, hatten dicke Füße und schickten die, die ihre Schuhe anbehalten hatten, Zigaretten und Schokoladen kaufen. Çikolata – Çikolata.

Ich lebte mit vielen Frauen in einem Frauenwohnheim, Wonaym sagten wir. Wir arbeiteten alle in der Radiofabrik, jede mußte bei der Arbeit auf dem rechten Auge eine Lupe tragen. Auch wenn wir abends zum Wonaym zurückkamen, schauten wir uns oder die Kartoffeln, die wir schälten, mit unserem rechten Auge an. Ein Knopf ging ab, die Frauen nähten auch den Knopf mit dem geöffneten rechten Auge an. Das linke zwickte sich immer zusammen und blieb halb geschlossen. Wir schliefen auch so, das linke immer etwas gezwickt, und am Morgen um fünf Uhr, wenn wir im Halbdunkel unsere Hosen oder Röcke suchten, sah ich, daß auch die anderen Frauen wie ich nur mit dem rechten Auge suchten. Seitdem wir in der Radiolampenfabrik arbeiteten, glaubten wir unserem rechten Auge mehr als unserem linken Auge. Mit dem rechten Auge hinter der Lupe konnte man mit der Pinzette die dünnen Drähte der kleinen Radiolampen biegen. Die Drähte waren wie die Beine einer Spinne, sehr fein, ohne Lupe fast unsichtbar. Der Fabrikchef hieß Herr Schering. Sherin sagten die Frauen, Sher sagten sie auch. Dann klebten sie Herr an Sher, so hieß er in manchen Frauenmündern Herschering oder Herscher.

Wir waren seit einer Woche in Berlin. Der Herscher wollte, daß wir am 10. November, dem Todestag von Atatürk, wie in der Türkei genau um fünf nach neun ein paar Minuten für Atatürk aufstehen. Wir standen am 10. November um fünf nach neun in der Arbeitshalle von unseren Maschinen auf, und wieder waren unsere rechten Augen größer als die linken. Die Frauen, die weinen wollten, haben mit den rechten Augen geweint, deswegen liefen ihre Tränen über ihren rechten Busen auf ihren rechten Schuh. So machten wir mit den Tränen für Atatürks Tod den Berliner Radiofabrikboden naß. Die Neonlichter an den Decken und an den Maschinen waren stark und trockneten die Tränen schnell. Manche Frauen hatten ihre Lupe beim Aufstehen für Atatürk auf ihrem rechten Auge vergessen, ihre Tränen sammelten sich in der Lupe und erzeugten Nebel in den Lupen.

Wir sahen den Herscher nie. Die türkische Dolmetscherin trug seine deutschen Wörter als türkische Wörter zu uns: »Herscher hat gesagt, daß ihr euch …« Weil ich diesen Herscher nie sah, suchte ich ihn im Gesicht der türkischen Dolmetscherin. Sie kam, ihr Schatten fiel über die kleinen Radiolampen, die wir vor uns hatten.

Während der Arbeit wohnten wir in einem einzigen Bild: unsere Finger, das Neonlicht, die Pinzette, die kleinen Radiolampen und ihre Spinnenbeine. Das Bild hatte seine eigenen Stimmen, man trennte sich aus den Stimmen der Welt und von seinem eigenen Körper. Die Wirbelsäule verschwand, die Brüste verschwanden, die Haare verschwanden. Manchmal mußte man Nasenschleim hochziehen. Man schob das Nasenschleimhochziehen immer weiter vor sich her, als ob es das vergrößerte Bild, in dem wir wohnten, kaputtmachen könnte. Wenn die türkische Dolmetscherin kam und ihr Schatten auf dieses Bild fiel, zerriß das Bild wie ein Film, der Ton verschwand, und es entstand ein Loch. Wenn ich dann auf das Gesicht der Dolmetscherin schaute, hörte ich wieder die Stimmen der Flugzeuge, die irgendwo im Himmel waren, oder ein metallenes Ding fiel auf den Fabrikhallenboden und machte Echos. Ich sah, daß den Frauen genau in dem Moment, in dem sie die Arbeit unterbrachen, Schuppen auf ihre Schultern fielen. Wie ein Postbote, der einen Einschreibebrief bringt und auf die Unterschrift wartet, wartete die Dolmetscherin, nachdem sie für uns Herscherings deutsche Sätze ins Türkische übersetzt hatte, auf das Wort Okay.

Wenn eine Frau als Antwort anstelle des englischen Okay das türkische Wort tamam benutzte, fragte die Dolmetscherin noch mal: »Okay?«, bis die Frau »Okay« sagte. Wenn eine Frau sie mit dem Okay etwas warten ließ, weil sie gerade die kleinen Beine einer Radiolampe mit ihrer Pinzette bog und keinen Fehler machen wollte oder vor ihrer Lupe die Lampe kontrollierte, pustete die Dolmetscherin aus Ungeduld ihren Pony von ihrer Stirn hoch, bis das englische Okay kam.

Wenn wir mit ihr zum Fabrikarzt gingen, sagten wir zu ihr: »Sag dem Arzt, daß ich wirklich krank bin, okay?« Das Wort Okay kam auch ins Frauenwonaym …

»Du putzt morgen das Zimmer, okay?«
»Tamam.«
»Sag Okay.«
»Okay.«

In den ersten Tagen war die Stadt für mich wie ein endloses Gebäude. Sogar zwischen München und Berlin war das Land wie ein einziges Gebäude. In München aus der Zugtür raus mit den anderen Frauen, rein in die Bahnhofsmissionstür. Brötchen – Kaffee – Milch – Nonnen – Neonlampen, dann raus aus der Missionstür, dann rein in die Tür des Flugzeugs, raus in Berlin aus der Flugzeugtür, rein in die Bustür, raus aus der Bustür, rein in die türkische Frauenwonaymtür, raus aus der Wonaymtür, rein in die Kaufhaus-Hertie-Tür am Halleschen Tor. Von der Wonaymtür gingen wir zur Hertie-Tür, man mußte unter einer U-Bahn-Brücke laufen. Bei Hertie im letzten Stock gab es Lebensmittel. Wir waren drei Mädchen, wollten bei Hertie Zucker, Salz, Eier, Toilettenpapier und Zahnpasta kaufen. Wir kannten die Wörter nicht. Zucker, Salz.

Um Zucker zu beschreiben, machten wir vor einer Verkäuferin Kaffeetrinken nach, dann sagten wir Schak Schak. Um Salz zu beschreiben, spuckten wir auf Herties Boden, streckten unsere Zungen raus und sagten: »eeee«. Um Eier zu beschreiben, drehten wir unsere Rücken zu der Verkäuferin, wackelten mit unseren Hintern und sagten: »Gak gak gak.« Wir bekamen Zucker, Salz und Eier, bei Zahnpasta klappte es aber nicht. Wir bekamen Kachelputzmittel. So waren meine ersten deutschen Wörter Schak Schak, eeee, gak, gak, gak.

Wir standen morgens um fünf Uhr auf. In den Zimmern standen sechs Betten, immer zwei übereinander.

In den ersten zwei Betten meines Zimmers schliefen zwei Geschwister, die nicht verheiratet waren. Sie wollten Geld sparen und ihre Brüder nach Deutschland holen. Sie redeten von ihren Brüdern, als gehörten sie zu einem Leben, das sie schon gelebt hatten, als sie ein anderes Mal auf der Welt gewesen waren, so daß ich manchmal dachte, ihre Brüder seien tot. Wenn eine weinte oder das Essen nicht zu Ende aß oder sich erkältet hatte, sagte die andere zu ihr: »Deine Brüder sollen das nicht hören. Wenn das deine Brüder hören!« Nach der Fabrikarbeit trugen sie im Wonaym Morgenmäntel in hellblauer Farbe aus elektrisierten Stoffen. Wenn sie ihre Tage hatten, waren auch ihre Haare elektrisch geladen, und ihre Mäntel aus elektrisierten Stoffen gaben im Zimmer Geräusche von sich. Wenn eine von diesen Geschwistern aus dem Bett herunterkam und in der halbdunklen, nassen Morgenzeit ihre Schuhe anzog, zog sie manchmal die Schuhe von ihrer Schwester an, und ihre Füße merkten es nicht, weil ihre Schuhe so ähnlich waren.

Am Abend nach der Arbeit gingen die Frauen in ihre Zimmer und aßen an ihren Tischen. Aber der Abend fing nicht an, der Abend war weg. Man aß, weil man die Nacht schnell ins Zimmer reinholen wollte. Wir sprangen über den Abend in die Nacht.

Die beiden Geschwister saßen am Tisch, stellten einen Spiegel an einen Kochtopf und wickelten ihre Haare mit Lockenwicklern. Beide hatten ihre Strümpfe bis unter ihre Knie gerollt. Ihre nackten Knie zeigten mir, daß im Zimmer bald die Lampe ausgemacht würde. Die beiden sprachen, als ob sie im Zimmer allein wären:

»Eile dich, wir müssen schlafen.«

»Wer macht heute das Licht aus, du oder ich?«

Eine stand an der Tür, die Hand am Lichtschalter, und wartete, bis die andere sich ins Bett gelegt hatte. Sie legte dann ihren Kopf mit den Lockenwicklern auf das Kissen, als ob sie mit einem Auto vorsichtig rückwärts einparken würde. Wenn sie den Kopf richtig hingelegt hatte, sagte sie: »Mach aus!« Dann machte ihre Schwester das Licht aus.

Wir, die anderen vier Mädchen, saßen noch am Tisch, manche schrieben Briefe. Die Dunkelheit schnitt uns auseinander. Wir zogen uns im Dunkeln aus. Manchmal fiel ein Bleistift herunter. Als alle im Bett lagen und alles still war, hörten wir die elektrisierten Stoffe der beiden hellblauen Morgenmäntel, die an den Haken hingen.

Seitdem ich in Istanbul ein Kind war, hatte ich mir angewöhnt, jede Nacht zu den Toten zu beten. Ich sagte zuerst die Gebete auf, dann sagte ich die Namen der Toten, die ich nicht gekannt, von denen ich aber gehört hatte, auf. Wenn meine Mutter und Großmutter erzählten, sprachen sie viel von den Menschen, die gestorben waren.

Ich hatte ihre Namen auswendig gelernt, zählte sie jede Nacht im Bett auf und gab ihnen für ihre Seelen die Gebete. Das dauerte eine Stunde. Meine Mutter sagte: »Wenn man die Seelen der Toten vergißt, werden ihre Seelen Schmerzen bekommen.« Auch in den ersten Nächten in Berlin betete ich für die Toten, aber ich wurde schnell müde, weil wir so früh aufstehen mußten. Ich schlief dann, bevor ich die Namen aller meiner Toten aufgezählt hatte, ein. So verlor ich langsam alle meine Toten in Berlin. Ich dachte, wenn ich nach Istanbul zurückgehe, werde ich dort wieder anfangen, meine Toten zu zählen. Die Toten hatte ich vergessen, nicht aber meine Mutter. Ich legte mich ins Bett, um an meine Mutter zu denken. Ich wußte aber nicht, wie man an die Mutter denkt. Sich in einen Filmschauspieler zu verlieben und in der Nacht an ihn zu denken – zum Beispiel wie ich mit ihm küssen würde – war leichter.

Wie aber denkt man an eine Mutter?

In manchen Nächten lief ich wie in einem zurücklaufenden Film von der Wonaymtür zum Zug, mit dem ich hierhergekommen war. Auch den Zug ließ ich zurücklaufen. Die Bäume liefen rückwärts am Fenster vorbei, aber der Weg war zu lang, ich kam nur bis Österreich. Die Berge hatten ihre Köpfe im Nebel, und im Nebel war es schwierig, einen Zug rückwärts fahren zu lassen. Dort schlief ich dann ein. Ich merkte auch, wenn ich nichts aß und hungrig blieb, dachte ich an meine Mutter, oder wenn ich die Haut an meinem Finger etwas herausriß und es weh tat. Dann dachte ich, dieser Schmerz ist meine Mutter. So ging ich öfter mit Hunger ins Bett oder mit Schmerzen an den Fingern.

Rezzan, die über mir schlief, aß auch nicht richtig. Ich dachte, auch sie denkt an ihre Mutter. Rezzan blieb lange wach, und sie drehte sich im Bett im Dunkeln von links nach rechts, dann nahm sie ihr Kopfkissen von einem Ende des Bettes und legte es an das andere Ende. Nach einer Weile fing sie wieder an, sich von links nach rechts, von rechts nach links zu drehen. Unten dachte ich mit halbem Kopf an meine Mutter, und mit der anderen Hälfte fing ich an, auch an Rezzans Mutter zu denken.

In den anderen beiden Etagenbetten schliefen zwei Cousinen aus Istanbul. Sie arbeiteten in der Fabrik, um dann an die Universität zu gehen. Eine hatte zwei Zöpfchen und tiefe Narben im Gesicht, weil sie während der Pubertät ihre Pickel nicht in Ruhe gelassen hatte, und sie stank aus dem

Mund. Die andere Cousine war schön und schickte die, die aus dem Mund stank, zur Post oder zu Hertie. Einmal kam sie von der Post zurück, und die schöne Cousine zwang sie, sich auf den Tisch zu legen, sie krempelte ihre Ärmel hoch bis zur Schulter, dann zog sie ihren Gürtel aus ihrer Bluejeans und schlug mit dem Gürtel auf den Rücken ihrer Cousine. Die beiden Geschwister in ihren hellblauen Morgenmänteln, Rezzan und ich sagten:

»Was machst du?«

Sie rief: »Die Hure ist zur Post gegangen und zu spät zurückgekehrt.«

Wir sagten: »Sie hat doch keine Flügel, sollte sie denn fliegen? Sie ist nicht zu spät gekommen.«

»Nein, mischt euch nicht ein.

Mischt euch nicht ein.

Mischt euch nicht ein.

Mischt euch nicht ein.«

Bei jedem Satz schlug sie auf den Rücken ihrer Cousine, aber schaute dabei in unsere Augen. Ihre Pupillen drehten sich wie ein verrückt gewordenes Licht, ihr rechtes Auge war wie bei allen anderen Frauen größer als ihr linkes.

In dieser Nacht, als alle in ihren Betten lagen, die zwei Geschwister mit ihren Lockenwicklern übereinander in zwei Betten, die beiden Cousinen übereinander in zwei Betten, ich und Rezzan übereinander in zwei Betten, kletterte plötzlich die Cousine, die aus dem Mund stank und geschlagen worden war, zu ihrer Cousine, die schön war und geschlagen hatte, ins obere Bett. Sie holten im Dunkeln die Decke aus dem Bettbezug heraus, ließen diese auf den Boden fallen und krochen in den Bettbezug wie in einen Schlafsack, knöpften ihn zu, und so – zugeknöpft in diesem Sack – küßten sie sich matsch matsch und liebten sich. Und wir, die anderen vier, hörten uns das an, ohne uns zu bewegen.

Gegenüber dem Frauenwonaym stand das Hebbeltheater. Das Theater war beleuchtet, und ein Reklamelicht ging ständig an und aus. Dieses Licht fiel auch in unser Zimmer. Wenn die Reklame ausging, hörte ich von dem Tag an im Dunkeln Kußstimmen matsch matsch, wenn die Reklame an war, sah ich die im Halblicht glänzenden Lockenwickler der beiden Geschwisterköpfe auf ihren Kopfkissen und die ausgezogenen zwei Paar Schuhe auf dem Linoleumboden.

Rezzan, die über mir schlief, zog in der Nacht ihre Schuhe nie aus. Sie lag immer in ihren Kleidern und Schuhen im Bett. Im Schlaf hielt sie in ihrer Hand die Zahnbürste, und die Zahnpasta lag unter ihrem Kopfkissen. Rezzan wollte wie ich Schauspielerin werden. In manchen Nächten sprachen wir leise von Bett zu Bett im an- und ausgehenden Hebbeltheaterlicht über Theater. Rezzan fragte: »Welche Rolle willst du spielen, Ophelia?« – »Nein, für Ophelia bin ich zu dünn, zu groß. Aber Hamlet vielleicht.« – »Warum?« – »Ich weiß es nicht. Und du?« – »Die Frau in ›Die Katze auf dem heißen Blechdach‹ von Tennessee Williams.« – »Ich kenne Tennessee nicht.« – »Er war homosexuell und hat fürs Theater die Schule verlassen, wie wir.« – »Weißt du, daß auch Harold Pinter die Schule verlassen hatte?« – »Kennst du von Harold Pinter ›The Servant‹?« – »Nein.« – »Ein Aristokrat sucht einen Diener. Am Ende wird der Diener zum Herr und der Herr zum Diener. Gute Nacht.« Rezzan schwieg, im an- und ausgehenden Licht des Hebbeltheaters glänzten die Haarwickler der beiden Geschwister in ihren Betten. Wenn wir um fünf Uhr morgens aufstanden, war Rezzan schon fertig. Sie putzte ihre Zähne und kochte Kaffee, in einer Hand eine volle Kaffeetasse, in der anderen die Zahnbürste. Zähneputzend schuff schuff lief sie in den langen Korridoren des Frauenwonayms hin und her. Alle anderen Frauen liefen noch in ihren Morgenmänteln, mit

Handtüchern um ihre Körper oder in Unterhosen herum. Rezzan aber war schon in Jacke und Rock. Alle Frauen schauten auf Rezzan, als ob diese ihre Uhr wäre, und wurden schneller. Manchmal gingen sie sogar zu früh zur Bushaltestelle, weil Rezzan schon dort stand. Rezzan schaute im Dunkeln Richtung Bus, und die Frauen schauten auf Rezzans Gesicht.

Zur Morgenzeit hatte das Hebbeltheater keine Lichter an. Nur unsere auf den Bus wartenden Frauenschatten lagen auf dem Schnee. Als der Bus kam und uns aufnahm, blieben auf dem Schnee vor unserem Frauenwonaym nur unsere Schuhspuren und Kaffeeflecken, denn manche Frauen kamen mit ihren vollen Kaffeetassen zur Haltestelle, und wenn der Bus kam und die Tür aufging tisspamp, schütteten sie den Rest auf den Schnee. Der Brotladen hatte seine Lichter an, im Zeitungskasten stand heute die Schlagzeile: ER WAR KEIN ENGEL. Aus dem rechten Busfenster sah ich die Zeitung, aus dem linken Busfenster sah ich den Anhalter Bahnhof, der wie das Hebbeltheater gegenüber unserem Wonaym stand. Wir nannten ihn den zerbrochenen Bahnhof. Das türkische Wort für »zerbrochen« bedeutete gleichzeitig auch »beleidigt«. So hieß er auch »der beleidigte Bahnhof«.

Kurz bevor wir in der Fabrik ankamen, mußte der Bus eine lange, steile Straße hochfahren. Ein Bus voller Frauen kippte nach hinten. Dann kam eine Brücke, dort kippten wir nach vorne, und dort sah ich an jedem nassen, halbdunklen Morgen zwei Frauen Hand in Hand gehen. Ihre Haare waren kurz geschnitten, sie trugen Röcke und Schuhe mit stumpfen Absätzen, ihre Knie froren, hinter ihnen sah ich den Kanal und dunkle Fabrikgebäude. Die Brücke hatte kaputten Asphalt, der Regen sammelte sich in seinen Löchern, im Buslicht warfen die beiden Frauen ihre Schatten auf dieses Regenwasser und auf den Kanal. Die Schatten ihrer Knie zitterten im Regenwasser mehr als ihre echten Knie. Sie schauten nie auf den Bus, schauten aber auch sich selbst nicht an. Eine dieser Frauen war größer als die andere, sie hatte die Hand der kleinen Frau in ihre genommen. Es sah aus, als ob sie in dieser Morgenzeit die einzigen Lebenden dieser Stadt wären. Der Morgen, durch den sie so liefen, war wie mit der Nacht aneinandergenäht. Kamen sie aus der Nacht, oder kamen sie aus dem Morgen, ich wußte es nicht. Gingen sie zur Fabrik oder zum Friedhof, oder kamen sie von einem Friedhof?

Vor der Radiolampenfabrik gingen alle Türen des Busses auf, der Schnee kam mit dem Wind in den Bus hinein und stieg an Frauenhaaren, Wimpern und Mänteln wieder aus. Der Fabrikhof schluckte uns im Dunkeln. Es schneite dichter, die Frauen kamen dichter zusammen, gingen in den leuchtenden Schneeflocken, als ob jemand Sterne auf sie schüttelte. Ihre Mäntel, Röcke flatterten und gaben leise Geräusche zwischen den Fabriksignalen ab. Der Schnee ging mit ihnen bis zur Stechuhr, mit einer nassen Hand, tink tink tink, drückten sie die Karten hinein, mit der anderen schüttelten sie den Schnee von ihren Mänteln. Der Schnee machte die Arbeiterkarten und den Boden vor dem Pförtnerhaus naß. Der Pförtner hob sich ein bißchen aus seinem Stuhl, das war seine Arbeit. Ich übte meinen deutschen Satz, den ich aus der Zeitungsschlagzeile heute gelernt hatte, bei ihm. »Erwarkeinengel« – »Morgenmorgen«, sagte er.

In der Arbeitshalle gab es nur Frauen. Jede saß da allein vor einem grüngefärbten Eisentisch. Jedes Gesicht schaute auf den Rücken der anderen. Während man arbeitete, vergaß man die Gesichter der anderen Frauen. Man sah nur Haare, schöne Haare, müde Haare, alte Haare, junge Haare, gekämmte Haare, ausfallende Haare. Wir sahen nur ein Frauengesicht, das Gesicht der einzigen Frau, die stand, Frau Mischel. Meisterin. Wenn die Maschinen der griechischen Arbeiterinnen kaputtgingen, riefen sie nach ihr: »Frau Missel, komma.« Ihre Zungen konnten kein Sch aussprechen. Wenn wir, unsere Lupen auf unseren rechten Augen, auf Frau Missel schauten, sahen wir die eine Hälfte von Frau Missel immer größer als ihre andere Hälfte. So wie sie unsere rechten Augen immer größer als unsere linken Augen sah. Deswegen schaute Frau Missel immer auf unsere rechten Augen. Ihr Schatten fiel den ganzen Tag auf die grünen Arbeitstische aus Eisen.

Die Gesichter der Arbeiterinnen konnte ich nur im Toilettenraum sehen. Dort standen Frauen vor den weißen Kachelwänden unter Neonlampen und rauchten. Sie stützten mit ihrer linken Hand ihren rechten Armbogen, und die rechte Hand bewegte sich mit der Zigarette in der Luft vor ihren Mündern. Weil die Toilette sehr starke Neonlichter hatte, sah auch das Rauchen wie eine Arbeit aus. Damals konnte man für zehn Pfennig von deutschen Arbeiterinnen eine Zigarette kaufen. Stuyvesant-HB.

Frau Missel kam manchmal, machte die Tür auf und schaute in den Toilettenraum, sagte nichts, machte die Tür zu, ging. Dann warfen die letzten Raucherinnen, als ob die Lampen ausgegangen wären, ihre Zigaretten in die Toiletten und drückten das Toilettenwasser herunter. Auf leisen Füßen gingen wir dann aus dem Toilettenraum in die Arbeitshalle, aber die Toilettenwassergeräusche kamen noch eine Weile hinter uns her. Wenn wir uns hinsetzten, waren unsere Haare immer etwas nervöser als die Haare der Frauen, die ihre grünen Tische nie zum Rauchen verließen.

Die ersten Wochen lebten wir zwischen Wonaymtür,

Hertietür, Bustür, Radiolampenfabriktür, Fabriktoilettentür, Wonaymzimmertisch und Fabrikgrüneisentisch. Nachdem alle Frauen bei Hertie die Sachen, die sie suchten, finden konnten und Brot sagen gelernt hatten, nachdem sie sich den richtigen Namen ihrer Haltestelle gemerkt hatten – zuerst hatten sie sich als Namen der Haltestelle »Haltestelle« notiert –, machten die Frauen eines Tages den Fernseher im Wonaymsalon an.

Der Fernseher stand von Anfang an da. »Wir gucken mal, was es da drin gibt«, sagte eine Frau. Von dem Tag an schauten viele Frauen im Wonaymsalon am Abend im Fernsehen Eiskunstlaufen. Auch dabei sah ich die Frauen wieder von hinten, wie in der Fabrik. Wenn sie aus der Radiolampenfabrik ins Wonaym kamen, zogen sie sich ihre Nachthemden an, kochten in der Küche Kartoffeln, Makkaroni, Bratkartoffeln, Eier. Das Geräusch von kochendem Wasser, Pfannenzischen mischte sich mit ihren dünnen, dicken Stimmen, und alles stieg in der Küchenluft hoch, ihre Wörter, ihre Gesichter, ihre verschiedenen Dialekte, Messerglanz in ihren Händen, die auf die gemeinsamen Kochtöpfe und Pfannen wartenden Körper, nervös laufendes Küchenwasser, im Teller eine fremde Spucke.

Es sah aus wie die Schattenspiele im traditionellen türkischen Theater. Dort kamen Figuren auf die Bühne, jede redet in ihrem Dialekt – türkische Griechen, türkische Armenier, türkische Juden, verschiedene Türken aus verschiedenen Orten und Klassen und mit verschiedenen Dialekten –, alle verstanden sich falsch, aber redeten und spielten immer weiter, wie die Frauen im Wonaym, sie verstanden sich falsch in der Küche, aber reichten sich die Messer oder Kochtöpfe, oder eine krempelte der anderen ihren Pulliärmel hoch, damit er nicht in den Kochtopf hineinhing. Dann kam die Heimleiterin, die einzige, die Deutsch konnte, und kontrollierte, ob alles in der Küche

sauber war. Nach dem Essen zogen die Frauen ihre Nachthemden aus, zogen sich ihre Kleider an, manche schmink-
ten sich auch, als ob sie ins Kino gehen würden, und kamen
in den Wonaymsalon, machten das Licht aus und setzten
sich vor die Eiskunstläufer. Wenn die Älteren so im Kino
saßen, gingen wir, die jüngsten drei Mädchen – wir waren alle drei Jungfrauen und liebten unsere Mütter – vom
Wonaym zur gegenüberstehenden Imbißstube. Der Mann
machte Buletten aus Pferden – wir wußten es nicht, weil wir
kein Deutsch konnten. Buletten waren das Lieblingsessen
unserer Mütter. Die Pferdebuletten in der Hand, gingen
wir zu unserem beleidigten Bahnhof (Anhalter Bahnhof),
aßen die Pferde und schauten auf die schwach beleuchteten
türkischen Frauenwonaymfenster. Der beleidigte Bahnhof
war nicht mehr als eine kaputte Wand und ein Vorbau mit
drei Eingangstoren. Wenn wir mit den Imbißbulettentüten
in der Nacht ein Geräusch machten, hielten wir den Atem
an und wußten nicht, ob wir es waren oder jemand anderes. Dort auf dem Boden des beleidigten Bahnhofs verloren wir die Zeit. Jeden Morgen war dieser tote Bahnhof
wach geworden, Menschen sind da gelaufen, die jetzt nicht
mehr da waren. Wenn wir drei Mädchen da liefen, kam
mir mein Leben schon durchlebt vor. Wir gingen durch
ein Loch hinein, gingen bis zum Ende des Grundstücks,
ohne zu sprechen. Dann liefen wir, ohne es uns zu sagen,
rückwärts zurück bis zu dem Loch, das vielleicht einmal
die Tür vom beleidigten Bahnhof gewesen war. Und beim
Rückwärtslaufen pusteten wir unseren Atem laut heraus. Es
war kalt, die Nacht und die Kälte nahmen unseren lauten
Atem und machten ihn zu dichtem Rauch. Dann gingen
wir wieder zur Straße, ich schaute hinter mich, um unsere
Atemreste von vorhin hinter dem Türloch in der Luft noch
zu sehen. Es sah so aus, als ob der Bahnhof in einer ganz
anderen Zeit stand. Vor dem beleidigten Bahnhof stand

eine Telefonzelle. Wenn wir drei Mädchen an ihr vorbeigingen, redeten wir laut, als ob uns unsere Eltern in der
Türkei hören könnten.

Die Heimleiterin, die kleine Türkin, die einzige im Wonaym,
die Deutsch sprach, sagte eines Abends: »Heute abend hat
die Radiolampenfabrik ein Tanztreffen arrangiert mit englischen Soldaten.« Ein Bus kam, holte uns Frauen ab und
fuhr uns zu den englischen Kasernen in Berlin. Die Frauen
setzten sich an Militärtische, und die Soldaten standen an
der Bar und luden uns zum Tanzen ein. Alle gemeinsamen
Kochtöpfe und Pfannen waren vergessen. Heute abend gab
es Soldaten. Die Soldaten tanzten mit uns, wir kehrten mit
Soldatenlächeln in unser Wonaym zurück. In dieser Nacht
guckte keine Frau in die anderen Frauenaugen. Die Frauen
liefen in langsamen Schritten zu ihren Sechsbettzimmern
und öffneten ihre Bettdecken, als ob es für sie eine schwere Arbeit wäre, sich ins Bett zu legen. Manche knöpften
ihre Nachthemden auf und öffneten vielleicht zum ersten
Mal die Zimmerfenster. In der Nacht wehte durch die Fenster Schnee auf die schlafenden Decken, und am Morgen
standen wir alle als nasse Frauen auf. Dann schmierten alle
Frauen die Margarine sehr leise auf ihre Brote und aßen
sie auch leise, dann legten sie sich wieder auf ihre Betten.
Die Zimmer schwiegen, und aus jedem Bett schaute ein
Frauengesicht. Dann sammelten sie sich im gemeinsamen
Wonaymsalon und erzählten: Eine war Opernsängerin in
der Türkei gewesen. Aber eines Tages brachte der neue
Operndirektor in Istanbul seine Frau mit. Diese Frau war
keine Starsängerin, aber er ließ für sie Mikrophone auf der
Opernbühne aufstellen. Deswegen war die Sängerin nach
Deutschland gekommen. Eine andere hatte in Smyrna ei-
nen amerikanischen Soldaten kennengelernt, er wollte sie
heiraten, aber sie mußte ihre Reise nach Amerika selber

bezahlen. Deswegen kam sie nach Deutschland, um für das Flugticket nach Amerika Geld zu verdienen. Die dritte war Geheimpolizistin in Istanbul gewesen und hatte sich in einen Geheimpolizisten verliebt, der gleichzeitig in türkischen Filmen Starrollen spielte und heimlich auch andere Frauen liebte. Die Geheimpolizistin haute vor diesen verheimlichten Liebesgeschichten des Geheimpolizisten nach Deutschland ab. Ein anderes Mädchen hieß Nur. Nur sagte, ihre Brüste wären so groß, daß ihr sogar der Rücken weh täte, wenn sie sich ins Bett legte. Sie war als Arbeiterin nach Deutschland gekommen, um ihre Brüste operieren zu lassen.

Die Heimleiterin, die als einzige Deutsch konnte, nahm nach der Tanznacht mit den englischen Soldaten Männer mit auf ihr Zimmer. Jedesmal lud sie dann ein Mädchen auf ihr Zimmer ein, um später sagen zu können, daß der Mann der Liebhaber dieses Mädchens gewesen war. Bald danach flog die Heimleiterin aus dem Fabrikwonaym raus, aber nicht, weil sie Männer mit auf ihr Zimmer genommen hatte. Die Frauen im Wonaym bekamen aus der Türkei Pakete mit türkischen Würsten. Wenn der Postbote mit den Paketen kam, waren die Frauen in der Fabrik, die Heimleiterin nahm die türkischen Würste, versteckte sie unter ihrem Bett, zeigte uns die Papiere der Deutschen Post und übersetzte: »Die Würste aus der Türkei sind giftig, krank. Die Deutsche Post hat sie beschlagnahmt.« Die Frauen aber fanden ihre türkischen Würste unter ihrem Bett, gingen mit den Würsten zum Radiolampenfabrikdirektor, und die Heimleiterin wurde entlassen.

Die Radiolampenfabrikdirektoren schickten uns ein türkisches Ehepaar als Leiter. Der Mann mußte im Wonaym arbeiten, seine Frau wurde unsere Dolmetscherin in der Fabrik.

Unser neuer Heimleiter sagte, er sei Künstler und Kom-

munist. Keine wußte, was ein Kommunist ist. Abends lehrte
er uns Frauen die deutsche Sprache. Alle Frauen versammelten sich im gemeinsamen Wonaymsalon, nach der Arbeit
zogen sie nicht mehr ihre Nachthemden an, die Eiskunstläu-
fe gingen im nicht eingeschalteten Fernseher weiter, und wir
lernten Deutsch bei unserem kommunistischen Heimleiter.
Er saß mit seinem türkischen Musikinstrument Saz vor den
Frauen und sang ein türkisches Lied in Deutsch, das wir alle
in Türkisch kannten: »Grüßen Sie meinen Vater, er muß
tausend Lira bezahlen und mich aus dem Gefängnis befreien.« Alle Frauen wiederholten es. Er lächelte und zog
an seinem Schnurrbart. Draußen vor dem Hebbeltheater
gingen die Zuschauer langsam ins Theater, und wir im Wonaym wiederholten die deutschen Sätze. »Er soll tausend Lira
bezahlen und mich aus dem Gefängnis befreien.«

Wenn die Frauen beim Wiederholen Schwierigkeiten hatten, sagten sie: »Das Mädchen mit der Hose soll es wiederholen, wir haben es vergessen.« Ich wiederholte seine Sätze. Der kommunistische Heimleiter sagte: »Hast du schon
einmal Theater gespielt?« – »Ja, sechs Jahre.« – »Das hört
man. Was hast du gespielt?« – »Titania im Sommernachtstraum.«

»Ich bitte dich, du holder Sterblicher,
Sing noch einmal! Mein Ohr ist ganz verliebt ...«

Er antwortete:

»Ich bin ein Geist nicht von
gemeinem Stande;
Ein ew'ger Sommer zieret meine Lande ...«

»Ihr Name, ehrsamer Herr?«

31

»Vasıf«, sagte er und zog an seinem Schnurrbart.

Der kommunistische Heimleiter sagte uns, daß er den lesbischen Cousinen ein Zweibettzimmer geben würde, damit sie sich in Ruhe lieben könnten. So zogen die Cousinen aus unserem Sechsbettzimmer aus. Vorher küßten sie uns alle, als ob sie auf eine große Reise gehen würden, die eine weinte, deswegen nahm ihr Rezzan die Sachen aus den Händen, und ich brachte die Weinende bis zu ihrem neuen Zimmer. In unserem Sechsbettzimmer blieben ihre Betten leer. Die Geschwister, die hellblaue Morgenmäntel aus elektrisierten Stoffen trugen, hatten, seitdem die Cousinen sich in den Nächten im Bettbezug liebten, angefangen, sich morgens hinter ihren Betten versteckt anzuziehen. Erst wenn sie ihre Mäntel schon anhatten, setzten sie sich beide zusammen auf das unterste Bett, zogen gleichzeitig ihre Schuhe an, machten die Lampe aus und gingen aus dem Zimmer. Wir machten die Lampe wieder an. Obwohl die lesbischen Cousinen jetzt weg waren, zogen sich die Geschwister weiter heimlich hinter ihren Betten an und sagten, daß beide Cousinen Mason (Freimaurer) wären. Ich wußte nicht, was Mason bedeutete. Sie redeten wieder von ihren Brüdern: »Gut, daß unsere Brüder das nicht wissen.« Sie sagten auch zu mir und Rezzan: »Gut, daß euer Vater nicht weiß, daß ihr mit lesbischen Mädchen in einem Zimmer geschlafen habt.« Rezzans Vater war aber tot. Sie sprachen so viel über ihre Brüder und über unsere Väter, daß ich dachte, ihre Sätze über die Brüder und Väter weben ein Spinnennetz, das das ganze Zimmer und unsere Körper bedeckt. Ich fing an, vor ihren Brüdern und vor meinem Vater Angst zu kriegen. Ich hatte sogar Angst vor Rezzans totem Vater. Jedesmal, wenn ich Angst bekam, schrieb ich an meine Mutter einen Brief mit solchen Sätzen: »Gott schützt mich hier mit der Hilfe meines Vaters – ich schwöre, ich werde hier keine schlechten Sachen machen.«

Die beiden Geschwister kauften für ihre Brüder bei Hertie Anzüge und Waschpulver und legten diese Sachen über die beiden leeren Betten der lesbischen Cousinen. Die Männeranzüge lagen auf den Betten, und in der Nacht, wenn am Hebbeltheater die Reklamelichter an- und ausgingen, fiel das Licht in unser Zimmer, dann sah ich im Reklamelicht wieder ihre glänzenden Haarwickler an ihren Köpfen und die glänzenden Knöpfe der Männeranzüge, die über zwei Betten wie Körper lagen.

Wenn wir drei Mädchen, in unseren Händen die Pferdebuletten, auf die andere Seite der Straße gegenüber unserem Wonaym zu unserem beleidigten Bahnhof gingen und bei der Telefonzelle vorbeiliefen, sprach ich jetzt vor der Telefonzelle nicht mehr laut, sondern leise, in der Angst, daß meine Eltern mich in Istanbul hören könnten. Bald aber kam ein Buch in unser Zimmer, und das nahm mir die Angst vor den Brüdern und vor meinem Vater und Rezzans totem Vater. Unser kommunistischer Heimleiter hatte viele Bücher, die wir, wenn wir wollten, lesen konnten. Das Buch brachte Rezzan ins Zimmer – Oscar Wildes »Bildnis des Dorian Gray«. Sie las so viel in diesem Buch, daß sie zu diesem Buch wurde, und sie erzählte mir in der Nacht die Geschichte. Ihr Kopf hing vom oberen Bett herab zu mir herunter, ich sah sie nur als Kopf. Wenn das Reklamelicht kurz ausging, verschwand der Kopf, aber die Geschichte hörte ich im Dunkeln weiter. Wenn sie über Dorian Gray erzählte, flüsterte sie, weil die Geschwister schon schliefen. Mein Körper gewöhnte sich an diese Angst und befreite mich aus der Angst vor Brüdern und Vätern.

Unser kommunistischer Heimleiter war sehr häßlich und komisch. Tag und Nacht stand seine Tür offen. Wie ein Postbote seiner eigenen Komik lief er im Wonaym herum und hielt sein Gesicht so, als ob er eine komische Maske trüge, die er jedem zeigen wollte, um ihn zum Lachen zu bringen. Seine Frau kam mit uns im Bus aus der Fabrik zurück und legte sich öfter etwas hin. Sie lag dann im Bett, der kommunistische Heimleiter saß hinter einem Tisch, ein Buch in seiner Hand, die Tür stand offen. Die Frauen kamen und gingen an dieser Tür vorbei. Er schaute nicht zu ihnen hin, aber hielt sein Gesicht immer wie eine lachende Maske hinter dem Buch. Er las im Buch und sagte jeder Frau, die vorbeikam, »Gutentag, Gutentag«, und dabei blätterte er in dem Buch. Manchmal, wenn er das Wort »Gutentag« genau beim Umblättern sagte, sagte er »Guten …« – dann blätterte er um – »… tag«. Er und seine Frau hatten in der Türkei Theater gespielt. Sie wurden dann von einem Theaterfestival eingeladen. So kamen sie nach Deutschland, spielten ihr Stück und blieben in Deutschland. Er ging tagsüber zu einem deutschen Theater, um sich Proben anzugucken, das Theater hieß »Berliner Ensemble«. Wenn er mit seiner Frau redete, sagte er »Brecht … Weill … Helene Weigel … Die Helene hat mir heute gesagt … Ich habe Helene gesagt …«. Wenn ich in der Nacht im Bett lag und an meine Mutter dachte, dachte ich auch an die Helene, ich übte ihren Namen: Helene Weigel. Die Frau des kommunistischen Heimleiters – er sagte zu ihr »meine Taube« – hatte mich gerne, sie fragte mich: »Was machst du heute abend?« Das Wort Abend! Ich hatte vergessen, daß es Abende gibt. Ich suchte den Abend in meinem Kopf. Die Taube sagte: »Komm mit uns zum Theater, du willst doch später Schauspielerin werden.« Wir gingen ins andere Berlin zum Berliner Ensemble und sahen ein Stück, »Arturo Ui«. Die Männer in Gangsteranzügen hoben ihre Hände hoch, es gab einen Chefgangster, der auf einem hohen Tisch stand. Ich verstand kein Wort und liebte es und liebte die vielen, vielen Lichter im Theater. In den Ostberliner Straßen bekam ich plötzlich eine Sehnsucht nach zu Hause, nach Istanbul.

Ich roch die Luft und sog sie in mich hinein. Die Taube erzählte mir, daß man in Ostberlin und Istanbul das gleiche Dieselbenzin benutzte.

Unser kommunistischer Heimleiter lief im Wonaym manchmal mit nacktem Oberkörper herum. Er war dünn wie ein Skelett und hatte überall Haare, bis zu seinem Hals – wie ein Pullover. Wenn die Frauen ihn sahen, holten sie aus ihren Körpern Stimmen, als ob *sie* nackt wären und ein Mann sie ansehen würde. Er spielte weiter auf seinem Musikinstrument türkische Lieder, die er in deutsch sang:

Ach die Weiden der Smyrna
ihre Blätter regnen runter
uns nennen sie Banditen
unsere Geliebten sind wie die jungen Weiden.

So lernten wir, noch bevor wir in deutsch gelernt hatten, »Tisch« zu sagen: »Ach die Weiden der Smyrna, ihre Blätter regnen runter.«

Mit dem kommunistischen Heimleiter fing ein anderes Leben an. Bevor er kam, waren wir im Wonaym nur Frauen gewesen. Die Frauen suchten in den anderen Frauen die Mütter, die Schwestern oder die Stiefmütter, und wie die Schafe, die in einer Regennacht vor Blitz und Donner Angst hatten, kamen sie sich zu nah und drückten sich manchmal bis zur Atemlosigkeit. Jetzt hatten wir einen Hirten, der singen konnte. Er gab uns Bücher und sagte: »Hier, ich gebe dir meinen besten Freund.« Einer von seinen besten Freunden war Tschechow. So war er nicht der einzige Mann, den wir hatten. Mit ihm kamen in unser Frauenwonaym andere Männer: Dostojewski, Gorki, Jack London, Tolstoi, Joyce, Sartre, und eine Frau, Rosa Luxemburg. Ich kannte vorher keinen von ihnen. Manche Frauen holten sich von ihm die

Bücher, die sie vielleicht nicht lasen, aber sie liebten diese Bücher wie ein Kind, das fremde Briefmarken liebt, sie liebten es, diese Bücher in ihren Taschen zu haben, wenn sie in den Bus zur Radiolampenfabrik einstiegen.

Wenn unser kommunistischer Heimleiter mit einer Frau sprach, fing er seine Sätze immer mit dem Wort »Zucker« an. Wenn er zu mehreren Frauen sprach, sagte er »Zukkers«. »Zuckers, geht, setzt euch hin, ich komme gleich«, »Zucker, hier ist ein Brief für dich.« Die Frauen, die ihn liebten, fingen auch miteinander an, sich mit »Zucker« und »Zuckers« anzusprechen. Die Frauen, die ihn nicht liebten, sagten nicht »Zucker« zueinander. So teilte sich langsam das Frauenwonaym auf in die Frauen, die »Zucker« sagten, und in die Frauen, die nicht »Zucker« sagten. Wenn die Frauen in der Küche mit den Töpfen und Pfannen kochten,, verteilten sich auch die Töpfe und Pfannen zwischen den Frauen, die sich mit »Zucker« ansprachen, und denen, die sich nicht mit »Zucker« ansprachen. Die, die »Zucker« zu sich sagten, gaben die Töpfe, nachdem sie mit dem Kochen fertig waren, den Frauen, die auch »Zucker« zu ihnen sagten, und die, die nicht »Zucker« sagten, gaben die Töpfe denen, die nicht »Zucker« sagten. Die Frauen, die »Zucker« sagten, fanden den Abend. Sie gingen nach der Fabrikarbeit jetzt nicht mehr sofort in die Nacht hinein. So teilte sich das Wonaym noch mal zwischen den Frauen, die ihre Abende hatten, und den Frauen, die über den Abend sofort in die Nacht sprangen. Wenn diese Frauen ins Bett gingen, gingen im Hebbeltheater, das unserem Wonaym gegenüberstand, die Zuschauer langsam ins Theater. Die anderen fingen an, ihre Abende in die Länge zu ziehen. Sie kauften Schallplatten, so kam Beethovens 9. Sinfonie ins Frauenwonaym und ein Schlager: »Junge, komm bald wieder«. Im Wonaymsalon lief der Fernseher vor sich hin, sie hörten sich hintereinander ohne Pause den Beethoven und »Junge, komm bald wieder« an, so, als ob, wenn sie eine Sekunde ohne diese Töne und Stimmen blieben, der Abend aus ihren Händen wieder abhauen würde. Es war so laut, daß manchmal sogar unser kommunistischer Heimleiter schrie: »Esels, legt euch hin! Esels, geht schlafen!« Die Frauen, die nicht »Zucker« sagten, nahmen aber sein neues Wort »Esel« in ihre Münder und schrien jetzt aus ihren Zimmern in den Wonaymsalon: »Esels, legt euch hin!« Wir drei Mädchen gehörten auch zu Esels. Auch der Morgenbus, der uns zur Fabrik brachte, teilte sich in zwei Frauengruppen auf. Die Frauen, die nicht »Zucker« sagten, sondern »Esels, legt euch hin!«, setzten sich jetzt als Gruppe vorne in den Bus, und die, die »Zucker« sagten und Esels waren, hinten in den Bus. In der Fabrik aber setzte sich jede an ihren alten Platz. Die, die ihre Abende in die Länge zogen und dabei von der Nacht etwas klauten, gingen in der Fabrik öfter auf die Toilette, die Lupe vor ihrem rechten Auge. Hinter der Lupe schauten jetzt unsere rechten Augen noch schläfriger als unsere linken. Wir kauften im Toilettenraum von den deutschen Arbeiterinnen weiter für zehn Pfennig Zigaretten und gingen mit der Zigarette auf die Toilette. Wenn wir auf die Toilette gingen, vergaßen wir öfter, unsere Lupen von unserem rechten Auge abzunehmen, so sahen unsere Zigaretten, die wir in der Toilette rauchten, viel größer aus. Wir rauchten drinnen und schliefen dort etwas ein. Die Meisterin, Frau Missel, aber kam und holte uns aus der Toilette. So teilten sich langsam auch in der Fabrik die Frauen in die, die in der Toilette schliefen, und in die, die in der Toilette nicht schliefen.

Irgendwann halfen Beethovens 9. Sinfonie und »Junge, komm bald wieder« nicht mehr, die Abende in die Länge zu ziehen. Die Frauen, die Esels waren, gingen jetzt aus dem Wonaym raus. Das automatische Licht im Hauskorridor ging von diesem Tag an immer an und aus und die Wonaymtür mit lautem Quietschen auf und zu. Wir drei jüngsten Mädchen des Frauenwonayms gingen durch die Straßen von Berlin zum Bahnhof Zoo, zum Aschinger, und aßen dort Erbsensuppe und nicht mehr die Pferdebuletten von unserer Imbißbude neben dem beleidigten Bahnhof. Wir sprachen aber weiter laut, wenn wir an unserer Telefonzelle neben unserem beleidigten Bahnhof vorbeigingen, damit uns unsere Eltern in der Türkei hören konnten. An manchen Abenden, wenn wir drei Mädchen vom Zoo-Aschinger spät zu unserem Wonaymzimmer zurückkamen und in der Nacht unsere Fingernägel mit einer Feile feilten, schmiß eine andere Frau, die schon im Bett war, ihr Kopfkissen nach uns und schrie uns an: »Ihr werdet noch Nutten werden!« Ich übte weiter jeden Morgen am deutschen Zeitungsstand meine Sätze, die ich nicht verstand, und antwortete mit auswendig gelernten Zeitungsschlagzeilen gegen das Kopfkissen:

HARTE BANDAGEN

GUCKEN KOSTET MEHR

SOWJETS BLIEBEN NUR ZAUNGÄSTE.

Als wir durch die Berliner Straßen liefen, erstaunte mich, wie wenig Männer auf den Straßen zu sehen waren, auch in den Abendzeiten gab es nicht viele Männer zu sehen. Mich erstaunte auch, daß die Männer, die ich sah, sich nicht zwischen den Beinen kratzten, wie viele türkische Männer in türkischen Straßen. Und manche Männer trugen den Frauen, neben denen sie gingen, ihre Taschen und sahen so aus, als ob sie nicht mit diesen Frauen verheiratet wären, sondern mit diesen Taschen.

Sie gingen durch die Straßen, als ob das Fernsehen sie gerade filmen würde. Die Straßen und Menschen waren für mich wie ein Film, aber ich selbst spielte nicht mit in diesem Film. Ich sah die Menschen, aber sie sahen uns nicht. Wir waren wie die Vögel, die irgendwohin flogen und ab und zu auf die Erde herunterkamen, um dann weiterzufliegen.

Wir waren alle nur für ein Jahr hergekommen, nach einem Jahr wollten wir alle zurückkehren. Wenn wir uns im Spiegel anschauten, lief keine Mutter, kein Vater, keine Schwester hinten im Raum an uns vorbei. Im Spiegel sprachen unsere Münder nicht mehr mit der Mutter oder Schwester. Wir hörten nicht mehr ihre Stimmen, ihr Kleiderflüstern, ihr Lachen vor dem Spiegel, so sahen wir uns jeden Tag im Spiegel als einsame Menschen. Nachdem wir im Spiegel verstanden hatten, daß wir alleine waren, war alles leichter. So gingen wir drei Mädchen zum Wienerwald am Ku'damm und aßen halbes Huhn. Dann habe ich den Christus gesehen. Wir waren, um uns zu wärmen, in eine Kirche gegangen, und dort sah ich zum erstenmal Christus am Kreuz. Auch in Istanbul war Christus einer unserer Propheten. Ich liebte ihn als Kind, aber ich hatte nichts vom Kreuz gehört, meine Großmutter hatte mir erzählt, daß Christus als Baby alleine in einem Korb im Fluß schwamm. Ich liebte auch seine Mutter Meryem.

In der Fabrik rauchten wir weiter Stuyvesant in der Toilette und schliefen dort ein, die Meisterin, Frau Missel, holte uns wieder heraus, die fehlerhaften Radiolampen kamen in den Mülleimer. Wenn es zu viele Radiolampen waren, kauften wir von den Männern, die in den Fabrikpausen mit Koffern kamen, Parfüm, Seife und Creme. Wir unterschrieben auch Papiere, ohne zu wissen, daß es Enzyklopädien-Abonnements waren, das Geld ging vom Monatslohn ab. Wir glaubten, daß die Meisterin, Frau Missel, wegen der kaputten Radiolampen weniger böse wäre, wenn wir die Sachen kauften.

Eines Tages gingen wir drei Mädchen zum ersten Mal in eine Kneipe. Draußen schneite es. An der Bar standen Männer. Die Männer fragten: »Where are you from?« Rezzan und ich konnten etwas Englisch sprechen, und Rezzan antwortete: »From the north pole, we are eskimos, our sledges are outside.«

Auch wenn die anderen Frauen in der Nacht zum Wonaym zurückkamen, brachten sie neue Adressen aus Berlin mit: KaDeWe, Café Keese, Café Kranzler. So gingen wir drei Mädchen zum Café Keese. Telefontanz. Auf den Tischen gab es Telefone, man konnte Männer zum Tanzen einladen. Wir setzten uns an zwei Tische und telefonierten miteinander. »Hallo, Mutter, ich bin deine Tochter, wie geht es dir?« – »Ach, mein Kind, wie geht es dir? Was hast du gegessen?« – »Buletten, Mutter.« Dann rief uns ein deutscher Mann an. »Tanzen?« Wir antworteten, was wir von unserem kommunistischen Heimleiter in den Deutschstunden gelernt hatten: »Grüßen Sie meinen Vater.« Die Frauen, die ihre Abende gefunden hatten und aus dem Wonaym herausgegangen waren, hörten am nächsten Morgen von den anderen Frauen: »Ihr seid Huren und geht zu anderen Fabrikwonaymen, in denen türkische Männer wohnen, ihr schmiert die Samen dieser Männer auf eure Brote und eßt sie.« So teilte sich das Frauenwonaym nochmals in die Frauen, die türkischen Männersamen auf die Brote schmierten und aßen, und in die Frauen, die auf ihre Brote Margarine schmierten und aßen.

Wir kannten aber noch gar keine türkischen Männer. Wir kannten nur unseren kommunistischen Heimleiter. Bald aber lernten einige Frauen türkische Männer von einer ganz anderen Seite kennen. Die Frauen kamen aus der Nachtschicht, die Männer standen in der Nacht an der Bushaltestelle und schlugen der schönsten Frau ins Gesicht. Es war dunkel, keine der Frauen sah die Männer richtig, sie hörten nur ihre Stimmen: »Nutten, was sucht ihr hier in der Nacht?« Danach ging der kommunistische Heimleiter jede Nacht zur Bushaltestelle und holte die Frauen, die aus der Nachtschicht kamen, dort ab.

Dann kam doch ein Mann ins Wonaym. Eines Nachts fanden wir vor der Wonaymtür einen Mann, der im Schnee auf dem Boden lag. Seine Hosenknöpfe waren offen, und er hatte keine Unterhose an. Er hatte sich selbst bepinkelt. Oben schlief das ganze Frauenwonaym, und wir drei Mädchen versuchten, dem Mann aufzuhelfen. Er stand auch auf, ging aber mitten auf die Straße und setzte sich dort wieder in den Schnee. Wir dachten, die Autos werden ihn überfahren. So brachten wir den Mann in den Wonaymsalon, legten ihn auf eine Couch und gingen schlafen. Am Morgen lag der Mann noch immer auf der Couch, schlief, lächelte im Schlaf, und aus seiner Hose stand sein Penis hoch, als die Frauen das Licht anmachten. »Die drei Mädchen haben Tollwut«, sagten die Frauen zueinander, »wir werden zum Fabrikchef Herschering gehen.« Die Frau unseres kommunistischen Heimleiters, die Taube, sollte bei Schering ihre Sätze übersetzen. Der kommunistische Heimleiter hörte ihnen zu, dann sprach er mit den Frauen, die zu Herschering gehen wollten. Zum ersten Mal begann er seine Sätze nicht mit »Zucker« oder »Zuckers«, sondern sagte: »Kinder«. Das Wort brachte die Frauen zum Schweigen. Der kommunistische Heimleiter versammelte uns alle im Wonaymsalon, sprach manche Frauen jetzt mit »Kinder« an, andere mit »Zuckers« und verteilte die Frauen neu auf die Zimmer. Jetzt wohnten die Kinder mit Kindern, Zuckers mit Zuckers, Esels mit Esels und Huren mit Huren zusammen.

Danach wurde es still in unserem Frauenwonaym, so still, daß man den Schnee fallen hören konnte. Der Won-

41

aymsalon war leer, die große Uhr an der Wand tickte und wartete. Der Schnee bedeckte im Hof die große Mülltonne und das Schild: »Spielen der Kinder im Hof untersagt«. An den ersten Abenden ging keine Frau aus dem Zimmer. In allen Zimmern wurde über die Frauen in den anderen Zimmern geredet. Die Kinder in ihren Zimmern machten vor den anderen Kindern die Zucker und Esel und Huren nach, die Zucker und Esel und Huren machten in ihren Zimmern die Kinder nach. Alle Frauen machten die Gesichtsausdrücke, die Handbewegungen und die Dialekte der anderen nach, man machte sich darüber lustig, wie sie liefen, wie sie aßen, und so fingen die Frauen irgendwann an, sich wieder ähnlich zu sehen. Ihre Gesichter und Körper und Münder nahmen die Gesichter, Körper und Dialekte der anderen in sich auf, gewöhnten sich an sie. Zukkers wohnten jetzt in Kindern. Kinder wohnten in Huren und Eseln, und sie fanden sich wieder zusammen. Im Bus saßen sie wieder gemischt zusammen, in der Wonaymküche gaben sie sich Töpfe und Pfannen von Hand zu Hand, ohne sich zu fragen, ob diese Hände den Zuckers oder Eseln oder Kindern oder Huren gehörten. Jetzt lernten alle das halbe Huhn vom Wienerwald und die Erbsensuppe im Aschinger Restaurant kennen.

Als alle anderen zum Wienerwald und zu Aschinger gingen, gingen wir drei Mädchen und noch ein paar andere Frauen mit unserem kommunistischen Heimleiter und seiner Frau Taube zum türkischen Arbeiterverein in einer Ladenwohnung gegenüber unserem Wonaym, zwischen dem Pferdebulettenimbiß und dem Hebbeltheater. Dort trafen wir zum ersten Mal in Berlin türkische Männer. Wir sahen sie nicht, wir hörten sie. Sie standen da wie in einem Traum. Das Zimmer war voller Rauch. Eine Männerstimme sagte: »Freunde, machen wir die Tür auf, hier kann kein

Auge ein Auge sehen.« Einer machte die Tür auf, draußen drehte sich der Schnee im Wind, und die Straße glänzte. Als der Rauch mit dem Wind hinausging, drehte sich der Schnee vor der offenen Tür und sah wie ein flatternder Tüllvorhang aus. Die Männer hatten schon, als wir hereingekommen waren und durch den Rauch im Zimmer kein Auge ein Auge sehen konnte, angefangen zu lächeln. Bis der Wind den Rauch auf die Straße herausgeweht hatte, hatten sie ihr Lächeln auf ihren Lippen festgehalten. So konnten sie zuerst nicht sprechen, sie schüttelten ihre Köpfe und schauten uns an, bis ihr Lächeln in ihre Augen hinaufstieg und ihre Augen uns anlachten. Dann konnten sie reden. Die Männer nahmen ihre Zigaretten aus ihrer rechten Hand in die linke und gaben uns die Hand. Eine Hand roch nach kaltem Zigarrenrauch. Ein Student, seine ausgegangene Zigarre noch im Mund, sagte: »Ich heiße Yagmur (Regen).« Eines der Mädchen aus dem Frauenwonaym sagte aus Spaß: »Und ich heiße Çamur (Schlamm).« Das Mädchen und der junge Student verliebten sich sofort und rauchten zusammen an einer Zigarette. Im türkischen Arbeiterverein rauchten alle wie in einem alten französischen Film, jeder hatte eine Zigarette in der Hand. Große Rolle, kleine Rolle – egal, Rauchen machte das Leben und das Warten photogen. Die Männer waren in der Türkei in die Busse eingestiegen, dann in die Züge, dann in die Flugzeuge und waren nach Berlin gekommen. Jetzt standen sie hier vor einer Leiter, deren Ende im Himmel verschwand. Sie stiegen diese Leiter herauf und dachten: nur ein Stückchen, danach kommen wir wieder herunter. Dann wollten sie wieder in Züge und Busse einsteigen und zu den Orten, aus denen sie gekommen waren, zurückkehren. Die Männer redeten wie die Frauen in unserem Wonaym: »Nach einem Jahr sieht mich hier keiner mehr.« Sie redeten von diesem Jahr, für das sie nach Berlin gekommen waren, als ob es nicht zu ihrem Leben gehörte, rauchten, tranken Tee und liefen zusammen durch die Stadt, als ob sie in einem Dschungel wären – ohne Väter, die vor ihnen gingen. Die Fabriksirenen, die auf- und zugehenden Bustüren, die über dem süßen Schlaf plötzlich eingeschalteten Lichter, der Seifenschaum in den Spiegeln, Rasierklingenstimmen, in Waschbecken fallende Haare, Kachelöfen, morgens noch kälter als Zimmerwände, die elektrischen Schalter, das nervöse Licht der Bäckereien, der schmutzige Schnee zwischen den Busrädern, schlafende Menschen in Zügen, kein Vogel am Himmel, keine Telegrafenmasten, nur einsame, zerstörte Telefonzellen. Wären die Männer alleine durch die Straßen gelaufen, wären sie vielleicht weggeweht worden von der Erde und hätten sich ihre Köpfe an den Hauswänden geschlagen. Deswegen liefen diese Männer immer zusammen. Der Schnee bedeckte ihre Schnurrbärte. Drei mit Schnee bedeckte Schnurrbärte laufen besser als ein mit Schnee bedeckter Schnurrbart gegen den Schnee. So fand jeder Mann, wenn er zusammen war mit anderen, seinen Vater, seinen Großvater, und es war schön, auf einem Weg, dessen Ende man nicht sehen konnte, neben einem Vater oder neben Großvaterfüßen herzulaufen. Die Männer liefen zusammen durch die Berliner Straßen und sprachen laut ihre Sprache, es sah so aus, als ob sie hinter ihren Wörtern hergingen, die sie laut sprachen, als ob ihre laute Sprache ihnen den Weg freimachte. Wenn sie eine Straße überquerten, überquerten sie sie nicht, um in eine andere Straße zu gehen, sondern weil ihre lauten Wörter in der Luft vor ihnen hergingen. So gingen sie hinter ihren Wörtern her und sahen für die Menschen, die diese Wörter nicht verstanden, so aus, als ob sie mit ihren Eseln oder Truthähnen durch ein anderes Land gingen. Die Männer kamen hinter ihren Wörtern her bis zum türkischen Arbeiterverein, dort rauchten sie und tranken Tee. Sie sagten nicht »ich gehe«, sondern einer stand auf und sagte: »Wir gehen.« Wenn einer Tee in ein Glas goß, sagte er: »Wir trinken Tee.« Wenn eine Zeitung auf dem Tisch lag, sagte einer: »Wir werden Zeitung lesen.« Jedes »Ich« nähte sich an das nächste »Ich« und machte ein »Wir«. Nur die Stoffe ihrer Hosen oder ihre Strickwesten erzählten ihre »Ich«-Geschichten, oder die Farbe ihrer Haut, die Falten an ihren Hälsen, nur ihre verschiedenen Dialekte zeigten, daß sie von verschiedenen Müttern geboren worden waren. Wenn sie nicht sprachen und einfach im Raum standen, sah es aus, als ob sie um ein Pferd herumstanden, ihre Hände auf dem Pferd, an dem sie sich gemeinsam wärmten. Wenn draußen auf der Straße ein Auto im Schnee rutschte oder laut bremste, sagten sie: »Wir gehen einmal schauen.« Dann gingen sie und kamen mit nassen Schuhen, Jacken und Haaren zurück, zogen ihre Jacken gleichzeitig aus und drehten zusammen die Löffel in ihren Teegläsern. Einer sagte: »Zieh noch einen Schluck Tee hinein.« Der andere sagte: »Ziehen wir noch einen Schluck.« Dann trank er aus seinem Glas. Regen, der im türkischen Arbeiterverein der einzige Student war, sagte zu einem von ihnen: »Du bist ein Arbeiter, der Arbeiter hat keine Heimat. Wo die Arbeit ist, da ist die Heimat, das hat der große türkische Dichter Nazim Hikmet gesagt. Er hat dreizehn Jahre im Gefängnis gesessen.« Der Arbeiter, dem Regen diese Sätze gesagt hatte, wiederholte Regens Sätze und sagte: »Du sagst richtig, Bruder, wir sind Arbeiter, Arbeiter haben keine Heimat.« Wenn einer krank war und mit seinem Fieber am Tisch saß, sagte er nicht: »Ich bin krank«, die anderen sagten über ihn: »Er ist krank.«

Im türkischen Arbeiterverein sagten nur Regen und unser kommunistischer Heimleiter »ich«. Die beiden gingen zusammen ins Kino, dann kamen sie zum türkischen Arbeiterverein, und Regen sagte: »Ich habe einen Film gesehen, soll ich ihn euch erzählen, der Film heißt ›Das Schweigen‹, der Regisseur heißt Ingmar Bergman.« Dann erzählten sie beide den Film. Sie fingen zusammen an, aber irgendwann sagte jeder der beiden: »Nein, so war es nicht, laß mich erzählen, wie ich es gesehen habe.« So unterbrachen sie sich ständig, einer klaute dem anderen den Film, und so sahen wir immer zwei verschiedene Filme vor unseren Augen ablaufen. Nur am Ende, wenn sie mit der Filmgeschichte fertig waren, sagten sie zusammen: »Bergman will uns zeigen, daß Europa die Scheiße gegessen hat.« Und dabei schauten sie lachend in unsere Augen. Sie rauchten beide Zigarren. Wenn einer redete, streckte der andere seinen Kopf hoch und blies ein paar Ringe in die Luft, und wir, die drei Mädchen am Tisch, versuchten mit unseren Heiratsfingern in diese Ringe reinzukommen und sie festzuhalten.

Regen ging mit kranken Arbeitern zum Arzt, suchte Wohnungen oder gab Anzeigen in den Zeitungen für sie auf. Er hatte einen Freund, einen Bauern, der jetzt Arbeiter geworden war. Er trug eine numerierte Brille und hieß Hamza. Auch er sah so aus, als ob er mit seinem Esel in Berlin herumlaufen würde. Er hatte seine Frau in der Türkei im Dorf gelassen und sagte zu uns: »Schwestern, kapitalistische Hämmer haben mich zerschlagen.« Er rauchte so viel, daß er einmal seine brennende Zigarette, anstatt sie in den Aschenbecher zu tun, in seine Hemdtasche steckte. Er sagte zu Regen: »Bruder, mein Herz brennt.«

Hamza suchte eine deutsche Frau für Berlin, und Regen gab für Hamza eine Anzeige in der Zeitung auf: »Suche Sprachlehrerin, um Deutsch zu lernen.« Die deutsche Lehrerin kam in Hamzas Zimmer, sie unterrichtete ihn, und während des Unterrichts seufzte Hamza immer, damit die Lehrerin verstand, was er wollte. Die Lehrerin fragte: »Hamza, was hast du?« Hamza antwortete: »Heimweh.« Die Lehrerin kam und ging. Regen und Hamza überlegten weiter. Sie kauften einen BH, und Hamza steckte die eine Hälfte des BHs unter das Kopfkissen, die andere Hälfte hing vom Bett herab. Er dachte, wenn die deutsche Sprachlehrerin den BH sähe, würde sie merken, daß er ein Mann ist, und sie würde ihn lieben. Aber kurz bevor die Lehrerin ins Zimmer kam, versteckte Hamza schnell den ganzen BH unter dem Kopfkissen. Ein anderes Mal kaufte er mit Regen Frauenparfüm und vergoß es im Zimmer. Aber kurz bevor die deutsche Lehrerin kam, machte er das Fenster auf und ließ Luft herein. Er lernte kein Deutsch. Die Lehrerin ging.

Regen gab für Hamza eine weitere Anzeige auf: »Ich bin ein verheirateter Mann, ich mache mit meiner Frau jeden Abend Liebe, dann schläft sie ein, aber ich brauche mehr. Ich suche eine verheiratete Frau, der es genauso geht wie mir. Diskretion zugesichert.« Hamza bekam eine Antwort, in dem Brief stand: »Halt's Maul, nächstes Mal zeigen wir dich beim Kommissar an.« Daneben steckte das Foto eines berühmten Fernseh-Kommissars. Hamza kam, dieses Foto in der Hand, zum türkischen Arbeiterverein, zitterte und sagte zu Regen: »Polizei, sie übergeben uns der Polizei.« Regen gab für Hamza noch eine dritte Anzeige auf: »Tanzlehrerin.« Hamza nahm Tangostunden bei ihr, 1, 2, 3, 4, 5, 6. Dann kam er zum Arbeiterverein und machte die Tangostunden nach: »Sie legt ihre Hand auf meine Schulter, 1, 2. Ich lege meinen Arm um sie, 3. Sie steckt ihre Beine zwischen meine Beine, 4. Ich stecke meine Beine zwischen ihre Beine, 5. Meine Hände rutschen von ihrem Rücken auf ihren Hintern, 6. Sie schlägt mir ins Gesicht.«

Regen und Hamza suchten weiter Lehrerinnen, fanden aber keine mehr. Hamza fing an zu kochen. Er kochte für uns drei Mädchen Bohnen mit Lammfleisch. Er trug einen dicken Schnurrbart und hatte um seinen Kopf ein Kopftuch gebunden. Wenn er kocht, sagte er, macht er seine Großmutter nach, damit zwei Menschen im Zimmer waren. Mit einer Frauenstimme sang er ein türkisches Lied über einen Garten, in dem Blumen aufgegangen sind. Ein Mann sagt seiner Geliebten, sie soll sich nicht verspäten und schnell zu ihm kommen. Sie soll nicht die Geliebte eines anderen Mannes werden. Lieber soll sie sich aufhängen. Ein anderer Mann macht ihr schönes Leben zur Hölle.

Hamza übersetzte das Lied in das Deutsch, das er von seiner Lehrerin gelernt hatte:

In Garten
Blumen aufmachen
und so rauf weiter
sagen sie meine Liebling
steht nicht
schnell, komm sofort
mein Liebling nicht
verheiratet schlecht Mann
noch ihre totmachen
schlecht Mann ist haben
schöne Leben
keine gemacht.

Wir aßen die Bohnen mit Lamm, er aß selbst nicht, rauchte und pustete den Rauch in unsere Gesichter.

»Eßt, meine Rosen, eßt, ihr seid in dieser Welt und im Jenseits meine Schwestern.« Dann weinte er. Seine Tränen tropften in seinen Teller über das Lammfleisch. Seine Frau hatte ihm einen Brief schreiben lassen. Sie erzählte, sie hätte eines Tages im Dorf unter dem Kirschbaum gestanden und Kirschen gegessen. Dann wäre Hamzas Onkel gekommen und hätte angefangen, mit ihr von dem gleichen Ast Kirschen zu essen. Hamza dachte in Berlin nur an eins: Wer stand zuerst unter dem Kirschbaum? Sie oder sein

Onkel? Wer war zu wem gegangen? Seine Frau zu seinem Onkel, der zuerst unter dem Kirschbaum gestanden hatte, oder sein Onkel zu seiner Frau, die vielleicht zuerst unter dem Kirschbaum gestanden hatte. Hamza sprach, wir drei Mädchen aßen, er aß nicht, und das Fett seines kalt gewordenen Lammfleischs wurde hart. Dieses weiße, harte Fett erinnerte mich daran, wie weit weg wir von der Türkei waren. Wäre Hamza in seinem Dorf geblieben, wäre er vielleicht auch zu diesem Kirschbaum gegangen und hätte die Kirschen mit seiner Frau und seinem Onkel von dem gleichen Ast gegessen. Jetzt hatte er nur diesen Brief. Er sagte zu uns: »Der Brief wird mich noch umbringen.«

Wir drei Mädchen gingen weiter zu unserem Arbeiterverein. Wenn wir aus dem Verein herauskamen, kamen auch die Zuschauer aus dem Hebbeltheater. Vor dem Hebbeltheater trennten sich Menschen, machten ihre Regenschirme gegen den Schnee auf, vor dem türkischen Arbeiterverein machten wir noch die letzten Zigaretten an, Schnee in unseren Mündern. Die Zigaretten naß in den Händen, trennten wir uns, und manchmal rutschten Menschen vor dem Hebbeltheater und vor unserem Arbeiterverein im Schnee aus und liefen dann langsamer als die anderen. Es gab viel Atemrauch zwischen den Schneeflocken.

In manchen türkischen Arbeitern fanden wir drei Mädchen unsere Mütter wieder. Sie kochten für uns. Wenn diese Männer sprachen, kamen die Stimmen ihrer Mütter aus ihren Mündern. Ich liebte diese Mütter, und wir konnten diese Mütter oder ihre Großmütter an den Körpern der Männer sehen. Es war schön, den Körper eines Mannes zu sehen, in dem viele Frauen wohnten. Ich lernte ihre verschiedenen Dialekte und übte, während ich Radiolampen zusammenbaute oder auf dem langen Wonaymkorridor lief, so wie ich auch die Sätze aus den deutschen Schlagzeilen übte: WAR DAS EIN STURM, HAUTJUCKEN? DDT HILFT, ROMY SCHNEIDERS SOHN HEISST DAVID-CHRISTOPHER, SCHWEINETRANSPORTE NACH BERLIN HABEN BEGONNEN, ES GRUNZTE IN DER LUFT.

Einer dieser Arbeiter hieß Sükrü. Auch er sah aus, als ob er in Berlin mit seinem Esel herumlaufen würde. In der Türkei war Sükrü ein Bauer, und dort in seinem Dorf hatte er wirklich einen Esel. Mit diesem Esel ging er von Dorf zu Dorf, verkaufte Stoffe für Frauenkleider und heiratete in verschiedenen Dörfern sechs Frauen. Keine Frau wußte von der anderen. Wenn er von einer seiner Frauen zurückkam, brachte er der anderen Frau als Geschenk frische Eier, die er von den Hühnern der vorhergehenden Frau gesammelt hatte. Als die sechs Frauen langsam merkten, woher die Eier kamen, ging Sükrü nach Berlin. Ab und zu schickte er seinen Frauen etwas Geld und fragte: »Was macht der Esel jetzt ohne mich?« Sükrü fuhr in Berlin Bahnhof Zoo den Gepäckwagen und liebte ein englisches Mädchen, das am Bahnhof Heroin suchte. Er sagte: »Wenn ihr sie sehen würdet – sie ist zwölf Zentimeter größer als ich.« Einmal, erzählte er, war er mit ihr spazierengegangen. Sie hatte in einem Kaufhaus eine rote Jacke für 750 Mark gesehen – fast das Doppelte von Sükrüs Monatslohn. Sükrü ging mit Regen zum Kaufhausdirektor und wollte mit ihm handeln. Danach sagte er zu uns: »Ich werde wieder hingehen, der Kaufhausdirektor kennt mich jetzt, er heißt Werner, ich werde den Preis runterhandeln.« Wir drei Mädchen sagten: »Sükrü, paß auf, die Frauen wollen dein Geld essen.« Sükrü lachte: »Soll ich dir was sagen, die Frauen, die kein Geld essen, liebe ich nicht.« Sükrü hatte, als er nach Berlin gekommen war, in einem Männerwohnheim gewohnt. Die Männer in diesem Wohnheim teilten sich auf in die, die ihr Geld von Frauen essen ließen, und in die, die ihr

Geld nicht von Frauen essen ließen. Jetzt wohnte Sükrü in einer Ladenwohnung in der Karl-Marx-Straße. An den Zimmerwänden liefen Wasserperlen herunter. Sükrü lachte und sagte: »Meine weinenden Wände.« Die Toilette war im Treppeneingang, er sagte: »Ihr werdet mir nicht glauben, aber ich habe mit meinen eigenen Augen gesehen, wie in der Kälte meine Scheiße in ein paar Minuten gefroren ist.«

Als er in diese Wohnung gezogen war, hatte er geschworen, nicht mehr an Frauen zu denken. Es ging aber nicht, er dachte immer an Frauen, deswegen suchte er einen religiösen türkischen Mann, der ihm helfen sollte. Der religiöse Mann kam zu seiner Wohnung in der Karl-Marx-Straße, betete für Sükrü, pustete seinen Atem in Sükrüs Gesicht und gab ihm heilige Schriften, die er unter sein Bett legen sollte. Aber Sükrü dachte weiter an die Frauen. Eines Tages nahm er deswegen die Schriften unter dem Bett weg, das Papier war vergilbt. Sükrü hatte Angst, das Papier in den Mülleimer zu werfen oder in der Toilette mit Wasser herunterzuspülen. Er stieg in eine U-Bahn und legte die heiligen Schriften leise auf den Sitzplatz. Dann stand er, ohne hinter sich zu schauen, auf, stieg aus und ließ die Schriften in der U-Bahn weiterfahren.

Wenn im Vereinszimmer die Tür aufging und jemand hereinkam, sagte Sükrü immer: »Was soll er machen, ein einsamer Mann!« Sükrü wollte Deutsch lernen und die Gewerkschaftsschule besuchen. »Wenn ich Gewerkschafter bin, werde ich auch für die Esel Rente verlangen, damit die Esel sich auch mal hinlegen können. Mein Esel hat mehr Gehirn im Kopf als ich, er ist dageblieben.«

Seitdem wir drei Mädchen zum türkischen Arbeiterverein gingen, fragten uns die anderen Frauen in unserem Frauenwohnheim: »Ihr eßt das Geld der Männer, küssen sie euch nicht?« Sie küßten uns nicht, aber bald küßte uns ein Mann, ein türkischer Student, der seit vierzehn Jahren Ingenieur studierte. Neben dem Arbeiterverein gab es eine Kneipe, wir drei Mädchen saßen mit ihm an einem Tisch. Er küßte eine von uns und sagte zu ihr: »Bestell mir jetzt ein Bier.« Das Bier kam, er trank das Glas leer, dann sagte er uns Sätze in Französisch:

»Je suis belle, ô mortels! comme un rêve de pierre,
Et mon sein, où chacun s'est meurtri tour à tour,
Est fait pour inspirer au poète un amour.

Kennt ihr Baudelaire? Kennt ihr nicht! Bestell mir noch ein Bier.« Er trank weiter und wollte wissen, was unser kommunistischer Heimleiter uns erzählte, was er machte. Er notierte unsere Antworten auf den nassen Bierdeckeln und sagte:

»Que diras-tu, mon cœur …
A la très belle, à la très bonne, à la très chère.«

Unser kommunistischer Heimleiter behauptete, er wäre ein Geheimpolizist. Regen sagte: »Er liebt Männer, er ist schwul.« Wir hatten noch nie einen Geheimpolizisten oder einen Schwulen gesehen. Er küßte sehr schlecht. Seine Lippen waren mit Bier wie mit Uhu verklebt, wenn er küßte, ging sein Mund nicht auf. Wir übten an seinem Mund alle Filmküsse, die wir im Kino gesehen hatten, und er gab für ein Bier seinen geschlossenen Mund her. Wenn aber ein Arbeiter zu ihm sagte: »Ich habe gestern dem Deutschen gesagt …«, machte er seinen Mund auf und sagte: »Ein Deutscher wird dir nicht zuhören. Der Deutsche hört Nietzsche zu.« Wir dachten, Nietzsche ist der deutsche Ministerpräsident. Den Frauen im Wonaym erzählten wir, daß er uns geküßt hatte. »Ihr werdet noch Kommunisten werden«, sagten sie. »Ihr werdet noch eure Jungfernhaut verlieren, das ist euer Diamant, ihr werdet eure Diamanten verlieren.« In der Nacht träumte ich, daß ich im Himmel stand, die Wolken unter mir waren wie eine große, glatte, weiße Decke. Ich öffnete die Wolken und sah unten auf einer steilen grünen Wiese meine Eltern und Menschen, die schon tot waren. Sie warteten dort, bis ich herunterkam, dann lief ich mit ihnen zusammen auf diese steile Wiese. Als ich aufwachte, sagten Rezzan und Gül, die beiden anderen Mädchen, daß auch sie ihre Mütter im Traum gesehen hätten. Wir rauchten zusammen eine Zigarette im dunklen Wonaymkorridor und erzählten unsere Träume. Rezzan drückte beim Zuhören unsere noch brennende Zigarette in ihrer linken Hand aus und schrie: »Mutter!« Wir schrien mit: »Mutter«, »Mütterlein«. Gül sagte: »Wenn wir wieder hingehen, sollen unsere Augen blind werden, sollen unsere Augen blind werden.«

Wir gingen nie mehr zum Arbeiterverein.

Manchmal schaute ich noch vom Wonaymfenster herüber zum beleuchteten Arbeiterverein. Die Tür ging auf, die Arbeiter gingen herein, der Zigarettenrauch quoll heraus zur Straße, die Tür ging zu. Mit jedem Mann, der hereinging und herauskam, kam neuer Zigarettenrauch aus der Tür. Auch ich rauchte am Wonaymfenster und pustete den Rauch in Richtung Arbeiterzigarettenrauch. Wir drei Mädchen fingen wieder an, in der Nacht zu unserem beleidigten Bahnhof zu gehen. Wir führten unsere Diamanten spazieren und traten vor der Telefonzelle laut mit den Füßen auf, damit unsere Eltern uns in Istanbul hören konnten. Wir liefen auf dem Grundstück des beleidigten Bahnhofs herum, als ob wir den Atem unserer Väter im Nacken hätten. Auch Rezzan, die keinen Vater mehr hatte, spürte den Vateratem in ihrem Nacken. Wir weinten dort wie die Esel, die mit ihrem ganzen Körper schreien konnten, und riefen: »Mutter, mein Mütterlein, mein Mütterlein«, dann schauten wir in unsere Gesichter und weinten noch lauter. Dabei stolperten wir manchmal über die alten Bahnhofsgleise, in denen Gras gewachsen war. Keiner konnte uns hören außer diesem kaputten beleidigten Bahnhof. Manchmal blieben wir stehen und schauten die Straße an, als ob es regnen würde. Die Fenster unseres Frauenwonayms hatten noch Licht, wir gingen in Richtung unseres Frauenwonayms, ohne auf die Lichter von unserem Arbeiterverein zu schauen.

Wir liefen weiter, den Atem unserer Väter im Nacken, durch die Berliner Straßen, ich drehte mich öfter um, um zu sehen, ob mein Vater hinter mir herkam. Wenn wir im Dunkeln vor einem beleuchteten Haus standen, hörten wir Gabel-, Messer- und Tellergeräusche von den Menschen, die gerade zu Abend aßen. Wir hielten unseren Atem an, die Gabel- und Tellergeräusche wurden lauter und gingen wie ein Messer durch meinen Körper.

Wenn wir in der Küche vor den Kochtöpfen standen, sahen wir drei Mädchen zwischen den anderen Frauen im Rauch der kochenden Kartoffeln wie drei Vogelbabies aus, die gerade ihre Eier kaputtgemacht hatten, um in die Welt zu kommen.

Wir gingen in den Zoo und besuchten dort die Affen. Jede von uns hatte einen Affen, Rezzan hatte einen Affen, Gül hatte einen Affen, ich hatte einen Affen, eine Familie. Sie kratzten sich gegenseitig ihre juckenden Gesichter, suchten in den Haaren der anderen Affen Flöhe und lachten ohne Angst davor, daß man ihr Zahnfleisch beim Lachen sehen konnte. Um ihre Liebe zu uns zu prüfen, liefen wir schnell auf die andere Seite des Käfigs. Dann drehten sie uns ihre Gesichter zu und schauten in unsere Augen.

In der Fabrik, die Lupe auf meinem rechten Auge, steckte ich jetzt meine Zunge unter meine Oberlippe und sah meinem Affen ähnlich. Feierabend hieß Affenabend, Wochenende hieß Affenende. Nach der Arbeit gingen wir zum Zoo, später im Dunkeln zu unserem beleidigten Bahnhof.

Dann kam ein neues türkisches Mädchen ins Wonaym, Engel. Engel war sehr klein, wenn Engel mit uns lief, sahen wir zum ersten Mal die Löcher auf den Berliner Straßen, weil wir immer auf Engel herunterschauen mußten. Zigarettenkippen lagen auf der Straße, und wir stießen sie mit den Schuhen vor uns her. Engel hatte eine weiche Stimme und sprach sehr langsam. So fingen wir auch an, langsamer zu reden. Wie in einem Zeitlupenfilm sah ich meine verlangsamten Arm- und Handbewegungen, die Füße hoben sich langsam hoch, stellten sich wieder auf die Straße, der Schnee fiel langsam, die Haare flogen langsam, die Kippen bewegten sich langsam vor unseren Füßen, das trockene Gras zwischen den stillgelegten Bahngleisen des beleidigten Bahnhofs bewegte sich langsam. Nur in der Fabrik verschwand die Langsamkeit, obwohl Engel vor mir arbeitete. Ich sah nur ihren Rücken, ihren Stuhl hatte sie höher gedreht, damit sie an dem Grüneisentisch arbeiten konnte. Im Wonaym fing ich durch Engel sofort wieder an, mich langsamer zu bewegen. Ich ging hinter Engel her und fühlte, daß sogar mein Atem sich verlangsamte. Auch die Uhr im Wonaymsalon tickte langsamer und machte den Abend lang. Der Abend setzte sich langsam auf die Stühle, an die Wände. Wenn ich mich an den langsamen Abenden hinsetzte und einen Brief an meine Mutter schrieb, stellten sich die Wörter langsam auf das Papier. Ich konnte sehen, ob sie hell waren, ob sie Münder hatten, singen konnten, weinen konnten, lachen konnten, ob sie miteinander sprachen, ob sie tiefen Atem hatten, kurzen Atem hatten, ob sie gut rochen – und ob sie, wenn sie bei meiner Mutter ankamen, rausgingen und über ihre Hand, über ihre Arme wie die kleinen Tiere laufen konnten.

Mit Engel ging ich zu Martha. Martha war eine deutsche Radiolampenarbeiterin und so klein wie Engel. Sie hatte Engel zu sich nach Hause eingeladen und wohnte in einem Schrebergarten. Sie hatte einen Papagei, der immer »du du« sagte. Sie hatte einen großen Kopf, blonde Locken, wie an den Kopf zementiert, und einen großen Busen, so groß, daß sie die Radiolampen in der Fabrik auf ihre Brüste wie auf einen Tisch stellen und in Ruhe kontrollieren konnte. Martha machte »him him«, das bedeutete, setzt euch. Ich setzte mich hin. Martha und Engel schnitten zusammen den Kuchen, den Martha gebacken hatte. Wir machten »himm mm mm«, und wenn wir nicht weiterkamen, »mm mm hm hm«. Wenn der Papagei »du du« sagte, lachten wir und sagten auch »du du«. Dann umarmte Martha uns, und wir gingen durch viele Schrebergärten zurück zur Straße, die Bäume waren mit Schnee bedeckt, jemand hatte einen Spaten an der Hauswand vergessen, er war festgefroren.

Unser kommunistischer Heimleiter hatte einen guten Freund, Ataman. Wenn wir aus dem Bus stiegen, streckte er uns seine Hände entgegen, damit wir im Schnee nicht ausrutschten, wir kicherten, nahmen aber nicht seine Hand. Dann lachte Ataman und sagte: »Sonst gehen eure Diamanten verloren, oder? Diamanten, Diamanten, Mädchen, gebt eure Diamanten her!«
　　Immer wenn wir Ataman sahen, lachte er und sang: »Diamanten, Diamanten, wann gebt ihr eure Diamanten her?« Er rief auch: »Diamanten muß man wie Kleingeld ausgeben.« Als wir einmal zusammen zur Bushaltestelle

gingen, rannte Ataman plötzlich los und rief: »Mädchen, schnell, der Bus kommt.« Wir rannten hinter ihm her, es kam aber kein Bus. »Ich wollte nur sehen, ob eure Brüste wackeln.« Wenn er seine Mütze vom Kopf nahm, kam darunter ein Geruch hervor wie von einem Kalb, das gerade geboren war. Der Schnee war kalt, die Zähne klapperten, aber der Geruch von Atamans Kopf versprach uns warme Zimmer, das Ankommen in einem warmen Hauseingang. Wir gingen hinter seinem Kopfgeruch her. Er hatte eine Brille, die seine Augen dreimal vergrößerte. Ein paar Wimpern klebten an der Brille, die er nie putzte, vielleicht weil er das, was er in seinem Leben bis jetzt mit dieser Brille gesehen hatte, nicht verlieren wollte. Sein Gesicht hatte die Farbe der Berliner Straßen. Engel ging immer öfter hinter Atamans Kopfgeruch her, und ich ging hinter Engel her. So gingen wir zu dritt, bald küßten sie sich. Wenn sie sich küßten, lachte ich, sie lachten dann mit und küßten sich wieder.

Die Berliner Straßen hatten viele Lücken, hier stand ein Haus, dann kam ein Loch, in dem nur die Nacht wohnte, dann wieder ein Haus, aus dem ein Baum herausgewachsen war. Wenn wir in den Nächten in den Berlinlöchern herumliefen, verloren wir unser Leben. Engel, Ataman und ich gingen dann wie drei Schafe dicht nebeneinander. Wenn wir gesprochen hätten, hätte vielleicht die Nacht, die in diesen Löchern wie eine große Rasierklinge stand, unsere Körper zerschnitten. Erst wenn wir an einer Kreuzung standen und die Lampe rot oder grün war, kam unser Leben wieder zu uns zurück. Ohne uns zu den Löchern umzudrehen, gingen wir dann über die Straße. In einer Nacht, in der der Sturm die Nacht vor sich herschob, schob die Nacht uns und einen alten Mann an eine Hauswand. Der Mann versuchte, sich an den Einschußlöchern in der

Wand festzuhalten. Er hatte seinen Mantel nicht zugeknöpft, der Mantel flog hinter ihm her wie ein Flügel und
flatterte flappflapp, ein Kamelhaarmantel. Der Mann ging
von einem Baum zum anderen, umarmte die Bäume, und
sein Mantel flatterte weiter und schob ihn zu dem anderen
Baum. Ataman sagte: »Alter Mann, armer Mann.« Nach
dem letzten Baum fiel der Mann auf die Straße. Er saß da
im Schnee, wir hoben ihn hoch und knöpften ihm seine
Mantelknöpfe zu. Er hatte eine Brille, die seine Augen sehr
klein machte, und die Brille war zugefroren. Wir gingen mit
ihm bis zu seiner Wohnung, und er lud uns ein. Ein großes
Bett, ein Teppichboden, ein Sessel. Er setzte sich in diesen
Sessel. Engel, Ataman und ich setzten uns nebeneinander
auf das Bett. Zwischen unseren Füßen und seinen Füßen
stand eine Schnapsflasche. Draußen im Sturm flatterte eine
Nylonplane, die die Arbeiter an einer Baustelle nicht richtig festgemacht hatten. Müde Biskuits lagen in einem Teller
auf dem Tisch, der zwischen dem Bett und der Wohnungstür stand. Vielleicht nahm der alte Mann jedesmal, wenn
er seinen Mantel anzog, ein Biskuit von dem Teller und aß
es auf der Treppe. Ataman und der alte Mann bückten sich
öfter zum Teppichboden, zur Schnapsflasche, und redeten
zusammen in deutsch. Engel sah Ataman nicht mehr, weil
er sich immer wieder zur Flasche bückte und zu dem alten Mann schaute, der uns dreien gegenüber auf seinem
fettigen Sessel saß. Deswegen fing auch Engel an, sich zur
Flasche zu bücken, Ataman schaute sie an: »Das ist nichts
für Kinder«, sagte Ataman. Der alte Mann fragte Ataman,
wie viele Liebhaber wir hätten, Ataman übersetzte uns den
Satz. »Keine«, sagten wir. »Jedes kleine Mädchen«, sagte
er, »hat einen Geliebten.« Er wiederholte diesen Satz ein
paarmal, als ob sein Kopf wie ein Magnet an diesem Satz
klebte. Wenn er diese Sätze sagte, machte sein Körper Bewegungen, als ob es ihm sehr kalt wäre. Dabei hatte er

seinen Mantel noch an, und das Eis an seiner Brille, die seine Augen dreifach verkleinerte, löste sich langsam. Bald machte er seine Augen ganz zu, sprach aber mit geschlossenen Augen laut weiter. »Ja, ja«, sagte er, »ja ja« und »na ja«. Wenn er auf dem fettigen Sessel eingeschlafen wäre, wären wir vielleicht weggegangen und hätten das Licht ausgemacht. Aber er sagte mit kleinen Pausen »ja ja« und »na ja«, und das Licht blieb an, und diese Wörter hielten uns weiter auf dem Bett, auf dem wir nebeneinander saßen. Weil wir nicht weggehen konnten, fingen Ataman und Engel an, sich zu küssen. Sie küßten sich so lange, daß sie langsam ins Bett fielen. Erst sah ich ihre Füße noch neben meinen auf dem gelben Teppichboden, dann zogen ihre Füße die Schuhe aus. Die zwei Paar Schuhe blieben auf dem gelben Teppichboden neben meinen Füßen stehen, Füße und Beine verschwanden im Bett, und sie liebten sich sehr leise hinter meinem Rücken. Atamans Jacke deckte die Bettlampe zu, und der alte Mann ging vor meinen Beinen auf die Knie. Ich hatte Nylonstrümpfe an. Er fing an, meine Strümpfe am Knie zu lecken und schrie dabei, als ob man ihn mit einem stumpfen Messer schneiden würde. Meine Knie zitterten so sehr, daß der alte Mann die Luft leckte, schreiend, dann war es still. Er nahm seine Brille von der Nase, putzte sie mit der Bettdecke, setzte sie wieder auf. Dann setzte er sich auf seinen Sessel. Nach ein paar Minuten sagte er: »Diese Symmetrie habe ich satt.« Der alte Mann stand auf, nahm die Uhr, die genau in der Mitte auf einem Wäscheschrank stand, stellte sie etwas weiter links und setzte sich wieder auf den Sessel. Die Uhr tickte laut, Ataman und Engel liebten sich ohne Geräusche hinter mir, die Uhr tickte, irgendwann schlugen die Glocken einer Kirche dong dong dong. Die Uhr zeigte drei nach drei, aber die Kirche schlug erst drei Uhr. Der alte Mann war böse auf seine Uhr, weil sie nicht genau ging. Er machte das Fenster auf und schmiß die Uhr hinunter auf die Straße. Jetzt tickte keine Uhr mehr, nur die Vorhänge vor dem offenen Fenster flatterten, und der Schnee kam mit dem Sturm ins Zimmer. Engel und Ataman fingen an, etwas zu zittern. Ich stand auf und fiel sofort über meine Knie. Ich faßte die fettige Sessellehne und stand wieder auf. Die Armlehne des fettigen Sessels war sehr alt, der Stoff war hier mit der Zeit dünn geworden. Wahrscheinlich saß der alte Mann immer auf dem Sessel und schaute auf sein Bett, und wenn er im Bett lag, schaute er auf den Sessel. Wenn er aus der Wohnungstür hinausging, ließ er das Bett und den Sessel hinter sich, wenn er hereinkam und am elektrischen Knopf drehte, sah er den Sessel und das Bett dort stehen. Ataman und Engel zogen sich an und machten das Fenster zu. Der alte Mann nahm, als er uns zur Tür brachte, eins von den müden Biskuits, die auf dem Teller lagen, aß es und machte hinter uns die Tür zu. Unten auf der Straße sahen wir seine Uhr im Schnee liegen.

Engel hatte beim Anziehen ihre Unterhose schnell in ihre Manteltasche getan. Als wir uns nach der Uhr bückten und sie ans Ohr hielten, um zu hören, ob sie noch tickte, tropfte von Engels Beinen Blut auf den Berliner Schnee. Die Uhr tickte noch. »Jetzt ist der Diamant weg«, sagte Ataman, nahm die Uhr und steckte sie in seine Jackentasche. Wir gingen im Schnee und Sturm zurück zu unserem Frauenwonaym. Engel und Ataman küßten sich weiter in der Nacht, und die Uhr tickte in Atamans Jackentasche tick tack tick tack.

Nachdem Engel ihren Diamanten verloren hatte, fand sie mit Hilfe der Frau unseres kommunistischen Heimleiters, der Taube, eine Wohnung für 90 Mark in Kreuzberg. Engel wollte, daß ich mit ihr dort einziehe. Mit zwei Koffern gingen wir zur Kreuzberger Wohnung. Ihr Koffer war groß, und sie war klein. Als sie im Schnee lief, hinterließ ihr rechter Fuß tiefere Spuren im Schnee als ihr linker.

In der Wohnung gingen zwei Glühbirnen an, die noch von der toten alten Frau, die hier gewohnt hatte, zurückgeblieben waren. Vierzig Watt. Wir setzten uns in die Küche. Es gab einen Kohleherd, der nicht an war. Man brauchte Kohlen. Im Herd stand eine Pfanne, in der hartes, altes Fett und alter Tee klebte. Wahrscheinlich hatte die tote Frau in der fettigen Pfanne Tee gekocht. Wir saßen in Mänteln vor dem Herd, als ob er uns wärmen würde. Ataman hatte Engel die Uhr, die der alte Mann aus dem Fenster geworfen hatte, gegeben. Die Uhr tickte im Koffer, den wir noch nicht aufgemacht hatten, und im Waschbecken tippte das Wasser herunter tip tip tip tip. Die Stromkabel waren an manchen Stellen offen, und an den Glühbirnen waren viele Insekten gestorben. Das schmutzige Licht der Glühbirnen gab uns kaum Licht, sondern beleuchtete schwach den Insektentod. Jede Zigarette, die wir in dieser Nacht rauchten, zeigte uns, daß wir etwas Falsches getan hatten. Wir waren von der Herde weggelaufen und weinten jetzt um die Herde. Ataman war auch nicht da, an dessen Kopfgeruch wir uns wenigstens hätten wärmen können. Als wir dort saßen, staunten auch die Wände der Küche, daß wir dort saßen. Eine der 40-Watt-Glühbirnen zitterte, ging an und aus. Das war Berlin. Dieses Berlin hatte es für uns bis jetzt nicht gegeben. Wir hatten unser Wonaym, und dieses Wonaym war nicht Berlin. Berlin begann erst, wenn man aus dem Wonaym herausging, so wie man ins Kino geht, einen Film sieht und mit dem Bus wieder zurückkommt und den anderen beim Ausziehen den Film erzählt. Jetzt waren wir in diesem Film drin, aber das Bild war gefroren, stehengeblieben. Niemand klopfte, niemand stand auf und machte die Tür auf. Wir lagen in unseren Kleidern und Mänteln auf den Betten, weinten in der Dunkelheit und gingen, bevor der Morgentau kam, mit unseren noch nicht geöffneten Koffern zurück in unser Frauenwonaym. Die Uhr tickte weiter im Koffer und zeigte uns mit dem Leuchten des Schnees die Richtung zu unserem beleidigten Bahnhof. Als wir im Wonaym ankamen, waren die Frauen schon wach. Der Korridor roch nach Frauenschlaf und kochenden Eiern. Wir standen vor den Badezimmertüren und hörten das Geräusch des über die Frauenkörper spritzenden Wassers. Wir öffneten die Tür und sahen den Schaum auf dem Steinboden und in den Frauengesichtern. Einer Frau fiel die Seife aus der Hand, ich nahm die Seife auf und gab sie ihr zurück, sie hatte die Augen geschlossen, der Schaum lief ihr von den Haaren über die Augen. Ich roch an meiner Hand, es roch nach dieser Seife, und als wir wieder mit allen anderen Frauen an der Bushaltestelle warteten und uns wegen der Kälte nahe kamen, rochen alle Frauen nach dieser Seife. Im Bus saßen Engel und ich noch mit der Angst, wir säßen noch in der Kreuzberger Wohnung mit den toten Insekten. Ich roch heimlich an den Haaren der Frauen, die vor mir saßen, und an meiner Hand, an der noch der Seifengeruch klebte. In der Fabrik machten mir manche Geräusche zum ersten Mal Angst, so als ob sie die Verlängerung dieser Wohnungsstimmen wären. Herausziehen der Zigaretten aus dem Zigarettenautomaten, die hereinfallenden Ein-Mark-Stücke, das Geräusch einer kaputten Radiolampe, wenn sie in den Mülleimer geworfen wird, das Tink Tink der Stechuhr. Ich vergaß die Geräusche kurz, wenn die griechischen Arbeiterinnen wieder »Frau Missel, komma« riefen, weil sie kein »sch« sagen konnten.

In der Nacht im Wonaym habe ich geträumt. In der Dekke und an den Wänden des Zimmers öffneten sich kleine Löcher. Ich lag auf dem Boden, und aus den Löchern der Wände und der Decken stießen kleine Schlangen hervor, die andere Hälfte ihrer Körper blieb in der Decke und in den Wänden. Eine große Schlange steckte in meinem Körper und ihr Kopf in meinem Mund. Eine Stimme sagte mir: Zieh die Schlange nicht aus deinem Hals, damit sie dich nicht beißt. Ich wachte auf und schrie. Die beiden Geschwister, die immer hellblaue Morgenmäntel aus elektrisierten Stoffen trugen, bewegten sich im Bett unter ihren Decken und murmelten unverständliche Wörter. Rezzan über mir wachte auf. Das Reklamelicht des Hebbeltheaters ging an und aus. Rezzan ging mit mir aus dem Zimmer ins Bad. Ich rieb mit der Zahnbürste mein Zahnfleisch, um wach zu bleiben. Auch Rezzan schlief nicht, ihr Kopf hing von ihrem Bett zu meinem herunter, und sie erzählte mir eine Geschichte von Tschechow, »Die Dame mit dem Hündchen«. Die Dame ging mit ihrem Hündchen an einem Badestrand spazieren, und ein Mann, Dmitrij – seine Frau nannte ihn Dimitrij –, sah die Dame mit dem Hündchen. Sie war blond. Er sah sie auch mit dem Hündchen in einem Park, niemand wußte, wie sie hieß, so hieß sie »die Dame mit dem Hündchen«. Dmitrij wollte sie kennenlernen. Er war verheiratet und hatte Kinder. Weil er sehr jung geheiratet hatte, war ihm seine Frau jetzt zu alt. Er ging oft zu anderen Frauen, sprach aber immer schlecht von den Frauen. Wenn andere Leute mit ihm über Frauen sprachen, sagte er: »Ein erbärmliches Geschlecht.« Aber er konnte nicht zwei Tage ohne das erbärmliche Geschlecht leben. Wenn er mit Männern zusammensaß, gähnte er, langweilig war es. Bei Frauen wußte er, worüber er mit ihnen sprechen konnte, und mit Frauen zu schweigen war ihm leichter als mit Männern. Eines Abends setzte er sich in einem Restaurant im Park neben den Tisch dieser unbekannten Dame mit dem Hündchen. Die Leute hatten über sie gesprochen. Sie wäre verheiratet, aber hier fremd und allein mit ihrem Hund. Dmitrij zerbrach sich den Kopf, wie er es anfangen könnte, die Dame mit dem Hündchen anzusprechen. Dann schwieg Rezzan. »Und dann, was passiert dann?« Rezzan sagte: »Ich werde weiterlesen, morgen abend erzähle ich dir, wie er es gemacht hat.« Ich vergaß die Schlangen und die fettige Pfanne der alten toten Frau mit den Teekrümeln und dachte nur daran, wie er angefangen hat, mit der Dame mit dem Hündchen zu sprechen.

Wir gingen in die Fabrik. An diesem Morgen stand im Zeitungskasten die Schlagzeile: SIE KNALLEN WIEDER. »Sie knallen wieder.« »Sie knallen wieder.« – Ich übte meine Sätze im Bus, und abends im Wonaym merkte ich, daß auch die anderen Frauen irgend etwas übten. Eine übte, wie sie ihren Weg aus dem Stadtzentrum zurückfindet. Sie ging dort öfter in die Kaufhäuser und hatte eines Abends ihren Weg verloren, weil im Berliner Winter die Dunkelheit sehr schnell herunterkam. Zuerst hatte sie geweint, dann sagte sie zu sich, um sich zu beruhigen: »Gut, daß mich zu Hause kein Mann erwartet.« Da weinte sie aber noch mehr. Dann hörte sie die Glocken einer halben Kirche, und weil sie diese halbe Kirche kannte, ging sie hinter den Glockenstimmen her, fand die halbe Kirche, von dort aus konnte sie die Bushaltestelle, die sie zum Wonaym brachte, wiederfinden. Sie nannte diese halbe Kirche gebrochene Kirche, eine Hälfte war im Krieg zerbombt worden. Die halbe Kirche half ihr jedesmal, ihren Weg wiederzufinden. Wenn sie uns von ihrem Weinen in der Dunkelheit erzählte und wie sie ihren Weg verloren hatte, sprach sie immer von einem Ehemann, den sie nicht hatte: »Gut, sagte ich mir, daß kein Mann mich zu Hause erwartet.« Eine andere Frau übte, auf einer Rolltreppe rückwärts zu laufen. Auch sie sagte: »Gut, daß ich keinen Mann habe, wenn er mich so sehen würde, würde er mir meine Haare ausreißen.« Jede Geschichte endete mit einem Mann. Eine sagte: »Mir ist

64

wieder das Fleisch angebrannt, es wurde zu Kohle. Aber egal, ich habe ja keinen Mann, der mir deswegen ein paar Wörter an den Kopf wirft.« Zu weich gekochte Makkaroni, zuviel Salz am Essen, zu viele Kilos am Körper, nicht gekämmte Haare, ein zerrissener BH unter ihren Kleidern – alles endete immer mit: »Ich habe ja, Allah sei Dank, keinen Mann, der das sehen kann.« Wenn ein Glas oder Teller herunterfiel und kaputtging, hieß es: »Gut, daß die Männer das nicht sehen.« Wenn eine Frau den Plattenspieler im Wonaymsalon zu laut aufdrehte, wenn eine laute Männerstimme sang »Über sieben Brücken mußt du gehn« und die Frau dieses eine Lied immer wieder von neuem auflegte, als ob sie sich mit diesem Lied betrinken wollte, sagten die anderen Frauen: »Leider gibt es keinen Mann, der sie zum Schweigen bringt.« Eine andere Frau übte am Staubsauger, die anderen Frauen nannten sie das Hoovergirl. Sie sagte: »Allah ist mein Zeuge, ich höre jedes Geräusch, jedes kleine Schmutzstück, das hineingeht, macht tink, tink, ich höre dieses Geräusch genau.« Die Frauen sagten: »Hoovergirl, hast du denn einen Mann, dem du zeigen kannst, wie sauber du bist?«

Die eine Gruppe der Frauen sagte: »Gut, daß wir keinen Mann haben …«, die anderen sagten: »Leider haben wir keinen Mann …« Aber jeder Satz, egal, ob er mit »gut« oder »leider« anfing, gebar immer einen Mann. Das Wort »Mann« war wie ein großer Kaugummi, den sie gemeinsam kauten. Wenn dieser Kaugummi vom vielen Kauen seinen Geschmack verloren hatte und sich unter ihren Zungen und zwischen ihren Zähnen sammelte, zogen sie ihn mit ihren Fingern heraus und machten lange Fäden in der Luft. Wenn ich im Wonaymsalon an den Tischen vorbeilief, versuchte ich mit meinen Händen, meine Brüste etwas zuzudecken und unter meinen Füßen den Holzboden nicht zu laut knarren zu lassen, damit ihr Kaugummi sich nicht an meine Haare oder an meinen Pullover klebte. Jedes Geräusch half ihnen, den Kaugummi zu vergrößern. »Mädchen, wackle, wackle mit deinem Busen. Wenn das ein Mann sehen würde.« Die Frauen, die in ihren Mündern die Männer kauten, schwiegen erst, wenn eine Frau aus diesem Kaugummi eine Blase vor ihrem Mund machte und sie in der Luft zerplatzen ließ. PAT.

Eine schöne Frau erzählte, daß sie auf der Straße in ein Auto gestiegen war, sich nach hinten gesetzt hatte, vorne saß der Mann. Sie konnte Englisch, und der Mann sagte ihr, er würde ihr 100 Mark geben, wenn sie eine Stunde in seinem Auto sitzen bleiben würde. Sie fragte ihn in englisch: »Was muß ich machen?« Er erklärte es ihr, und sie sagte: »I can not good English.« Sie erzählte die Geschichte den Frauen mit vielen englischen Sätzen: »Er sagte: ›Can you sit down one hour in my car‹, ich sagte: ›What must I do in this one hour?‹« Wenn sie die Sätze in englisch zitierte, nickten die Frauen und verstanden sie nicht. Sie nickten, und keine Frau sprach wegen der 100 Mark hinter diesem Mädchen her. Weil sie so gut Englisch sprach, fragte sie niemand, warum sie in das Auto eingestiegen war. Es war das Mädchen, das gut Englisch konnte. Die Frauen fragten sie, welche Medikamente sie gegen Kopfschmerzen nehmen sollten, ob sie Aspirin trinken sollten oder Saridon oder Optalidon. Sie las den Frauen Geschichten aus englischen Frauenzeitschriften vor: Wie kann ich meinen Chef verführen? Oder: Wie kann ich meinen Mann glauben lassen, daß ich den ganzen Tag für ihn gekocht habe? Zum Beispiel so: Die Frau geht den ganzen Tag mit ihren Freundinnen raus auf die Straße oder ins Kino, aber kurz bevor ihr Mann kommt, macht sie die Pfanne heiß, tut Öl hinein, das kräftig riecht, und brät darin Knoblauch. Das ganze Haus riecht nach Knoblauch, und der Mann kommt herein und lächelt. Sie las auch vor: Wenn ein Mann eine

Sekretärin unter 25 Jahren sucht, sollte seine Frau nicht sagen: »Ich weiß, was du suchst.« Sie sollte sich lieber mit der Sekretärin zusammentun und klarstellen: Sie ist die Frau in der Ehe, und die Sekretärin ist die Frau im Beruf. Die Ehefrau, die es schaffte, so zu denken, war klug, weil man als Frau wissen mußte, daß der Mann ein hilfloses Geschöpf ist, obwohl er die Krone der Schöpfung ist. Rezzan saß, die Hände in ihren Taschen, im Wonaymsalon und las Tschechows »Die Dame mit dem Hündchen« weiter, sie blätterte das Buch mit ihrer Zunge oder dem Kinn um. Zu ihr sagte niemand: »Wenn ein Mann das sehen würde.« Rezzan erzählte mir, daß der Mann die Dame mit dem Hündchen im Parkrestaurant angesprochen hatte, indem er zu ihr gesagt hatte: »Darf ich Ihrem Hund einen Knochen geben?« Die Frau hatte mit dem Kopf genickt, und er fragte sie: »Sind Sie schon lange in Jalta?« – »Etwa fünf Tage.« Und der Mann sagte: »Ich verbringe hier schon die zweite Woche.« Dann schwiegen sie beide eine Weile. Es war sehr schön, sich zwei Menschen vorzustellen, die schwiegen. Aber vielleicht übten sie auch etwas, indem sie schwiegen. So wie die Frauen übten, wie man den Ehemann abends mit Knoblauch verführt oder wie man in einer Stunde 100 Mark verdient, wie Ehefrauen sich mit den Sekretärinnen ihres Mannes anfreunden und der Mann üben muß, ein hilfloses Geschöpf zu sein, damit er die Krone der Schöpfung auf dem Kopf behält.

Als die Frauen im Wonaymsalon von den Männern sprachen, die nicht da waren, sprach auch unser kommunistischer Heimleiter in seinem Zimmer von einem Mann, der nicht da war. Nachdem Engel ihren Diamanten verloren hatte, saß sie nicht mehr im Sechsbettzimmer, sondern öfter im Zimmer unseres kommunistischen Heimleiters, weil auch Ataman fast immer bei ihm war. Ataman liebte unseren kommunistischen Heimleiter, und dieser liebte

Ataman. Wenn sie im Wonaymleiterzimmer saßen, sahen sie sich sehr ähnlich, und wenn sie rauchten, machten beide ihre Zigaretten an der Wand oder am Türbalken aus. Dort redeten sie von einem Mann. Die Dunkelheit kam in Berlin sehr schnell, und sie machten keine Lampe an. Engel saß da auf dem Bett und blätterte im Dunkeln in einem Buch, das sie in der Hand hielt, weiter. Und die beiden Männer sprachen weiter im Dunkeln über diesen Mann, als ob das Einschalten des Lichts ihnen diesen Mann wegnehmen würde. Der Mann hieß Brecht. Sie sagten Brecht, Brecht, Brecht, Brecht, und wenn sie den Namen Brecht sagten, spritzte zwischen ihren Zähnen, die nicht dicht nebeneinander standen, bei den Buchstaben »cht« etwas Spucke heraus. Auch Ataman hatte, wie unser kommunistischer Heimleiter in der Türkei, an einem Theater gearbeitet und hatte zwei Theaterstücke geschrieben. Auch er liebte Brecht, ging mit unserem Heimleiter ins andere Berlin, zum Berliner Ensemble, und kannte Brechts Frau Helene Weigel. Zu Helene Weigel sagten sie Helli. Wenn die Frau unseres kommunistischen Heimleiters, die Taube, den Namen Helli hörte, kriegten ihre Wangen eine rote Farbe, ihr Mund blieb etwas offen, und jedesmal faßte sie mit ihrem Finger an ihr großes Muttermal über ihrem Mund und streichelte es. Unser Heimleiter sagte öfter: »Meine Taube, ich werde aus dir Helli machen.« Er wollte ein Theaterstück schreiben, in dem die Taube die Hauptrolle spielen sollte. Ataman und er lernten Brecht auswendig und sprachen immer die gleiche Stelle zusammen:

Als im weißen Mutterschoße aufwuchs Baal
War der Himmel schon so groß und still und fahl
Jung und nackt und ungeheuer wundersam
Wie ihn Baal dann liebte, als Baal kam.

Wenn wir drei Mädchen ins Heimleiterzimmer kamen, unterbrach Ataman das Brecht-Gedicht und sagte im gleichen Ton: »Wann gebt ihr eure Diamanten her?« Dann ging es weiter mit dem Gedicht:

Man hat Platz, sagt Baal, in dieses Weibes Schoß ...

Starke Glieder braucht man und Erfahrung auch:
Und mitunter stört ein dicker Bauch ...

Jung und nackt und ungeheuer wunderbar ...

Wenn unser kommunistischer Heimleiter und Ataman ausgingen, zogen sie sich auch im Winter keine Mäntel an. Draußen schneite es, sie schlugen ihre Jackenkragen hoch. Die Hände in den Taschen, gingen sie, Brecht, Brecht sagend, hinter ihren Brecht-Wörtern her, als ob diese Wörter sie wärmten. Ihr Atem dampfte in der kalten Luft und ging vor ihnen her. Wenn sie eine Straße überquerten, warteten sie nicht auf Grün, sondern gingen weiter ihrem Atemrauch hinterher bis zu einer Kneipe. Bevor sie reingingen, sagte Ataman immer den gleichen Satz: *»Welch hausback'nes Volk macht hier sich breit.«* Und wenn sie in der Nacht wieder herauskamen, sagte er immer: »Bevor ich meine Haare nicht gekämmt habe, zeige ich mich nie dem Mondlicht«, und küßte Engel.

Einmal holte unser kommunistischer Heimleiter im Wonaymleiterzimmer aus seiner Schublade ein paar Blätter heraus, die er sauber aus einem Buch herausgeschnitten hatte. Ataman und er schauten die Fotos an und kicherten. Die Taube wollte auch schauen, aber sie versteckten sie vor ihr, als wenn es Pornobilder wären. Unser kommunistischer Heimleiter zog die Taube zu sich heran, setzte sie auf seinen Schoß, küßte sie, aber hielt die Fotobilder auch noch beim Küssen hinter Taubes Rücken hoch in die Luft. Es waren keine nackten Frauen, sondern drei Kindheitsfotos von Brecht. Auf einem hatte er ein weißes Mädchenkleid an, in der Hand hielt er einen Stock, mit dem er ein Holzpferd spazierenführte.

Engel hatte ihren Diamanten hergegeben, wir drei Mädchen noch nicht, und wir alle vier liebten den Rücken unseres kommunistischen Heimleiters und von Ataman. Wenn sie ausgingen, kamen wir vier, noch das Essen im Mund, aus unseren Zimmern und fragten, wie wir unsere Eltern früher gefragt hatten: »Können wir auch mitkommen?« – »Kommt«, sagten sie, und so gingen wir hinter ihren Rücken her. Ihr Rücken war unser Berlin-Stadtplan. Sie gingen immer in die gleiche Kneipe. Wir schauten nicht auf die Namen der U-Bahnstationen, wir schauten auf ihre Rücken, wir stiegen aus, stiegen um, und ich kannte alle Maschen ihrer Jacken, ihre Schuppen auf ihren Schultern, ihre Haare. Ich sah, daß sie in der Nacht auf ihrer rechten oder auf ihrer linken Hälfte des Kopfes gelegen hatten. In der Kneipe aber gingen ihre Rücken verloren, dort glänzte das Bier, und die Augen der Menschen glänzten, wenn sie ein Bier in der Hand hatten. Wenn die Gläser leer waren, gingen die Lichter in ihren Augen aus. Der dicke Wirt sah das und fragte sofort: »Noch ein Bier, noch ein Bier?« Sooft wie das Wort Bier gesagt wurde, wurde auch das Wort Kommunist gesagt. Wenn einer aus seinem vollen Bierglas in das leere Glas seines Freundes etwas Bier goß, hieß es: Kommunist. Und wenn einer von seinem Bier in das leere Glas eines anderen kein Bier goß, hieß dieser Antikommunist oder Kapitalist. Nach diesen Wörtern lachten sie immer. Kommunisten und Kapitalisten lachten an einem Tisch. Und unser kommunistischer Heimleiter las dabei die Zeitung und sagte: »Es steht die Wahrheit drin, aber es hängt davon ab, wie man es liest.« Dann lachte er. Ein

Franz-Joseph Strauß, 50 Jahre alt, CSU-Parteichef, ging eines Tages in der Stadt München in ein Restaurant, »Tiroler Stuben«, dort machten Männer in kurzen Hosen Musik, die Kapelle hieß Schrammeltrio, und der Strauß bat diese Musiker mit kurzen Hosen, für ihn einen Marsch zu spielen. Der Marsch hieß »Badenweiler Marsch« und soll Hitlers Lieblingsmarsch gewesen sein. Wir wußten nicht, wer Franz-Joseph Strauß war, aber lachten, weil der Schnurrbart unseres kommunistischen Heimleiters beim Erzählen so komisch rauf- und runterging. Er lachte manchmal so sehr, daß ihm seine Spucke auf die Zeitung herunterregnete. Die Zeitschrift hieß DER SPIEGEL. Diese Zeitschrift roch nach Zigaretten, weil viele Leute, die sie in der Kneipe lasen, rauchten. Auf einem Foto saßen ältere Männer mit Brille oder ohne Brille hintereinander, wie in einem Gerichtssaal, ihre Hände in ihrem Schoß. Links von ihnen standen junge Soldaten in Uniformen und mit Gewehren. Darüber stand: »Mit Stahlhelm und Gewehr«. Die älteren Männer mit Brille oder ohne Brille waren alte Soldaten, die anderen mit Stahlhelm und Gewehren und ohne Brille waren neue Soldaten. Sie feierten in einer Kirche ihre Militärorden. Ein Oberst, er hieß Schott, hatte gesagt: »Im Standarddienstvorschriftenbuch steht geschrieben, daß ein Ehrenzug immer mit Stahlhelm und Gewehren aufzutreten hat.« Aber in diesem Dienstbuch stand kein Satz darüber, wie man in einer Kirche aufzutreten hat – mit Stahlhelm und Gewehr oder ohne Stahlhelm und Gewehr. Deswegen sagte ein General, der das Buch auch gelesen hatte: »Die Soldaten sollten in der Kirche ab jetzt kein Gewehr und keinen Stahlhelm mehr tragen.« Ein Sprecher des Verteidigungsministeriums sagte: »Dieser Beschluß ist sicher ein unglücklicher Beschluß.«

Ich hatte in Berlin noch keinen deutschen Offizier oder Soldaten gesehen. Die einzigen Uniformen, die ich gesehen hatte, waren weiße oder graue Kittel in der Fabrik. Ataman zeichnete in dieses Bild im SPIEGEL, auf dem alte Soldaten ohne Stahlhelm in der Kirche saßen, Stahlhelme auf ihre Köpfe, setzte ihnen ganz kleine Schnurrbärte vor ihre Nase und sagte, Hitler sei ein schlimmes Genie gewesen, weil er eine Maske mit einem Schnurrbart und ein paar Haaren auf der Stirn gewählt hätte, die jeder Mensch leicht hätte nachmachen können. Ein Kind, eine Frau, egal. Ataman sagte: »Napoleon kann man nicht so schnell ähnlich sehen, das geht nur mit Hitler. Wenn jeder ihm so schnell ähnlich sehen kann, bedeutet das, jeder hat ein bißchen etwas von diesem Typ, deswegen muß man immer aufpassen, daß man nicht Hitler wird.« Dann machte ihn Ataman aber selber nach. Er spuckte in seine Hand, mit seiner Spucke klebte er ein paar Haare auf seine Stirn, nahm Engels Haare in die Hand, hielt sie als Schnurrbart vor seine Nase und lachte. Unser kommunistischer Heimleiter sagte: »Ataman, diese Hitlermasken-Theorie stammt nicht von dir, sondern von Godard. Verkauf deine eigenen Sätze an die Mädchen.« Dann verkaufte er uns selber Zeitungssätze. Er las wieder einen Satz und lachte zuerst so lange, daß wir alle wissen wollten, worum es ging. »Konrad Adenauer wird übermorgen 90 Jahre« und »Was darf der Schnaps kosten« und »Ein deutscher Minister hat gesagt, wenn jeder Deutsche in der Woche eine Stunde länger arbeiten würde, braucht Deutschland keine Gastarbeiter«. An unserem Tisch interessierten sich die Männer für den letzten Satz, und an einem anderen Tisch interessierten sich vier junge deutsche Männer für uns vier Mädchen. Von uns vieren guckte Engel immer auf den Mund von Ataman, Rezzan guckte auf den Mund unseres kommunistischen Heimleiters, der lachte und auf die Zeitung spuckend las. Das dritte Mädchen, Gül, schaute auf Rezzans Gesicht und verfolgte über deren Gesicht, was passierte, nur ich schaute zu den vier jungen Männern. »Istanbul, Istanbul?« fragten sie über die Tische. »Istanbul, Istanbul«, sagte ich. Nach zehn Minuten warfen sie wieder ihre Wörter zu unserem Tisch. »Istanbul, Istanbul?« – »Istanbul, Istanbul«, sagte ich. Als die vier jungen Männer zum dritten Mal »Istanbul, Istanbul« sagten, rief Ataman ihnen über die Tische hinweg zu: »Achtung, Jungfrau.« Dann sagte er zu mir: »Istanbul, Mistanbul, Diamant wird zum Miamant.« Als ich auf die Toilette ging, ging ich an ihrem Tisch vorbei, und als ich zurückkam, war ein Stuhl frei. Sie schauten mich lachend an, ich lachte auch und setzte mich auf den leeren Stuhl. Jeder holte aus seiner Jackentasche ein Foto und zeigte es mir. Alle vier Fotos waren gleich. Sie saßen hintereinander auf einem Fahrrad, das vier Sättel hatte und mit dem sie von einer Stadt zur anderen gefahren waren. Zwei von ihnen waren Bauarbeiter, die beiden anderen Studenten. Alle vier gaben mir die Hand, die Hände der Bauarbeiter waren wie ein Stück Holz, in dem Nägel steckten. »Kommunist«, sagten sie, als sie mir die Hand gaben. Die beiden Studenten sagten »Kapitalist«. Eine kapitalistische Hand gefiel mir. Sie fragten mich: »Kommunist?« Ich sagte: »Telefunken.« So saß ich dort am Tisch, meine linke Hand in einer kapitalistischen Hand und meine rechte in einer kommunistischen Hand. Und der Junge mit der kapitalistischen Hand gefiel mir. Er war dünn. Der dicke Junge, der die kommunistische Hand hatte, schrieb meine Adresse vom Frauenwonaym an der Stresemannstraße auf. Als sie meine Adresse hatten, ließen sie meine Hände los. In der Nacht ging ich wieder hinter dem Rücken unseres kommunistischen Heimleiters und von Rezzan und Gül zu unserem Wonaym zurück. Engel blieb bei Ataman. Die Schneeflocken wurden kleiner und nasser. Dann verschwand der Schnee, und es fing an zu regnen. Der alte Schnee auf den Dächern kam mit dem Regen herunter und machte unsere Schuhe naß. In der Nacht wuschen wir drei Mädchen unsere Strümpfe und hängten sie im Badezimmer nebeneinander auf. Am nächsten Tag, noch bevor unsere Strümpfe getrocknet waren, kam eine Frau und sagte zu mir: »Dich sucht ein Mann.« Es war der dicke Junge mit der kommunistischen Hand, er stand zwischen den Frauen im Wonaymsalon, und alle, die in den letzten Tagen nur von Männern geredet hatten, schwiegen plötzlich und waren erstarrt, als ob sie jemand in einen Stein verwandelt hätte. Ich zog meine noch halbnassen Strümpfe an und ging mit ihm heraus, damit die Frauen sich wieder bewegen konnten. Wir gingen, es regnete. Er war sehr dick, ich war sehr dünn, wir hatten keine Sprache zum Sprechen. Er stieg in keinen Bus ein, nahm keine U-Bahn, er lief und lief, ich lief mit ihm. Es gab nicht viele Menschen zu sehen. Es war ein Samstag, manchmal lief jemand mit einem Regenschirm auf der Straße, und wir liefen eine Weile hinter diesem Regenschirm her. Wenn dieser Mensch in ein Haus reinging, gingen wir auf die andere Seite der Straße und liefen dort weiter. Manchmal zuckte ein Blitz und machte kurz Licht über den einsamen Straßen. Der Regen hatte den Schnee geschlagen, jetzt schlug der Regen die nassen Straßen und die Hauswände. Die Einschußlöcher an den Hauswänden hielten den Regen kurz fest und spritzten ihn dann wieder heraus. Wir gingen stumm über einen Friedhof. Hier waren mehr Menschen zu sehen als auf den Straßen. Es gab viele Tote in Berlin. Der Regen hielt die Menschen in den Häusern, aber die Toten holten sie wieder raus. Sie standen auf dem Friedhof vor den Toten, wie sie im Kaufhaus Hertie vor der Käsetheke standen oder an der Bushaltestelle. Müde Blumen und kleine Harken lagen über der toten Erde. Die Menschen schauten uns nicht an, sie arbeiteten, als ob ein Meister ihre Arbeit beobachten würde. Der Regen hörte nicht auf, aber der dicke Junge mit der kommunistischen Hand hielt jetzt an. Wir waren in der Kneipe angekommen. Draußen war es schon dunkel, drinnen zapfte der Wirt Bier. Der dicke Junge steckte zehn Pfennig in die Nußmaschine, holte eine Handvoll Nüsse heraus und gab sie mir in meine nasse Hand. Die anderen drei Jungen saßen schon am Tisch. Ich legte die Nüsse auf den Tisch und setzte mich hin. Ich war naß, jetzt waren auch die Nüsse naß. Der dicke Junge wollte meine Hand in seine nehmen, aber der dünne Junge mit der kapitalistischen Hand nahm meine beiden Hände und hauchte seinen warmen Atem hinein. Als er ging, hatte er meine Hand immer noch in seiner Hand, so ging ich mit ihm.

Er wohnte genau an der Mauer in einem Haus oben im fünften Stock. Wenn man aus dem Fenster herunterschaute, sah man die Ostpolizei unter starken Scheinwerfern hin- und herlaufen. Der Junge warf kleine Steine nach ihnen, die er in einem Eimer gesammelt hatte. Immer wenn er geworfen hatte, zog er sich sofort zurück ins Zimmer. Die Ostberliner Polizisten schimpften von unten herauf, und er schimpfte durch das offene Fenster herunter. Die Hunde unten bellten, und ich fror. Der dünne Junge warf die ganze Nacht über Steine auf die Ostberliner Polizei, und es regnete und regnete. Ich saß mit meinen halbnassen Kleidern im Bett, und zwischen dem Hundebellen und den Schimpfwörtern schlief ich sitzend ein. Als ich wach wurde, fiel der Regen genau wie in der Nacht. Das Fenster war geschlossen, und der dünne Junge war in der Badewanne im kalt gewordenen Wasser eingeschlafen. Als ich ihn weckte, gab er mir einen kurzen Kuß, ich nahm ihn. Es war ein müder Kuß. Er ging mit mir herunter auf die Straße. Das einzige, was wir sahen, war der Regen. Aus manchen Fenstern kam mehliges Licht, und ich dachte, in den Häusern wohnen nur diese schwachen Glühbirnen, keiner schaut aus dem Fenster, kein Schatten fällt auf die Zimmerwände, kein Kind macht sich die Schuhe im Regenwasser schmutzig.

Der Junge stieg mit mir in einen Bus, der zum Villenviertel fuhr, und ich sah zum ersten Mal den See. Die Enten kamen aus dem Wasser und platschten mit ihren Füßen auf das Ufer. Wir gingen in eine Villa, die anderen drei Jungs saßen schon in einem Zimmer auf einem großen Bett und schauten auf den Fernseher. Es war dunkel im Zimmer, nur der Fernseher gab etwas Licht. Ich setzte mich mit auf das Bett, es war das einzige Möbel im Zimmer, auf dem man sitzen konnte. Im Fernseher lief ein Charlie-Chaplin-Film, ich kannte ihn aus der Türkei und sagte mein erstes Wort seit einem Tag: »Scharlo, Scharlo.« So hieß Charlie Chaplin in der Türkei. Während ich über Scharlo lachte, schob einer der Jungen schnell meinen Pulli an meinem Rücken hoch und drückte seine brennende Zigarette auf meinem Rücken aus. Ich schrie auf und drehte mich um, um zu sehen, welche Hand das getan hatte. Die vier jungen Männer aber saßen, die Hände über ihren Beinen, da und schauten weiter auf den Fernseher. Ich blieb sitzen und konnte mich nicht mehr bewegen, nicht aufstehen und aus dem Zimmer gehen. Die vier jungen Männer saßen da, als ob die vier Körper nur einen Kopf und ein Gesicht hätten, und dieses gemeinsame Gesicht versteckte vor mir, wer die Zigarette auf meinem Rücken ausgedrückt hatte. Dann ging die Zimmertür auf, und eine Frau kam herein. Sie machte das Licht an, stand an der Tür und schaute die Jungen an, so lange, daß die vier ihre Köpfe senkten. Ich stand auf, ging an der Frau vorbei, sie roch nach Kölnisch Wasser. Sie schaute mich nicht an, sie schaute weiter auf die vier Männer, und ich konnte das Zimmer verlassen.

Als ich in unserem Frauenwonaym angekommen war, ging ich ins Bad und schaute mir sofort im Spiegel meinen Rücken an. Eine braune Wunde. Rezzans und Güls Strümpfe hingen noch auf der Wäscheleine, ich wusch meine Strümpfe und hängte sie neben ihren auf. Rezzan und

Gül waren nicht im Wohnheim, aber Rezzans Tschechow-Buch lag auf ihrem Bett. Es regnete immer noch, und jetzt sah unsere Stresemannstraße anders aus als bei Schnee. Der Schnee hatte die Stadt etwas barmherziger gemacht, ich hatte mich an den Schnee gewöhnt. Er fiel leise, so leise, daß auch die Zeit, wenn man einen Brief schrieb oder einen Knopf annähte, weicher wurde. Die Löcher vom Knopf, der Faden und die Nadel, der über ein weißes Blatt laufende Bleistift in einer Hand versprachen immer Stille, wenn es draußen schneite. Der Dampf des kochenden Wassers oder des heißen Wassers, das im Badezimmer auf einen Körper spritzte, verband sich mit dem Schnee. Man sah den Schnee, man sah die Gegenstände, Pfannen, Töpfe, Seife, die Tische, die Bettdecken, die Schuhe, ein Buch auf dem Bett. Der Schnee sagte, daß wir mit ihm geboren sind und nur mit ihm leben werden. Wir werden im Zimmer die Pfannen spülen, es wird draußen schneien, wir werden die Bettdecken aufschlagen, es wird draußen schneien, wir werden schlafen, und es wird draußen schneien, und wenn wir wach werden, werden wir ihn als erstes sehen. Aus dem Bus werden wir ihn sehen, aus dem Fabrikfenster, er wird in die schwarzen Kanäle schneien, die Köpfe der Enten weiß machen. Wir konnten unsere Fußspuren in ihm lassen. Wenn wir in der Fabrik arbeiteten und Radiolampen herstellten, blieben unsere Fußspuren vor dem Wohnheim in ihm. Der Schnee konnte einen umarmen und Räume schaffen, in denen die Stille sich vergrößern konnte. Jetzt war er weg. Ich dachte, vielleicht habe ich nur geträumt, daß ich eine Zigarettenverbrennung am Rücken habe, weil der Schnee weg war. Ich ging wieder ins Badezimmer, schaute noch einmal meinen Rücken an, die braune Wunde war doch da, und aus meinen frisch gewaschenen Strümpfen tropfte Wasser. Rezzans und Güls Strümpfe hingen seit zwei Tagen da. Ich wollte nicht allein im Zimmer bleiben.

Der Linoleumboden war kalt, und der Regen zeigte mir, wie dunkel die Korridore waren. Die Uhr an der Wand war grau, die Tische hatten dünne Beine, der Regen schlug auf die Mülltonne im Hof und deckte sie nicht zu wie der Schnee. Ich setzte mich im Bad neben Rezzans und Güls Strümpfe und wartete.

Rezzan kam mit unserem kommunistischen Heimleiter, mit Taube, Engel, Gül und Ataman zurück. »Zucker, wo warst du?« fragte mich unser kommunistischer Heimleiter. Ich wußte nicht, wo ich gewesen war. »In Berlin«, sagte ich. Ataman blutete am Kopf. Sie gingen alle ins Badezimmer und hielten Atamans Kopf unter Wasser. Das Blut floß mit dem Wasser ins Waschbecken, und Ataman sagte: »Wir wollten die amerikanischen Sterne zusammenfalten.« Die deutschen Studenten hatten an der Universität gegen den Vietnam-Krieg demonstrieren wollen, aber der Chef der Universität hatte gesagt: »Die Feuerwehr erlaubt es nicht.« Dann gingen die Studenten zu einem Gebäude im Stadtzentrum, an dem die amerikanische Flagge mit den Sternen hing. Die Studenten schrien »Amis raus aus Vietnam«. Einige der Studenten wollten die amerikanische Fahne auf Halbmast setzen, die Polizei hatte Knüppel und schlug auf die Köpfe. Auch Ataman kriegte einen Schlag ab. Er sagte: »Ich wollte die amerikanischen Sterne in der Fahne zusammenfalten, aber als der Knüppel auf meinen Kopf schlug, sah ich wirklich die Sterne.«

Am nächsten Tag stand im Zeitungskasten die Schlagzeile: »Aufstand der Neurotiker«. Ich behielt diesen Satz leicht, weil es das Wort Neurotiker auch in der türkischen Sprache gab. Nevrotik. In der Fabriktoilette rauchten die Arbeiterinnen weiter vor den Kachelwänden, und wenn sie an ihren Zigaretten zogen, sagten sie jetzt öfter das Wort »Halbstarke«. Das Wort hörte ich auch, wenn ich im Brotladen stand. Das Brot ging wie immer von der Hand der alten Frau in die Hand eines Kunden, aber auch das Wort »Halbstarke« ging in ihren Mündern hin und her. Unser kommunistischer Heimleiter sagte: »Die Polizei hat 74 Studenten festgenommen.« Das Zimmer unseres kommunistischen Heimleiters war an diesen Abenden viel voller mit Zigarettenrauch als an anderen Abenden. Er rauchte die Zigaretten bis zum Filter und redete und redete mit Ataman. Wenn die Nacht müde war, stand die Taube hinter ihrem Mann, massierte ihn kurz an der Schulter und sagte wie ein Vogel tcik tcik tcik, um ihn ins Bett einzuladen. Der kommunistische Heimleiter sagte zu ihr, ohne ihr seinen Kopf zuzudrehen: »Schlaf, meine Taube, schlaf«, und redete dann weiter mit Ataman. Engel und Taube lagen in ihren Kleidern hinten im Bett, schauten auf ihre redenden Männer und schliefen so ein. Wenn Engel und Taube mit uns am Morgen in den Bus zur Fabrik einstiegen, stiegen sie immer mit ihren vom Schlaf zerknitterten Kleidern ein.

An einem Samstagmorgen rief unser kommunistischer Heimleiter in den Wonaymkorridor: »Zuckers.« Ein paar Zuckers schauten aus ihren Zimmern heraus. »Kommt mal mit.« Wir drei Mädchen und ein paar andere Zuckers gingen hinter seinem Rücken her ins Stadtzentrum zum türkischen Studentenverein. An diesem Samstag wollten die Studenten einen neuen Vorsitzenden wählen, unser kommunistischer Heimleiter kannte einen Studenten und wollte, daß er gewählt wird. Er sagte zu uns: »Zuckers, macht eure Augen auf und schaut genau hin, was passiert.« Wir drei Mädchen machten unsere Augen auf und sahen den Freund unseres kommunistischen Heimleiters, der gewählt werden sollte, und seinen Gegner, den sie »Mobilöl« nannten, weil sein Vater mit Mobilöl in Istanbul Geschäfte machte. Der Mobilöl, der wie der junge Onassis aussah, hatte zwei Freunde. Alle drei sahen sehr gut aus, sie machten ihre Augen auf und sprachen sofort mit uns drei Mädchen. Auch die Studenten hier rauchten wie in einem alten französischen Film – wie die Arbeiter im türkischen Arbeiterverein. Sie trugen Stühle herum, stellten sie nebeneinander, Zigaretten in den Mündern, und sprachen miteinander. Auf einen Stuhl setzte sich unser kommunistischer Heimleiter, die Stühle neben sich hielt er für uns frei. Wir aber sprachen weiter mit Mobilöl und seinen beiden Freunden. Sie setzten sich so hin, daß neben jedem von ihnen ein Stuhl frei blieb. Wir drei Mädchen setzten uns auf diese leeren Stühle, und wir sahen so aus wie drei Pärchen im Kino. Ein Student, der wollte, daß Mobilöl zum Vorsitzenden gewählt wird, stand auf und hielt eine Rede. Er sagte: »Die türkischen Studenten müssen auf die Berliner Studentenbewegung wie ein Tourist schauen, der einen guten Fotoapparat hat. Wir müssen alles fotografieren, dürfen aber selbst nicht auf dem Foto sein. Es ist alles zu früh für die Türken. Sogar der Rektor der Berliner Universität hat im SPIEGEL gesagt: ›Ich hätte mich nicht zum Rektor wählen lassen, wenn ich das alles geahnt hätte. Masochist müßte man ja sein, nein, nein, nein‹. Und wir sagen auch nein, nein, nein.« Unser kommunistischer Heimleiter fragte ihn: »Warum denn nein?« Der Student antwortete: »Wir wollen nicht als Führer Marx oder Mao, Chruschtschow oder Castro, Trotzki oder Tito haben. Wir haben Atatürk, und die Bolschewisten können hier rausgehen.« Unser kommunistischer Heimleiter sagte zu dem Studenten: »Als die Türken gegen den Sultan kämpften, nannten sie sich selbst oft Bolschewisten, weil die russischen Bolschewisten den türkischen Freiheitskrieg mit Waffen und Gold unterstützt haben. Vielleicht hat dein Großvater auch gesagt, daß er Bolschewist ist, warum hast du denn Angst vor diesem Wort?« Der Student bekam ein rotes Gesicht, so rot, daß ich dachte, die Farbe geht nie wieder weg aus seinem Gesicht. Er rief dreimal:

»Wir sind Türken,
wir sind Türken,
wir sind Türken.«

Unser kommunistischer Heimleiter rief: »Provinzaffen.«
Nach einer Stunde hatten die Provinzaffen gewonnen. Unser kommunistischer Heimleiter verschwand und ließ uns mit Mobilöl und seinen zwei Freunden zurück. Mobilöl hatte gewonnen. Ich wußte nicht, wer Marx, Mao, Chruschtschow, Castro und Trotzki waren. Ich kannte von diesen Namen nur Atatürk und wußte, was Mobilöl war: Benzinstationen. Es gab in Istanbul viele Benzinstationen mit diesem Namen. Mobilöl und seine beiden Freunde hatten ein Auto. Sie fuhren mit uns durch Berlin und hupten dauernd. Dann gingen sie mit uns in ein Tanzlokal, Big Apple. Rezzan und Mobilöl tanzten. Rezzan war sehr schön, Gül war sehr schön, und der zweite Junge, Salim, war auch sehr schön. Den dritten Jungen vergaßen wir öfter. Er war klein, saß da, lächelte in sein Weinglas und hielt das Weinglas, als ob es sein bester Freund wäre. Salim lächelte Gül und mich an, und so tanzten wir alle drei nicht. Wir standen nur da, und der dritte Junge ging nach Hause. Die beiden brachten uns drei Mädchen dann noch zum Wonaym. Weil es so stark regnete, saßen wir lange in ihrem Auto vor dem Frauenwonaym. In unserem Wonaym waren alle Lichter aus, nur das Zimmer unseres kommunistischen Heimleiters hatte noch Licht. Ich sah im kleinen Zimmer seinen hin- und herlaufenden Schatten, aber sein Schatten fiel nicht auf die Straße, weil dort kein Schnee mehr lag. Als wir im Hauseingang den Lichtschalter gedrückt hatten, gingen wir drei Mädchen, als ob jedes ganz allein für sich wäre, die Treppen hoch. Mobilöl und Salim hatten uns voneinander getrennt. Als wir die Wonaymtür öffneten, stand unser kommunistischer Heimleiter hinter der Tür und sagte: »Was macht ihr hier?« Dann drehte er sich um, ging zurück in sein Zimmer

und machte zum ersten Mal die Zimmertür hinter sich zu. Wir drei wuschen, ohne zu sprechen, unsere Strümpfe und hängten sie auf die Wäscheleine, nicht mehr nebeneinander, sondern an verschiedene Stellen. Am nächsten Tag, als wir im Bus zur Fabrik saßen, hatten wir drei Mädchen unter unseren Mänteln unsere Sommerkleider an. Wir froren, unsere Knie froren, und in der Fabrik arbeitete jede von uns, als ob Mobilöl und Salim uns ständig beobachten würden. Wenn wir drei in der Fabriktoilette vor den Kachelwänden rauchten, schauten wir nicht mehr in unsere Gesichter, jede rauchte für sich und schaute sich im Spiegel an.

Die Telefonzelle, die neben unserem beleidigten Bahnhof stand, vor der wir früher leise oder laut sprachen, damit unsere Eltern in der Türkei uns nicht hören oder hören sollten, war jetzt nur die Telefonzelle, von der wir das Studentenwohnheim Eichkamp anriefen. In diesem Studentenwohnheim wohnten Mobilöl und Salim. Wenn wir an der Telefonzelle standen, schaute ich immer in Richtung des Zimmers unseres Wonaymleiters und fühlte mich müde. Wenn wir sie anriefen, sagten sie öfter »ja« und gaben uns Adressen, wo wir sie heute abend treffen könnten. Es waren immer andere Freunde da, sie saßen mit ihnen am Tisch oder standen mit ihnen an der Bar. Einmal hatte ich eine glänzende Bluse an. Aber als Salim zuerst mit mir tanzte und dann mit einem anderen Mädchen, schämte ich mich für den Glanz meiner Bluse. Danach saß ich allein an der Bar und hatte zuviel Zeit, diese Bluse anzusehen. Meine Beine hingen vom Barhocker herunter und schwebten in der Luft, haltlos. Ich wollte gehen, blieb aber auf dem Stuhl wie angeklebt sitzen und schaute auf die Bewegungen des Barmanns. Als ich in der Nacht ins Wonaym zurückkam, ging ich zur Mülltonne im Hof, klappte den Deckel hoch, zog meine glänzende Bluse aus und schmiß sie in die Tonne.

Sich von den Arbeitern und dem Arbeiterverein zu trennen, war leicht gewesen, aber es war nicht leicht, sich von den Studenten zu trennen. Die Arbeiter hatten Falten an den Augen, am Mund und Kinn, die sich ständig bewegten und über das Gesicht verteilten. Ihre Gesichter waren wie unterschiedliche Masken, man konnte diese Masken lieben, über sie lachen, weinen und sie wieder verlassen. Sie konnten sich selber über ihre Masken lustig machen. Die Studenten aber hatten keine Falten, sie standen da, als ob ein zweiter ihr Gesicht dauernd kontrollieren würde. Weil sie sich so kontrollierten, kontrollierten wir uns auch selbst. Wenn sie uns ins Gesicht guckten, hieß das: Ich will dir was sagen, aber ich sage es dir das nächste Mal. So verschob man sich gegenseitig auf das nächste Mal, stellte den anderen kalt und gleichzeitig warm.

Zwischen mir und Rezzan war Tschechow verschwunden, wenn wir in der Nacht in den Wonaymbetten übereinander lagen. Rezzan las zwar im an- und ausgehenden Hebbeltheaterreklamelicht weiter Tschechow, aber sie sprach dann von oben herab nur von Mobilöl. Sie sagte nicht viel über ihn, sie sagte nur, was Mobilöl ihr gesagt hatte: »Er hat gesagt ..., er hat gesagt ...«. Sie sprach wie unser kommunistischer Heimleiter oder Ataman, wenn sie von Brecht sprachen, »Brecht hätte gesagt ...«. So kamen Mobilöls Sätze jede Nacht ins Frauenwonaym. Rezzans Sprache änderte sich. Sie sagte Wörter wie realistisch, unrealistisch, masochistisch oder: Darüber kann man diskutieren. Sie diskutierte dann aber nicht darüber. Die Sätze, die ihr Mobilöl mitgegeben hatte, blieben immer wie ungelöste Rätsel. Und sie versuchte dann in der Nacht, im an- und ausgehenden Hebbeltheaterreklamelicht, diese Rätsel zu lösen. Einmal rief Rezzan Mobilöl von unserer Telefonzelle aus an, irgendwann pinkelte Mobilöl und sagte: »Ich pinkele gerade.« Rezzan hörte die Pinkelgeräusche Mobilöls am

Telefon, während draußen noch drei Menschen standen, die warteten. Sie machte aus der Telefonzelle heraus Handbewegungen – das Gespräch sei sehr wichtig.

Mobilöl und Salim hatten die Nacht zu ihrem Tag gemacht, darin lebten sie. Ich fragte Gül, warum sie Salim liebte. Sie sagte: »Ich weiß es nicht, er riecht so sauber.« Wir sagten, wir würden ein Jahr hierbleiben, sie sagten, sie würden fünf Jahre hierbleiben. Wenn sie so leicht von diesen fünf Jahren redeten, dachte ich sofort an den Tod – daß der Tod das hören könnte und sie töten könnte. Wenn sie von ihren Vätern, Müttern, Onkeln, Brüdern, Neffen, Nichten, Cousins, Cousinen, Schwestern redeten, redeten sie ohne Angst, daß der Tod auch bei ihnen vorbeigehen könnte. Sie sagten: »Mein Bruder will auch in sechs Jahren hierherkommen und in Berlin studieren.« Es klang, als wenn die Familien von Studenten nicht sterben würden.

Sie kannten Berlin genau und sagten: »Jetzt fahren wir zum Café Old Vienna, jetzt fahren wir zum Old Eden, jetzt fahren wir zum Wannsee.« Früher gingen wir hinter den Rücken unseres kommunistischen Heimleiters und Atamans her, jetzt gingen wir hinter Mobilöls und Salims Auto her. »Wo hatten wir geparkt?« – »Laß uns ins Auto einsteigen.« – »Wir machen unsere Schuhe nicht naß.« Mit Salim und Mobilöl blieben unsere Schuhe immer trocken. Sie holten aus ihren Taschen Geld und gaben es aus wie in einem amerikanischen Film. Im amerikanischen Film ließ ein Mann in der Bar, wenn er ging, immer Papiergeld auf der Bar und wartete nicht auf das Kleingeld. Auch sie ließen das Geld liegen, als ob es Theatergeld wäre. Mobilöl und Salim erzählten uns, wie man sogar ohne Geld mit Amerika von Telefonzellen aus telefonieren konnte. Sie machten im Kühlfach des Eisschranks mit einer Form Markstücke aus Eis, steckten sie ins Telefon und telefonierten. Später schmolzen die Markstücke aus Eis, und niemand vom deutschen Postamt konnte verstehen, warum die Maschinen so naß waren.

Manchmal fuhren wir zum Wannsee. Das Auto stand auf dem Sand, und wir sangen alte türkische Lieder. Dort merkte ich dann, daß sie sehr schöne Stimmen hatten. Man mußte die Augen zumachen, wenn man sang, weil die Lieder von schwerer Liebe und Sehnsucht erzählten. Wenn alle ihre Augen geschlossen hatten, entstand ein schöner Moment. Wir sangen über die Liebe anderer Menschen, die schon längst tot waren, und versuchten, das zu fühlen. Der Regen regnete auch über dem Wannsee und mischte sich in unsere Stimmen. Manchmal stiegen wir aus dem Auto aus und liefen im Regen über den Sand, bis wir alle naß waren.

Wenn wir drei Mädchen in unser Wonaym zurückkamen, liefen die ersten Frauen schon in ihren Nachthemden über den Korridor. Sie sagten: »Ihr habt euch von euren Müttern und Vätern abgeschnitten. Eure Väter und Mütter sollten euch mit Seilen an sich binden. Ihr werdet eure Diamanten verlieren. Die Knochen eurer Toten werden wegen euch Schmerzen bekommen.« Es war schwer für mich, die Schmerzen der Toten zu vergessen, weil es in Berlin immer regnete. Ich sah neben den Knochen der Toten immer den Regen, der über diese Knochen regnete, und blieb in manchen Nächten im Frauenwonaym. Rezzan und Gül gingen mit Mobilöl und Salim in die Nacht hinein, tranken gegen Morgen im Old Vienna Kaffee und kamen direkt zur Fabrik. Manchmal hatten Salim und Mobilöl zwei Autos und machten im Morgengrauen Autorennen auf den leeren Straßen, einmal kam Gül am Kopf blutend in die Fabrik. Das Auto hatte sich zweimal überschlagen, sie kletterte aus dem umgestürzten Auto heraus, blutete am Kopf und stieg in den Bus zur Fabrik.

Rezzan und Gül zogen aus dem Frauenwonaym aus. Sie mieteten in der Nähe des Studentenwohnheims, in dem Salim und Mobilöl wohnten, eine Wohnung in einem Villenviertel. Die Miete war 400 Mark, ihr Monatslohn 380 Mark. Wenn sie in die Wohnung kamen und auf einen Knopf drückten, gingen die Vorhänge zur Seite, und hinter dem Fenster zeigte sich ein grüner Wald. Dort warteten sie auf Mobilöl und Salim, aber die kamen nicht. Das Geld reichte nicht lange genug, um auf die beiden Männer zu warten. So mieteten sie eine Zehnquadratmeterwohnung, ein winziges Zimmer, in dem nur ein kleines Bett stand. Rezzan und Gül kamen immer mit zerknitterten Kleidern in die Fabrik, weil sie in der Nacht in ihren Kleidern in diesem engen Bett einschliefen. Dann ging Rezzan noch einmal in das Studentenwohnheim und suchte Mobilöl, der aber nicht da war. Dort traf sie einen kleinen türkischen Studenten, der auch auf ihn wartete und Rezzan ansprach. Sie warteten und warteten, und dann kauften sie an einem Imbiß Currywurst mit Ketchup, stiegen in den Bus und fuhren in die Zehnquadratmeterwohnung. Dort aßen sie im Bett sitzend die Currywurst und stellten die Pappteller auf den Boden. Irgendwann fingen sie an, sich zu küssen und zu umarmen. Sie zogen sich auch aus, das Bett war alt und wackelte, und irgendwann brach das Bett über der Currywurst und dem Ketchup zusammen. Der Ketchup beschmierte ihre Arme, ihr Gesicht und ihre Beine, und Rezzan rief voller Schrekken unseren kommunistischen Heimleiter an: »Hilfe, ich verblute!« Der kommunistische Heimleiter alarmierte sofort die Feuerwehr und lief selbst zu Rezzans Wohnung. Die Feuerwehrmänner lachten: »Das ist kein Blut, das ist Currywurst mit Ketchup.« Rezzan glaubte ihnen aber nicht und hatte große Angst, daß ihr Diamant weg wäre. Sie kam mit ins Wonaym, weil es in der Zehnquadratmeterwohnung keinen Spiegel gab, und lief sofort ins Badezimmer, setzte sich auf den Steinboden, machte ihre Beine breit und schaute im Spiegel, ob ihr Diamant noch da war.

Draußen im Hof regnete es weiter auf die Mülltonnen. Rezzans Bett über mir stand schon lange leer. In der Nacht hörte ich nur noch die Geräusche der zwei hellblauen Morgenmäntel der beiden Geschwister aus elektrisiertem Stoff. Die beiden Geschwister kochten ihre Gerichte, stellten sie auf den Tisch, und wenn sie aßen, fingen sie an zu weinen. Manchmal ging ich allein zu unserem beleidigten Bahnhof, und wenn ich an unserer Telefonzelle vorbeilief, wollte ich Rezzan und Gül anrufen, aber sie hatten kein Telefon. Einmal besuchte ich sie in ihrer Zehnquadratmeterwohnung an der Potsdamer Straße. Unten auf der Straße standen Huren. Es regnete, und sie stellten sich in die Haustüren. Wenn eine Hure einen zu großen Busen hatte, stand ihr Busen etwas vor, und der Regen fiel zwischen ihre Brüste. Die älteren Huren, sogar 60-, 70jährige Frauen, trugen Hüte und zuviel Lippenstift. Mobilöl und Salim kamen auch nicht in diese Wohnung, und Rezzan und Gül schauten oft aus dem Fenster. Die Straße war schön, Imbisse, Huren, Lichter. Bremsende Autoreifen spritzten den Regen auf die Miniröcke der Huren. Manchmal hatte eine Hure einen kleinen Hund. Auch diese Hunde waren naß vom Regen, schüttelten ständig ihre Köpfe und Körper und machten mit dem Regenwasser die Beine der Huren naß. Rezzan und Gül wiederum machten die Huren vom Fenster aus naß. Sie schütteten ein Glas Wasser über die Huren und zogen sich danach schnell ins enge Zimmer zurück. Dann saßen sie im Bett, lachten und gossen nach einer halben Stunde noch einmal ein Glas Wasser über eine Hure und über ihren Hund. Die Huren schimpften, ihre Hunde bellten. An einer Bushaltestelle fuhr gerade ein Bus ab. Dann kam ein Mann, wartete auf den nächsten Bus, während eine Hure mit ihrem Kunden aus dem Hotel herauskam.

Dann ging sie auf die andere Seite der Straße und wartete dort auf einen neuen Kunden. Die Nachtbusse kamen alle zwanzig Minuten, und ich sah öfter, daß die Hure einen neuen Kunden gefunden hatte, wenn gerade der Bus kam und der Mann, der auf ihn gewartet hatte, einstieg. Der Bus fuhr an, das Regenwasser am Straßenrand spritzte, und die Hure kam über die nasse Straße mit dem neuen Kunden in Richtung Hotel. Oft trugen die Männer Brillen, und die Huren sprachen mit ihnen, als ob sie jemandem, der sie nach einer Adresse gefragt hätte, den Weg zeigen würden.

In der Radiolampenfabrik hatte ich ein neues Wort gelernt. Akkord. Man sagte nicht mehr, ich komme aus der Fabrik, man sagte, ich komme vom Akkord. »Akkord macht meine Hände, meine Arme kaputt, Akkord schneidet mir meine Flügel ab, Akkord ist gutgegangen, Akkord ist kaputt.« Seitdem es Akkord gab, konnten die Frauen nicht mehr auf die Toilette gehen. Oft fielen ihnen Haare aus und lagen auf ihrem Tisch, aber sie arbeiteten zwischen ihren Haaren weiter an den Radiolampen. Manchmal sagten sie: »Dieser Akkord wird mich töten.« Durch den Akkord teilten sich die Frauen in der Fabrik in zwei Gruppen, die Frauen, die den Akkord schafften, und die, die ihn nicht schafften. Ataman sah die Frauen, die aus dem Akkord kamen, und zitierte Brecht:

Bürste den Rock
Bürste ihn zweimal!
Wenn du ihn gebürstet hast
Ist er ein sauberer Lumpen.

Es regnete in der Stresemannstraße. Die Menschen kamen mit dem Regenschirm ins Hebbeltheater und gingen mit Regenschirmen heraus. Die Taxis hielten, die Regenschirme gingen zu, die Frauen zogen ihre langen Röcke etwas hoch und stiegen ein. Der Regen schlug weiter auf die Straße. Die Stimme von Rezzan in der Nacht fehlte mir. Ich rauchte im Bett und warf die Kippen unter mein Bett. Ich ging öfter auf die Toilette, setzte mich auf den Klosettdeckel und schaute aus dem kleinen Toilettenfenster heraus. Das Wonaym-Gebäude hatte eine U-Form. Wenn ich auf der Toilette saß, sah ich über den Hof hinweg auch im Haus auf der anderen Seite manchmal eine Frau auf der Toilette sitzen. In der Nacht tickte im Wonaymsalon die Wanduhr, und es regnete und regnete. Nur unser kommunistischer Heimleiter und Ataman waren wach und gingen in der Nacht über den Korridor zusammen auf die Toilette, aber es pinkelte nur einer. Ataman ging hinter unserem kommunistischen Heimleiter her und sprach durch die halboffene Toilettentür weiter mit ihm, während er pinkelte. In einer Nacht ging ich hinter ihnen her, wieder hörte Ataman vor der Toilettentür unserem Heimleiter zu, sie sprachen, und ich stand hinter Ataman und hörte ihnen zu. Alle Frauen schliefen, alles war still im Wonaym. Als sie zurückgingen, folgte ich Ataman und setzte mich zu ihnen. Die Taube und Engel schliefen schon im Zimmer. Die beiden Männer sprachen weiter, aber worüber sie sprachen, verstand ich nicht. Ich blieb aber bei ihnen sitzen wie ein einsamer Mensch, der in der Nacht an seinem Radio fremde Stationen sucht. Gegen Morgen, als ich wegging, sagte ich zu unserem kommunistischen Heimleiter: »Kann ich auch Kommunist werden?« – »Ja, Zucker«, sagte er und gab mir ein Buch zum Lesen. Das Buch war in türkisch, Engels' AÍLENÍN ASILLARI (Der Ursprung der Familie). Er sagte: »Marx ist zu schwer für dich, aber Engels kannst du vielleicht lesen, er ist mein Liebling.« Als ich in dem Buch von Engels blätterte, sah ich zwischen den Blättern viele Tabakkrümel. Ich versuchte, die Tabakkrümel im Buch zu lassen, als ob sie zum Buch gehörten. Das Wort Familie war leicht zu verstehen, nicht aber die ganzen Sätze. Ich verstand auch das Wort Leben, aber Reproduktion des unmittelbaren Lebens nicht. Die Wörter Nahrung, Kleidung, Lebensmittel, Arbeit, Wohnung verstand ich, Produktion und Reproduktion nicht. Ich versuchte immer, meinen Vater als Beispiel zu nehmen. Er arbeitete, schaffte Lebensmittel, Kleidung, Nahrung, Wohnung und hatte eine Familie. Dann blieb ich aber stecken. Geschlechtsbande – dieses Wort war in türkisch genauso fremd für mich wie die deutschen Schlagzeilen, die ich immer übte: JAGD AUF DEN MANN MIT DER AXT. SCHNORRERKÖNIG POLDI HAT AUSGESCHNORRT. EIN DUTZEND LEICHEN. OHNE FLEISS KEIN NEUER GLANZ. Den Abschnitt bei Engels über Gruppenehe verstand ich. Auf der Insel Sachalin war ein Mann mit allen Frauen seiner Brüder und allen Schwestern seiner Frau verheiratet. Aber so waren auch diese Frauen mit vielen Männern gleichzeitig verheiratet. Ein Kind nannte »Vater« nicht nur seinen echten Vater, sondern auch alle Brüder seines Vaters. Die Frauen dieser Brüder und die Schwestern seiner Mutter nannte er alle seine Mutter. Die Kinder aller dieser Väter und Mütter nannte er seine Brüder und Schwestern, und sie aßen Fisch und Wild, und sie wärmten das Wasser, indem sie glühende Steine ins Wasser warfen, sie standen auf der Kulturstufe Wildheit. Die Abstammung wurde nicht vom Vater, sondern von der Mutter gerechnet. Nur Mütter waren gültig. Man wußte, wer die Mutter des Kindes war, aber nicht, wer der Vater war. Das erinnerte mich an türkische Beerdigungen. Wenn ein Mensch stirbt, trägt man ihn im Sarg zum Friedhof, dann nimmt man ihn aus dem Sarg heraus, vier Männer fassen das Laken, in dem der Tote liegt, und legen den Toten in die Grube. Der Imam aus der Moschee ruft seinen Namen mit dem Namen seiner Mutter: »Osman, der

Sohn Leylas.« Den Namen des Vaters des toten Mannes ruft man nicht. Wenn der Vater des Toten mit am offenen Grab steht, ist er nicht beleidigt. Auch das Wort »Mode« war im Buch von Friedrich Engels leicht zu verstehen. Engels sagte: »Es ist neuerdings Mode geworden, diese Anfangsstufe des menschlichen Geschlechtslebens zu leugnen. Man will der Menschheit diese ›Schande‹ ersparen.« Die Vögel lebten nur als Paar, weil die Frau über ihren Eiern saß und brütete und Hilfe brauchte, so war ihr der Vogel treu. Aber die Menschen stammten nicht von Vögeln ab. Engels sagte, daß die Palme der Treue der Bandwurm verdiente, »der in jedem seiner 50–200 Proglottiden oder Leibesabschnitte einen vollständigen weiblichen und männlichen Geschlechtsapparat besitzt und seine ganze Lebenszeit damit zubringt, in jedem dieser Abschnitte sich mit sich selbst zu begatten.« Frauen, die viele Männer hatten, erinnerten mich an die Hollywoodschauspielerinnen Zsa Zsa Gabor, Liz Taylor und an türkische Bäuerinnen. Deren Ehemänner gingen in die Großstadt arbeiten, arbeiteten dort als Lastträger oder Bauarbeiter, schliefen auf der Baustelle, starben jung oder starben im Krieg, und ihre Frauen gab man ihren Brüdern zur Frau. So hatten die türkischen Frauen aus den Dörfern auch viele Ehemänner.

Wenn ich etwas nicht verstand, las ich öfter hinten auf dem Buch das Preisschild – soundso viel Lira. Das Wort Lira beruhigte mich, weil es leicht zu verstehen war. Dann öffnete ich wieder das Buch. Manchmal ging ich in der Fabrik zu Engel, die durch Ataman schon viel gelesen hatte, und fragte sie, was Produktion heißt. Sie drehte sich mir zu, die Lupe in ihrem rechten Auge, und sagte: »Ich weiß es nicht, es ist das, was wir hier machen.« Wir machten Radiolampen. Ich schaute auf ihr hinter der Lupe vergrößertes rechtes Auge. Sie hatte sehr schöne Augen, und in diesem Moment glaubte ich, verstanden zu haben, was das

Wort Produktion bedeutete. Als ich aber zu meinem Stuhl zurückging, vergaß ich es wieder. Dann kam das Wort Reproduktion. Ich fragte die Taube, was Reproduktion heißt. Sie zog ihre Stirn hoch, aus einer Falte wurden zwei Falten, dann hatte sie drei Falten. Sie sagte: »Reproduktion ist Wiederherstellen. Zum Beispiel ein 18.-Jahrhundert-Stilmöbel reproduziert man.« Sie schaute mich mit ihren drei Falten auf der Stirn an, bis ich nickte, dann verschwanden ihre Falten wieder von der Stirn.

Ich liebte auch die Titelübersetzungen von Engels' Buch. Italienisch gefiel mir sehr: L'origine della Famiglia, della proprietà privata e dello Stato. Rumänisch war: Originà Familiei proprietátei, private si a Statului. Dänisch war: Familjens, Privatejendommens og statens Oprindelse. Auf dem Buch stand: Taschenbuch. Ein Buch, das in die Jakkentasche, Manteltasche paßt. Es war schön zu denken, daß ein Buch für die Tasche gemacht war. Wenn man es in der Nacht im Bett in der Hand hielt, tat die Schulter nicht weh. Das Buch roch nach Zigaretten, wie die Zeitschrift DER SPIEGEL in der Kneipe. Zwischen den Seiten gab es nicht nur Tabakkrümel, es gab auch Wimpern, Haare, Schuppen, das Buch hatte Falten wie die Kleider von Taube und Engel, wenn sie in manchen Nächten im Heimleiterzimmer in ihren Kleidern schliefen. Das Buch hatte auch Kaffeetassenflecken. Manche Zeilen waren mit Bleistift angestrichen, und es gab viele Radiergummikrümel zwischen den Seiten. Auch mein erstes Buch, ein türkisches Alphabetbuch, hatte viele Falten gehabt, weil man viel auswendig lernen mußte. Ein Gedicht lautete:

»Die Krähe, die Krähe hat gak gesagt,
steigt auf den Ast und guck hat sie gesagt,
ich bin auf den Ast gestiegen und habe geguckt,
wie dumm ist diese Krähe.«

Ich gab unserem kommunistischen Heimleiter Friedrich Engels' Buch zurück. »Zucker, leg es hin«, sagte er und gab mir eine Zigarette. Wir rauchten die Zigarette zusammen und hörten dem Regen zu. Als ich ging, gab er mir ein neues Buch, Maxim Gorkis »Mutter«. Das Wort Mutter. Ich hatte das Wort schon lange nicht mehr gesagt. Ich stieg am Morgen in den Bus, und manchmal zeigte ich dem Busfahrer im Halbschlaf nicht die Busfahrkarte, sondern Gorkis Buch. Er schaute mir dann so lange in die Augen, bis ich ihm die Fahrkarte zeigte.

Ich las die »Mutter« in den Nächten, so wie Rezzan »Das Portrait des Dorian Gray« oder Tschechows »Dame mit dem Hündchen« – im an- und ausgehenden Reklamelicht des Hebbeltheaters. Manchmal weinte ich um diese Mutter. Aber dann ging das Reklamelicht aus, und ich verlor die Stelle, die ich gerade las. Dann hörte ich auf zu weinen, um die Stelle wiederzufinden, wenn das Reklamelicht anging. Ging das Reklamelicht wieder aus, hörte ich kurz dem Regen zu. Der Regen hörte nicht auf, es regnete und regnete. Ich dachte, wenn der Regen aufhört, werde ich zu meiner Mutter zurückgehen. Dabei hatte ich doch mit der Fabrik einen Jahresvertrag. Wenn man der Straße zuhörte, hörte man auch andere Geräusche, aber ich hörte nur den Regen. Ich dachte, das ist das einzige Geräusch, das mich hier festhält. Ich schrieb an meine Mutter einen Brief: »Meine rehäugige Mutter, ich liebe dich, es regnet, ich liebe dich, es regnet über meine Liebe. Eines Tages wird dieser Regen aufhören, und ich werde dich sehen.« Dann wartete ich auf einen Brief von ihr. Aber meine Mutter hatte nie Briefe geschrieben. Wenn sie mit ihrem Vater sprechen wollte, nahm sie einen Bus oder Zug und fuhr drei Tage lang zu ihm. Ich wartete und wartete auf ihren Brief. Wenn die Geschwister, die hellblaue Morgenmäntel aus elektrisierten Stoffen trugen, ins Zimmer kamen, schaute ich auf ihre Hände, dann in ihre Augen. Aber sie hatten nur Plastiktüten oder den dampfenden Kochtopf in der Hand. Oft fragte ich unseren kommunistischen Heimleiter, ob er einen Brief für mich hätte. Er sagte: »Nein, Zucker, ich habe dir noch nicht geschrieben.« Dann lief ich wieder in unserem beleidigten Bahnhof zwischen den kaputten Bahnhofsgleisen, in denen Gras wuchs, herum. Ich dachte, wenn ich nicht auf den Brief warte oder so tue, als ob ich nicht auf ihn warte, sondern nur spazierengehe, wird er kommen. Der Brief dürfte nicht wissen, daß ich auf ihn wartete, dann würde er kommen. Es kam aber kein Brief. Wenn andere Frauen im Wonaym Briefe bekamen, schaute ich diese an und dachte, vielleicht steht für mich eine Nachricht in ihnen. Wenn die Gesichter der Frauen sich erregten und die Halsadern pochten, dachte ich, sie lesen gerade eine Nachricht für mich, wollen es mir aber nicht sagen. Wenn die Frauen in der Fabrik während des Akkords die kaputten Lampen zu heftig in den Mülleimer warfen, dachte ich, dieses Geräusch ist die Nachricht, die sie mir nicht verraten wollen. Ich schaffte keinen Akkord. Die Meisterin, Frau Missel, gab mir zur Nachtschicht eine einfachere Arbeit. Ich zog an einer Maschine Drähte und sammelte sie auf einem Wellblech.

In der Nachtschicht gab es einen Vorarbeiter und eine Arbeiterin, die sich liebten. Während sie den gezogenen Draht auf das Blechstück, das sich über der Grüneisenmaschine befand, legten, streckten sie ihre Köpfe kurz hoch, schauten sich an und lachten. Die Nacht draußen war dunkel, und es regnete, aber drinnen unter den Neonlampen schauten sich diese Frau und dieser Mann an und lachten. Es dauerte nie lange, weil ihre Köpfe wieder auf die Drähte schauen mußten, aber ihr Lachen blieb auf ihren Gesichtern, während sie weiterarbeiteten. Wenn sie sich wieder anschauten, war das Lachen von vorher noch da. Weil sie sich liebten, liebten sie auch mich. Hannes und Katharina.

Nachdem sie sich kurz angeschaut hatten, guckten sie auch zu mir herüber und lachten. Weil das Lachen der beiden nie aus ihren Gesichtern verschwand, blieb auch mein Lachen die ganze Nacht in meinem Gesicht. Nach der Nachtschicht gingen Hannes und Katharina in eine Berliner Eckkneipe und tranken Bier und Klare. Sie lachten mich an der Stechuhr an und nahmen mich mit. Ich ging hinter ihrem Lachen her und trank mit ihnen Bier und Klare. Ich sprach kein Deutsch, aber auch sie sprachen fast nicht. Sie tranken, ließen ihre Arme und Hände auf dem Tisch neben ihren Gläsern liegen und lachten sich still an. Erst wenn der Wirt die Stühle auf die Tische stellte, nahmen sie ihre Arme vom Tisch, holten ihre kleinen Portemonnaies hervor und legten Münzen nebeneinander auf den Tisch, so als hätten sie kein Papiergeld. Das Leder ihrer kleinen Portemonnaies hatte sich durch das viele Kleingeld geweitet, an manchen Stellen war das Leder hauchdünn geworden. Ein paar Monate ging ich hinter ihrem Lachen her und vergaß den Brief, auf den ich wartete, und den Regen. Mein Gesicht lachte in der Nachtschicht und im Schlaf. Die Geschwister in ihren hellblauen Morgenmänteln aus elektrisierten Stoffen arbeiteten in der Morgenschicht. Wenn sie aufstanden, schlief ich gerade ein. Später sagten sie zu mir: »Mädchen, du lachst im Schlaf, du schläfst wie ein Engel.«

Eines Tages hörte das Lachen von Katharina und Hannes auf. Sie arbeiteten weiter in der Nachtschicht auf ihren Plätzen, aber sie sahen sich nicht mehr an. Es war, als ob der Ofen in einem Zimmer ausgegangen wäre, und um sich zu wärmen, liefen sie in ihren Jacken und verfilzten Pullovern hin und her. Weil sie sich nicht mehr ansahen, sahen sie auch mich nicht mehr an.

Die Arbeitshalle war sehr groß und hoch, die Menschen, die hier arbeiteten, sahen aus, als ob man sie aus einem kleinen Foto ausgeschnitten und in ein viel größeres Foto hereingeklebt hätte. Der hohe Raum verstärkte die Geräusche der Maschinen oder der herunterfallenden Bleche, und durch die lauten Echos sahen die Menschen noch kleiner aus. Jeder stand allein vor seiner großen Maschine. Man hörte die lauten Geräusche in der Halle und den Regen draußen, aber nicht die Menschen. Diese übten Schweigen und schauten vor sich hin. Wenn die Drähte in einer Maschine schief gezogen waren, kam manchmal ein Meister und sprach leise mit dem Arbeiter, dessen Körper in diesem Moment auch aussah wie ein Draht, der zwischen zwei Hebeln festgemacht und in die Länge gezogen wird. Am letzten Arbeitstag der Woche fettete jeder Arbeiter mit einem Tuch seine Eisenmaschine ein und ging mit ein bißchen Bohnerfett zwischen den Fingern aus der Fabrik. Das Regenwasser setzte sich an den fettigen Fingern als Tropfen fest, es sah aus, als ob ein Stück Butter schwitzt.

Während der Arbeit ging ich öfter zu einem Zigarettenautomaten, der eine Etage höher im Treppenhaus stand. Unten mußte man auf den automatischen Lichtknopf drücken, dann schnell die Treppen hochlaufen, das Geld schon in der Hand halten, es in den Automaten stecken, am Griff ziehen, das Paket herausnehmen, den leeren Kasten zurückdrücken und schnell wieder die Treppe herunterlaufen. Bei der letzten Stufe ging das automatische Licht wieder aus. Einmal versuchte ich, nachdem ich ein Paket Stuyvesant gezogen hatte, ein zweites herauszuholen, ohne nochmals Geld einzuwerfen. Während ich mit den Fingern das nächste Paket mit Gewalt herauszog, ging das automatische Licht aus. Im Dunkeln glänzte mein weißer Arbeitskittel aus Nylon. Das Paket war an mehreren Stellen zerrissen und eingedrückt. Ich steckte die kaputte Zigarettenschachtel zwischen meine Brüste in meinen BH und ging im Dunkeln die Treppen runter. Während der gesamten Nachtschicht klopfte mein Herz, und das kaputte

Stuyvesantpaket raschelte zwischen meinen Brüsten. Als ich mit dem Nachtbus zum Frauenwonaym fuhr, zeigte ich dem Busfahrer aus lauter Angst statt meiner Fahrkarte das Stuyvesantpaket, für das ich bezahlt hatte. Der Fahrer lachte und sagte etwas, was ich nicht verstand. Eine Frau übersetzte es mir: »Danke, ich rauche nicht.« In dieser Nacht ging ich zum beleidigten Bahnhof, zog das kaputte Stuyvesantpaket aus meinem BH und warf die Zigaretten auf den Boden, der Regen weichte sie sofort auf.

Eines Tages kam die Sonne hervor. Die Menschen zogen sich sofort aus und sammelten sich in Unterhemden unter den dünnen Sonnenstrahlen. Wenn die Sonne auf die linke Seite der Straße schien, gingen sie alle auf die linke Seite. Die Menschen hatten ein neues Gesicht, als ob sie plötzlich alle die gleichen Masken aufgesetzt hätten. Die Münder zogen sich in die Länge, die Nasen hielten sie zur Sonne. Viele alte Frauen kamen mit ihren Hunden auf die Straße und sahen so aus, als ob sie aus einem lange verschlossenen Schrank herausgekommen wären. Männer und Frauen aßen Eiscreme und küßten sich mit ihren eisbeschmierten Mündern, dann aßen sie weiter Eis. Ein alter Mann lief mit kurzen Hosen unter den Bäumen her, als wäre er aus einem offenen Grab gestiegen. Wenn die Sonne unterginge, würde er wieder zurückkehren ins Grab. Aus den dunklen Toreinfahrten kamen Menschen, schauten sofort zur Sonne, als wollten sie sich wegen der Verspätung entschuldigen. In den kurzen Hemdsärmeln sahen ihre Arme aus, als ob sie gerade ein paar weiße Knochen an der Sonne spazieren- führen würden. Wenn die Sonne auf die Mitte der Straße schien, folgten ihr die Fußgänger dorthin, die Autos hupten, die Fahrer in den Autos hinter den Glasscheiben bewegten ihre Münder, in denen die Schimpfwörter zu sehen waren. Alle wollten die Sonne fangen, festhalten, unter ihren Mänteln, in den Wohnungen einsperren. Manche Ladenbesitzer saßen auf Stühlen vor ihren Läden, gingen mit den Kunden in den dunklen Laden hinein, kamen heraus, sahen ihren Stuhl wieder im Schatten stehen, schoben den Stuhl zur schwachen Sonne, setzten sich wieder hin und schauten auf die vorbeifahrenden Busse. Die Menschen, die in den dunklen Bussen saßen, schauten auf die Ladenbesitzer, als ob diese ihnen gerade die Sonne weggenommen hätten, und drehten ihre Köpfe hinter den Glasscheiben von ihnen weg. Unter der schwachen Sonne war Berlin eine beleidigte Stadt. Jeder guckte jeden an und dachte, meinem Nachbarn geht es besser als mir. Dann kam der Regen zurück und nahm den Menschen ihre Freudenmaske ab. Der Regen stand der Stadt besser. Die Menschen gingen zu Hertie, standen vor den Käse- und Wurstständen, alles war mit Neonlampen beleuchtet. Ohne Masken standen sie da, die Wurstmaschine arbeitete, vier Scheiben, fünf Scheiben. Das Wurstpapier glänzte, das Fett glänzte unter den Neonlampen, die Waage bewegte sich, der Zeiger blieb stehen, und der Kugelschreiber des Verkäufers schrieb den Preis groß auf das Papier.

Ich kam mit zweihundert Gramm Salami und nassen Schuhen ins Wohnheim und sah draußen vor dem Wohnheim zwei Koffer stehen. Ein Taxi wartete. Der Regen löste die Etiketten auf den Koffern. Dann kamen unser kommunistischer Heimleiter und seine Frau Taube heraus, Ataman trug einen dritten Koffer und Engel eine Schreibmaschine. Der Taxifahrer rauchte und warf seine Zigarette heraus, der Regen weichte sie schon in der Luft auf. Ich fragte sie: »Wohin?« Unser kommunistischer Heimleiter sagte: »Ich bin ein Geist nicht von gemeinem Stande. Ein ew'ger Sommer ziehet mich zu meinem Lande.« Er küßte meine Stirn und sagte: »Titania, wir kehren in die Türkei zurück. Ein Theater will mich als Regisseur.« Während er mit Taube in das Taxi stieg, zitierte er wieder Shakespeare:

»Einen Kalender, einen Kalender!
Seht in den Almanach!
Suchet Mondschein!
Suchet Mondschein!

Ich will dir etwas sagen, Titania: Wenn du eine gute Schauspielerin sein willst, schlaf mit Männern, egal mit wem,
schlafen ist wichtig. Das ist gut für die Kunst.

Ich will vom Erdenstoffe dich befrein,
Daß du so luftig sollst wie Geister sein.«

Sie fuhren mit dem Taxi weg. Er kurbelte noch das Taxi-
fenster herunter und winkte Ataman, Engel und mir zu. In
diesem Moment färbte ein Blitz seine Hand kurz in elek-
trisches Blau. Ataman schrieb auf ein Stück Papier seine
Telefonnummer, die aber im Regen schnell verschwamm.
Dann schrieb er sie auf meinen Arm: »Er hat recht, du
mußt mit Männern schlafen, dich von deinem Diamanten
befreien, wenn du eine gute Schauspielerin sein willst. Nur
die Kunst ist wichtig, nicht der Diamant.«
    Der Bus kam, spritzte den Regen auf unsere Kleider,
und Ataman und Engel fuhren ab. Ich hielt mit meiner
rechten Hand meinen linken Ellbogen und trug meinen
Arm, auf dem die Telefonnummer von Ataman und Engel
stand, vorsichtig durch die Wohnheimtreppen hoch, zog
die nassen Kleider aus und schaute in den Spiegel. Alle waren weg. Rezzan, Gül, unser kommunistischer Heimleiter,
Taube, Ataman, Engel. Ich sah nur mich im Spiegel, allein
und mit der Telefonnummer von Ataman und Engel auf
meinem linken Arm. Der Regen schlug draußen weiter auf
die Mülltonne, und im Blitzlicht sah ich kurz die Schrift:
»Spielen der Kinder im Hof untersagt.«
    Als es wieder anfing zu schneien, war mein Vertrag mit

der Radiofabrik abgelaufen, wir alle bekamen von der Fabrik eine gebratene Weihnachtsgans. Ich kaufte mir Fahrkarten und fuhr mit der deutschen Gans von Berlin nach Istanbul. Während ich auf den Zug wartete, übte ich meine letzten deutschen Sätze aus den Zeitungen:

GEHEIMGERÄTE AN BORD
SÄUGLING STARB ZWEIMAL
AUCH DER FORD WIRD TEURER

Die Fahrkarte Berlin–Istanbul bestand aus vier verschiedenen kleinen Karten, und als der Fahrkartenkontrolleur in eine dieser Karten mit dem Knipser ein Loch gemacht hatte, dachte ich, die erste Fahrkarte wäre damit abgefahren und schmiß sie aus dem Zugfenster. Danach sagte ich zu den drei türkischen Männern in meinem Abteil: »Schmeißt die Fahrkarten weg, die Strecke für diese Karten haben wir schon hinter uns.« Auch die drei warfen ihre Karten aus dem Fenster. Später kam ein anderer Kontrolleur, und wir mußten alle vier unsere Karten noch einmal bezahlen. Einer der Männer hatte einen großen Schnurrbart. Er sagte zu mir: »Mädchen, gib mir deine Fahrkarten, deine Hände bleiben nicht ruhig, du wirst sie wieder aus dem Fenster schmeißen.« Die Reise dauerte drei Tage und drei Nächte, es gab keinen Speisewagen, die Toiletten waren verstopft, es war kalt. Wir saßen im Abteil in unseren Mänteln und aßen drei Tage die deutsche Gans. Zwei der Männer waren Bergleute. Einer sagte: »Ach, diese Kohle mit dem Vitamin.« Der andere sagte: »Ich hatte mir geschworen, wenn ich in die Türkei zurückkehre, werde ich einen Sack voll Kohle zum Andenken mitnehmen. Die deutsche Kohle hat Vitamin, keinen Staub, sie macht nicht krank. Die türkische Kohle macht krank, dort bohren sie unter Tage ohne Wasser, und die Kohle staubt wie das Mehl in der Mühle.

In Deutschland gibt es Maschinen, die 30 Meter tief in den Berg hineinbohren. Ich habe meine Haare in Deutschland gelassen, was soll ich machen, ein Jahr ist zu Ende, Allah sei Dank.« Der dritte Mann arbeitete in einer Sargfabrik in Berlin, er ging oft zu den Huren auf der Potsdamer Straße. Die Huren hatten ihn gefragt: »Willst du mit mir schlafen?« Er hatte nein gesagt und in sein Heft geschrieben: »Ich habe heute zu drei Frauen NEIN gesagt.« Ich saß da mit fettigen Händen und hörte ihnen zu. Der Mann mit dem Schnurrbart schüttelte öfter seinen Kopf, lachte und sagte: »Mädchen, wenn du ankommst, soll deine Mutter dich mit arabischer Seife waschen.« Die Männer schliefen nebeneinander im Sitzen und ließen mich auf der anderen Holzbank schlafen. Während sie schliefen, schaute ich in ihre Gesichter. Die beiden Männer ohne Schnurrbart hatten ihre Köpfe im Schlaf auf die Schultern des Mannes mit dem Schnurrbart fallen lassen. Die Knochen der deutschen Gans lagen auf dem Boden auf einer Zeitungsseite, wenn der Zug ratterte oder scharf bremste, rutschten die Knochen auf der Zeitung hin und her und machten ein raschelndes Geräusch. Wenn die Männer aufwachten, fragten sie den Mann mit dem großen Schnurrbart: »Wo sind wir?« Er antwortete dann: »Wir sind bei den Bulgaren.« Als der Zug in Istanbul ankam, wollte ich aufstehen, fiel aber vor Müdigkeit über meine Knie.

WIR STANDEN TAG UND NACHT IM LICHT

Draußen auf dem Bahnhof flogen die Möwen und Tauben zwischen den Menschen, die ihre Koffer auf den Bahnhofsboden stellten und sich umarmten. Die Vögel setzten sich manchmal so lange auf ihre Koffer, als wären sie selbst von einer langen Reise angekommen. Erst wenn die Menschen ihre Koffer wieder in die Hand nahmen, flogen sie wieder auf. Meine Mutter und mein Vater nahmen mich zwischen sich und hielten mich fest. Mein Vater sagte: »Meine Löwentochter, bist du gekommen?« Meine Mutter sagte: »Meine Tochter, erkennst du uns wieder?« Vor Aufregung elektrisierten sich ihre Haare, die dann auch meine Haare elektrisierten. So liefen wir, unsere Haare ineinandergedreht, über die Straßen. Ich staunte, wie viele Männer es in Istanbul gab. Ich schob die Luft vor mir her, meine Bewegungen kamen mir so langsam vor, die Bewegungen aller Menschen. Die Eselsfüße rutschten über die kleinen Pflaster, die Esel schrien mit ihrem ganzen Körper. Die Lastträger trugen auf ihrem Rücken schwere Pakete und schwitzten, ihre Gesichter küßten fast die Erde. Esel, Lastträger, Autos, Schiffe, Möwen, Menschen, alles bewegte sich, aber es kam mir alles viel langsamer vor als die Bewegungen in Berlin. Man roch scheißende Pferde, das Meer, der Straßenschmutz spritzte an die Strümpfe der Frauen, und alle Schuhe sahen schmutzig und alt aus, auch die Schuhe der reichen Männer. Den Straßenschmutz an unseren Schuhen, gingen wir auf das Fährschiff. Es schwankte mal nach links, mal nach rechts, so kippte ich mal auf die Schulter meiner Mutter, dann auf die Schulter meines Vaters und schlief dabei ein. Am Abend, als die Straßenlampen angingen, fragte ich: »Mutter, ist Istanbul dunkler geworden?« – »Nein, meine Tochter, Istanbul hatte immer dieses Licht, deine Augen sind an deutsches Licht gewöhnt.« Mein Vater hatte ein Pontiac-Auto. »Du hast Sehnsucht nach Istanbul«, sagte er, »ich fahre dich ein bißchen spazieren!« Er nahm manchmal Leute im Auto mit, die auf den Bus warteten. Ich saß neben meinem Vater, und er sagte zu einer Frau, die hinten saß: »Das ist meine Tochter, sie kommt gerade aus Deutschland, sie hat Europa gesehen.« Die Frau antwortete: »Europa gesehen zu haben ist eine feine Sache. Man sieht einem Menschen im Gesicht an, daß er Europa gesehen hat. Die Europäer sind fortschrittlich, wir treten mit unseren Füßen auf der Stelle und bewegen uns einen Schritt vor und zwei Schritte zurück.« Dann fragte die Frau meinen Vater, ob ich dort Deutsch gelernt hätte. Mein Vater fragte mich: »Meine Tochter, hast du Deutsch gelernt?« Ich antwortete: »Nein, ich habe kein Deutsch gelernt.« Mein Vater blickte in den Rückspiegel und sagte zu der Frau, die er dort sah: »Nein, sie hat kein Deutsch gelernt.« Die Frau redete weiter im Spiegel mit meinem Vater: »Das geht aber nicht – Deutschland sehen und die Sprache nicht sprechen! Sie muß die Sprache lernen.« Mein Vater fragte mich: »Meine Tochter, willst du die Sprache lernen, hör, was die Dame sagt, du mußt die Sprache lernen.« – »Ja, Vater, ich möchte lernen.«

In Istanbul stand alles an seinem alten Platz, die Moscheen, die Schiffe, die Männer, die in den Schiffen arbeiteten, die Männer, die Tee kochten, der Gemüseverkäufer gegenüber unserer Wohnung. Sogar ein altes Auto, das kaputtgegangen war, stand genau an dem Platz, an dem ich es vor einem Jahr gesehen hatte. Aus seiner Tür wuchs

Gras. Das Meer hatte immer noch die gleiche Farbe, und die Schiffe fuhren wie früher zwischen Asien und Europa hin und her. Ich dachte, ich kann wieder gehen, alles wird an seinem Platz bleiben und auf mich warten. In unserem Hauseingang hing immer noch die gleiche Glühbirne, die schon vor einem Jahr gezittert hatte und ständig an- und ausgegangen war. Wenn ich zurückkomme, dachte ich, wird sie immer noch zittern und an- und ausgehen, ich kann gehen. Ich wollte Deutsch lernen und mich dann in Deutschland von meinem Diamanten befreien, um eine gute Schauspielerin zu werden. Hier müßte ich jeden Abend nach Hause zurück und in die Augen meiner Eltern schauen. In Deutschland nicht.

Mein Vater gab mir 3000 Mark und schickte mich zum Goethe-Institut in eine Kleinstadt am Bodensee. Meine ersten Sätze waren »Entschuldigung, kann ich was sagen«, »Entschuldigen Sie bitte, wie spät ist es« und »Entschuldigen Sie bitte, kann ich noch eine Kartoffel bekommen«. Nur am Wochenende entschuldigte ich mich nicht. Am Wochenende machte ich mit der Italienerin, mit der ich zusammen Deutsch lernte, Autostop in Richtung Schweiz. Oft hielten französische Soldaten an, und wir hatten wieder keine Sprache, weil die Soldaten nur Französisch sprachen. Ich hatte etwas Deutsch gelernt, aber entschuldigte mich weiter bei jedem Satz.

Als die Schule zu Ende war, ging ich zum Bahnhof. Ich konnte nach Istanbul zurückkehren, aber hatte mich noch nicht von meinem Diamanten befreit. Ich rief Ataman in Berlin an: »Ataman, ich spreche Deutsch.« – »Hast du noch deinen Diamanten? Komm nach Berlin, hier ist viel los. Engel möchte auch, daß du nach Berlin kommst.« Ich sagte dem Kartenverkäufer: »Entschuldigen Sie, darf ich eine Karte nach Berlin kriegen.« – Im Zug sagte eine türkische

Frau: »Ich arbeite bei Siemens, Siemens nimmt Arbeiterinnen.« In der Bahnhofshalle in Berlin hörte ich die Stimmen der Menschen und merkte, daß ich jetzt auch ihre Sätze verstand. »Entschuldigen Sie, wie spät ist es?« – »Kurz vor neun.« Vom Bahnhof rief ich Ataman und Engel an. Eine Stimme sagte mir: »Sie sind in Erlangen beim Theaterfestival, sie kommen erst in sechs Tagen zurück.«

Ich verließ den Bahnhof, ging am Wienerwald und an der zerbrochenen Kirche vorbei zum Aschinger Restaurant und aß im Stehen eine Erbsensuppe. Durch das Fenster sah ich wieder die türkische Frau, die ich im Zug getroffen hatte. Sie stand an der Bushaltestelle und wartete. Mein Teller war leer, ich stieg hinter der türkischen Frau in den Bus, stieg mit ihr wieder aus und stand wieder vor einem Frauenwohnheim. Hinter dem Wohnheim sah ich irgendwo Fabriktürme. Die Frau sagte mir: »Das ist Siemens.« Am nächsten Tag hatte ich bei Siemens eine Stelle und wohnte in dem neuen Frauenwohnheim, es hatte sechs Etagen und lag an einer Schnellstraße. Am ersten Samstag schauten sich alle Frauen im Salon einen türkischen Film an. Als der Film zu Ende war, fragte eine deutsche Siemenschefin die Mädchen, um was es in dem Film gegangen wäre. Die Mädchen verstanden sie nicht, aber ich sagte: »Entschuldigen Sie, darf ich Ihnen den Film erzählen? Das Mädchen und der Junge liebten sich, aber die böse Mutter trennte sie. Das Mädchen geht in die Großstadt, und dort wird sie Sängerin in einem Nightclub. Der Junge wird aus Kummer blind, geht eines Tages an diesem Nightclub vorbei, hört ihre Stimme, und seine Augen gehen wieder auf, aber das Mädchen hat einen bösen Chef.« Die Siemenschefin, sie hieß Gerda, sagte: »Hör mal, wie können Sie denn so gut Deutsch sprechen, kommen Sie morgen zu mir in die Fabrik.« Am nächsten Tag klopfte sie mir auf die Schulter. »Sie sind die neue Dolmetscherin im Siemens-Frauenwohnheim.« Die Heimleiterin war eine Griechin, Madame Gutsio. Alle türkischen Frauen sagten zu ihr: Madame Gusa. Ihre Haare waren vor vier Jahren in drei Nächten weiß geworden, weil ihr Freund in seinem Auto an einem Herzinfarkt gestorben war, als er einen Lastwagen auf sich zukommen sah. Gutsio hatte damals ein Kind im Bauch gehabt, das sie nach der Geburt bei ihrer Mutter in Griechenland gelassen hatte, weil sie Kommunistin war und nach Deutschland fliehen mußte. Abends telefonierte sie immer mit Griechenland, weil auch ihre Schwester und ihr Schwager Kommunisten waren und sie Angst hatte, daß die griechischen Militärputschisten die beiden ins Gefängnis schickten. Sie kam dann zu mir ins Zimmer und sagte: »Ich habe mit meiner Schwester und meinem Schwager gesprochen.« Dann blinzelte sie ein paarmal mit den Wimpern und wartete an der Tür, bis auch ich mit den Wimpern blinzelte. Dann sagte sie: »Ich gehe jetzt zu meinem Kafka und Camus.« Ich liebte Madame Gutsio sehr, sie hatte mir ein Buch von Kafka in Deutsch gegeben, das ein großes Foto von Kafka enthielt. Ich las in dem Buch, und immer wieder schaute ich mir Kafkas Gesicht an und stellte mir einen schönen, schlanken Mann mit schwarzen Haaren vor, der steppte. Abends, wenn wir das Bürolicht ausmachten, sagte Madame Gutsio immer zu mir: »Zuckerpuppe, laß uns zu unseren Kafkas gehen.« Sie ging zu ihrem Kafka, ich ging zu meinem Kafka. Das Dolmetscherinnenzimmer sah wie ein Klosterraum aus – ein kleines Bett, ein Tisch, ein Stuhl, eine Stehlampe, ein kleiner Schrank an der Wand. Draußen an der Schnellstraße rasten die Autos vorbei, nur wenn gerade kein Auto kam, hörte ich nebenan in Madame Gutsios Zimmer, wie sie in Kafkas Buch eine Seite umblätterte.

Das Wohnheim hatte sechs Etagen, in der vierten, fünften und sechsten wohnten die türkischen Frauen, die erste,

zweite und dritte Etage standen leer. Wenn auf der Schnellstraße die Autos vorbeifuhren, klapperten in den ersten
drei Etagen die Fenster viel lauter als in der vierten, fünften
und sechsten Etage. Das Fabrikdirektorium kündigte an,
daß in diese leeren Etagen bald türkische Ehepaare einzie-
hen würden. Die Ehepaare kamen mit dem Flugzeug, ich
brachte sie zur Fabrik, übersetzte für sie die Arbeit, die sie
machen mußten, und brachte sie zum Fabrikarzt. Während
ich übersetzte, stand der Meister rechts, und die Ehepaare
standen links von mir. Wenn ich Deutsch sprach, fing ich
meine Sätze wieder mit »Entschuldigen Sie bitte« an. Nach
rechts sagte ich zum Meister: »Entschuldigen Sie mich bitte …« Wenn ich nach links ins Türkische übersetzte, fehlte
das Wort »Entschuldigung«. Die Arbeiter sagten »Sag dem
Meister, ich will genau wissen …« Ich übersetzte das nach
rechts zum Meister. »Entschuldigen Sie mich bitte, aber
der Arbeiter sagt, Sie sollen ihn entschuldigen, aber er will
genau wissen …« Wenn ich beim Arzt übersetzte und ein
Blatt aus den Händen des Arztes herunterfiel, sagte ich:
»Ach, entschuldigen Sie bitte.« – »Bitte, bitte«, sagte der
Arzt. Er bückte sich dann herunter, um das Blatt aufzuhe-
ben, auch ich bückte mich, und mein Kopf stieß mit seinem
Kopf zusammen. Ich sagte wieder: »Ach, entschuldigen Sie
bitte.« Wenn ich die Tür, auf der »Drücken« stand, zu mir
heranzog und die Tür nicht aufging, sagte ich zum Pförtner:
»Ach, entschuldigen Sie bitte.«

Einmal saß ich im Wohnheimbüro, eine Hand unter dem
Kinn, es war dunkel im Büro, und Madame Gutsio kam
herein. Sie schaltete das Licht an, und ich sagte: »Ach, Entschuldigung.« Gutsios Hand blieb am elektrischen Schalter, und sie sagte: »Warum entschuldigst du dich?« – »Ja,
richtig, Entschuldigung«, sagte ich.

»Warum entschuldigst du dich, Zuckerpuppe?«

»Ja, richtig, entschuldige.«

»Entschuldige dich doch nicht.«

»Okay, Entschuldigung.«

Gutsio setzte sich vor mich hin und sagte: »Entschuldige bitte, aber warum entschuldigst du dich so viel?«

»Entschuldigung, ich entschuldige mich nicht mehr.«

Gutsio sagte: »Entschuldigung, Zuckerpuppe, aber du entschuldigst dich immer noch.«

»Ja, entschuldige, ich will mich nicht mehr entschuldigen.«

»Entschuldige dich nicht, Schluß.«

»Gut, ich entschuldige mich nicht, Entschuldigung.«

Gutsio schüttelte den Kopf und sagte: »Zuckerpuppe, Zuckerpuppe, mir gefällt das nicht, daß du dich immer entschuldigst.«

Auch die neuen Arbeiter, die noch kein Deutsch sprachen, lernten bald von mir das Wort »Entschuldigung« und sagten »Ensuldugu«. Sie saßen vor ihren Maschinen, der Meister lief zwischen ihnen hin und her, und wenn sie den Meister etwas fragen wollten, riefen sie laut »Ensuldugu«, als ob es der Name des Meisters wäre. Bald nannten alle Arbeiter den Meister »Ensuldugu«. Der Meister saß in einem Zimmer, dessen Wände aus Glas waren. Die Arbeiter klopften an das Glas und riefen: »Ensuldugu.« Hinter dem Glas las der Meister an ihren Lippen das Wort »Ensuldugu«, stand auf und ging mit ihnen zu ihren Maschinen, und plötzlich entschuldigte ich mich nicht mehr.

Ein deutsches Wort war mir zu hart: müssen. Deswegen übersetzte ich »Sie müssen das und das machen« den Arbeitern mit »Ihr werdet das und das machen«. Aber wenn der Meister mich fragte: »Haben Sie ihnen gesagt, daß sie den Hebel nur leicht ziehen müssen?«, antwortete ich ihm in Deutsch: »Ja, ich habe ihnen gesagt, daß sie den Hebel nur leicht ziehen müssen.« Das Türkische konnte ich von dem Wort »muß« trennen, die deutsche Sprache nicht.

In den ersten drei Etagen wohnten jetzt die Ehepaare und oben in den drei Etagen die alleinstehenden Frauen. Manche Ehemänner aus den ersten drei Etagen drückten im Fahrstuhl auf den Knopf zur vierten, fünften und sechsten Etage. Dort gab es immer Frauen, die nach der Arbeit halbnackt über die Korridore in die Küche oder ins Bad liefen. Die Männer traten aus dem Fahrstuhl, und die Frauen schrien: »Aaaa.« Auch die Männer schrien »aaa«, lächelten und fuhren mit dem Fahrstuhl wieder herunter zu ihren Frauen. Obwohl die alleinstehenden Frauen schon länger als ein Jahr in diesem Wohnheim wohnten, fingen die Ehepaare sofort an, sich um die Ehre der Frauen im vierten, fünften und sechsten Stock zu kümmern. Manche der alleinstehenden Frauen hatten nach ihrer Meinung ihre türkische Ehre in Berlin wie ein Kleid ausgezogen, und besonders die Männer wollten ihnen dieses Kleid wieder anziehen. Einmal rannten alle Ehemänner wie Verrückte, die man aus ihren Ketten befreit hatte, aus ihren Zimmern auf die Straße herunter, weil sie eine der Frauen aus den oberen Etagen gesehen hatten. Diese war aus einem Auto ausgestiegen und hatte dem Fahrer ihre Hand gegeben oder ihre Wangen oder vielleicht auch den Mund. Ich hörte die Schritte der Männer auf den Treppen und rannte vor ihnen heraus. Das Mädchen machte gerade die Gartentür auf, und ich stellte mich vor sie. Die Männer kamen, 30 oder 25 Männer, ich öffnete meine Arme und sagte zu ihnen: »Ihr zerquetscht erst mich, dann das Mädchen.« Sie blieben stehen, das Mädchen hinter mir zitterte, und weil ihre Hand noch auf der Gartentür lag, zitterte auch die Eisentür. Dann schob ich die Männer hoch in den Wohnheimsalon. Madame Gutsio gab mir eine Zwei-Liter-Rotweinflasche. Ich öffnete sie, nahm einen Schluck, alle Männer schauten mich an. Ich trank noch einen Schluck, gab dem nächsten Mann die Flasche und sagte: »Trink, Bruder, trink.« Die

Weinflasche ging jetzt von einem Männermund zum nächsten. Als die Flasche wieder zu mir kam, war sie leer. Ich sagte: »Freunde, bald werdet auch ihr Kneipen finden und auch einmal deutsche Frauen küssen. Ist es denn schön, wenn dann vierzig Frauen auf euch zukommen, um euch zu schlagen.« Die Männer hörten sich das an, und plötzlich lachten sie und gingen zu ihren Frauen zurück.

Das Leben in den Ehepaaretagen war nicht leicht. Alle Zimmer lagen nebeneinander. Wenn jemand in der Nacht das automatische Licht auf dem Korridor anmachte, fiel das Licht unter ihren Türen durch. So ging das Korridorlicht ständig auf ihrem Zimmerboden an und aus, draußen auf der Schnellstraße fuhren die Autos vorbei, und wenn sie in der Nacht Liebe gemacht hatten und sich wegen des Korans am nächsten Morgen von Kopf bis Fuß waschen mußten, sah jeder, wer mit nassen Haaren zur Arbeit ging. In der Türkei waren die Männer Boxer oder Lehrer, Schuhmacher, Arbeiter, Arbeitslose, Bauern, Busfahrer oder Schneider gewesen. Wenn sie in der Türkei geblieben wären, wären sie vielleicht niemals auf einer Straße zusammengekommen, hätten sich nie gesehen. Ein Zufall hatte sie hier versammelt, und jetzt gingen sie, Schnee auf ihren Schnurrbärten, Wasser aus ihren Haaren tropfend, in Richtung Siemens. Auch die alleinstehenden Frauen gingen um diese Zeit zur Fabrik und merkten sich, welche Ehemänner und -frauen mit nassen Haaren zur Siemensfabrik gingen. So beschäftigten sich die alleinstehenden Frauen mit den nassen Haaren der Ehemänner, die in den ersten drei Etagen wohnten und die nicht ihre Männer waren, und die Ehemänner beschäftigten sich mit der Ehre der alleinstehenden Frauen, die in den oberen Etagen des Siemens-Wohnheims wohnten und die nicht ihre Frauen waren. In der Fabrik aber hörten diese Gedanken auf. Die Menschen aus allen sechs Etagen zogen ihre Mäntel aus, hängten sie übereinander, und der Schnee auf den Mantelschultern schmolz von einem Mantel in den anderen.

Wenn ein Mann böse war, kam er zu mir und sagte: »Frau Dolmetscherin, soll ich denn meine Kraft für den Akkord hergeben, oder soll ich meine Kraft hergeben, um mit diesen Menschen unter einem Dach zu leben?« oder: »Frau Dolmetscherin, ich komme vom Akkord, ich weiß sowieso nicht, wo mir der Kopf steht, die stellen das Radio so laut, wie soll ich bei dieser Lautstärke meinen Kopf wiederfinden?« Ich mußte nicht nur zwischen Deutschen und Türken übersetzen, sondern auch zwischen Türken und Türken. Jeden Tag mußte ich in der Küche kontrollieren, ob die Töpfe abgewaschen waren und auf ihren Plätzen standen. Eine Frau rief: »Sag der da, sie soll den Topf abwaschen.« Ich ging zu der Frau: »Wasch doch den Topf ab.« – »Sag der, sie soll erst einmal das Bad saubermachen, dann wasche ich auch den Topf ab.« Ich ging zurück zur ersten Frau und sagte: »Putz das Bad, dann wird sie den Topf abwaschen.« Wenn sie mich ein paarmal als Postmann hin- und hergeschickt hatten, putzte ich das Bad und den Kochtopf selbst. Auch die Korridore der unteren Etagen waren Unfallstellen. Wenn jemand eine Tür laut schlug, wachten die anderen auf, wenn ein Fenster durch den Wind klapperte, wachten sie auf. Wenn auf dem Korridor in der Nacht laut gesprochen wurde, gingen sofort die Türen auf. Männer in Pyjamas standen vorne an der Tür, ihre Frauen im Nachthemd hinter ihnen. Die, die zu laut gesprochen und sie geweckt hatten, waren nicht mehr da. Dann schrien die Männer laut über den Korridor: »Nicht mal im Schlaf haben wir Ruhe, was für Menschen seid ihr?« Wenn sie ihre Türen wieder zugemacht hatten, gingen auf dem Korridor andere Türen auf, in denen andere Männer und Frauen standen, die diese gerade geweckt hatten. Auch sie riefen in den leeren Korridor und weckten wieder andere, die dann in ihren Pyjamas mich weckten. »Frau Dolmetscherin, sag du ihnen, wir wollen schlafen.« Ich fuhr mit ihnen hoch in den Korridor und weckte wieder andere mit dem Fahrstuhl. Wenn wir oben ankamen, gingen sie wieder in ihre Zimmer, und ich blieb allein auf dem Korridor und sah nichts außer einer Kakerlake, die schnell an der Wand entlanglief.

Manchmal kam sogar ein Mann zu mir, der mit niemandem sprechen wollte: »Sag denen, ich rede mit niemandem mehr, ich habe mit allen Schluß gemacht, sag das denen, ich habe ihnen nichts mehr zu sagen.« Manchmal schaute eine Ehefrau aus dem Fenster ihrem Mann hinterher, der gerade wegging. Sie rief ihm nach, er solle seine Jakke zuknöpfen. Dann rief sie zu mir: »Frau Dolmetscherin, sag ihm, er soll seine Jacke zuknöpfen, sonst wird er sich erkälten.« Jetzt knöpfte er seine Jacke zu und ging über die Schnellstraße zur Bushaltestelle. Ein Ehemann nahm seinen Hut vom Kopf, begrüßte mich und sagte: »Können Sie meiner Frau sagen, Frau Dolmetscherin, wenn sie so weitermacht, gehe ich in die Türkei zurück.« Niemand ging in die Türkei zurück, und ich trug die Sätze von einem zum anderen. Später, als ich Shakespeare-Stücke las, sah ich, daß dort oft die Boten getötet wurden.

Die Ehepaare, die unten lebten und immer zu zweit waren, wirkten auf die alleinstehenden Frauen bedrohlich. Wenn eine alleinstehende Frau ein Ehepaar vor dem Fahrstuhl traf, stieg sie nicht mit ein, sondern lief die Treppen hinauf. Weil in den unteren Etagen die Ehepaare nur zusammen ausgingen, gingen bald auch die alleinstehenden Frauen in den oberen Etagen nur noch zu zweit aus. Bald hatte jede Frau eine beste Freundin, und so wie in den ersten drei Etagen immer Liebe gemacht wurde, wurde in den oberen Etagen ständig von der Liebe geredet. »Keine kann so lieben wie ich«, sagte die eine. »Wenn ich liebe,

liebe ich ihn mehr als mein Leben«, die andere. Sie redeten und redeten, und das Wasser sammelte sich auf dem Küchenboden und machte ihre Schuhe naß.

Der Fahrstuhl zwischen den sechs Etagen war oft eine Unfallstelle. Einmal rief eine Männerstimme aus dem Fahrstuhl: »Frau Dolmetscherin! Hilfe!« Der Fahrstuhl war zwischen dem Erdgeschoß und der ersten Etage stehengeblieben. Ich rief in den Fahrstuhl hinein: »Was ist los? Ist der Fahrstuhl kaputt?« Dann rief eine Frauenstimme: »Der Kerl hat absichtlich den Knopf zu unserer sechsten Etage gedrückt. Ich lasse ihn hier nicht raus, bis seine Frau kommt.« Dann wieder der Mann: »Frau Dolmetscherin, was sagt sie, sag mir, was sagt sie?« – »Sie sagt, du hast absichtlich den Knopf zu den Frauenetagen gedrückt.« – »Wenn ich das getan habe, sollen meine Augen blind werden.« – »Was sagt er, was?« rief sie. »Er sagt, wenn er so etwas getan hat, sollen seine Augen blind werden.« Sie verfluchte ihn im Fahrstuhl: »Wenn du gelogen hast, sollst du Schweinefleisch essen, Kerl.«

Dann ließ sie den Fahrstuhl wieder fahren, er stieg in einer der Ehepaaretagen aus, und sie fuhr hoch zu den Frauenetagen.

Einmal sah eine Frau einen Ehemann, der oft absichtlich den Fahrstuhlknopf zu den Frauenetagen drückte, unten in den Fahrstuhl einsteigen. Die Frau drückte von oben den Knopf für die sechste Etage, zog ihren Morgenmantel aus, öffnete die Fahrstuhltür und zeigte sich dem Mann kurz nackt. Dann ließ sie ihn wieder herunterfahren und rief: »Ich habe dem Kerl seine Galle platzen lassen.« Dieser Ehemann sagte zu mir: »Sag der, ich werde ihr die Leber aus dem Körper ziehen.« Die Fahrstuhlwände bekamen jetzt Sätze: »Wer hier den falschen Knopf drückt, ist ein Esel.«

Wenn man auf der Straße gegenüber dem Wohnheim

stand, sah man nur die vorbeirasenden Autos und die sechs beleuchteten Etagen des Wohnheims. Das Haus stand einsam da, weit dahinter sah man das Fabrikgebäude. Wenn wir in der Nacht geschrien hätten, hätte uns kein Nachbar gehört. Autos hielten hier nicht an, nur manchmal der Krankenwagen. Oft kamen Frauen oder Männer an meine Tür, wenn sie in der Nacht ins Krankenhaus mußten. Magen, ein Finger, der weh tat, hohes Fieber, ein pochender Zahn. Ich ging dann mit ihnen ins Krankenhaus. Dort standen wir im Licht. Die Kranken standen in diesem Licht wie Lämmer und übten den fremden Namen ihrer Krankheit, um ihn später den anderen zu sagen. Der Arzt hatte am Kopf einen runden Spiegel, genau in der Mitte seiner Stirn.

Einmal hatte eine der alleinstehenden Frauen hohes Fieber und Schmerzen. Erst kamen Frauen von ihrer Etage zu mir und sagten: »Sie weint seit Tagen, kannst du uns sagen, warum sie weint?« Dann kam sie selbst zu mir. Sie stand vielleicht einen halben Meter weg von mir, aber sogar ich spürte ihre Hitze. Ich fuhr mit ihr ins Krankenhaus. Der Arzt sagte: »Sagen Sie ihr, ich verstehe nicht, was sie hat.« – »Ich habe Heimweh«, sagte sie und weinte. Der Arzt gab ihr Medikamente gegen Grippe. Mit dem Krankenwagen fuhren wir zurück zum Wohnheim, dann brachte ich sie in ihr Zimmer. Als ich mit dem Fahrstuhl runterfuhr, war der Fahrstuhl noch warm von ihrem Fieber. Am nächsten Abend rief sie mich zu sich: »Komm, ich zeige dir etwas.« Sie hatte kein Fieber mehr, sondern einen eiskalten Körper. Sie zeigte mir ein drei Monate altes Embryo, das sie in Zeitungspapier gewickelt hatte. Sie hatte seit Wochen versucht, das Kind abzutreiben. Als ich ging, sagte sie zu mir: »Sag das niemandem, meine Schöne.«

Nach einigen Monaten wollte Madame Gutsio nach Jugoslawien fahren, um sich dort mit ihrer Mutter und ihrem Kind aus Griechenland zu treffen. Wegen des Militärputschs

konnte Gutsio nicht nach Griechenland. Ein griechischer
Freund, Yorgi, vertrat sie. Yorgi brachte seine Katze mit.
Die Katze saß immer auf seinem Schoß oder lief auf dem
Tisch zwischen dem Telefon und den Papieren herum. Zu
mir sagte Yorgi: »Turcala Turcala«, zu seiner Katze: »Setz
dich hin und schau dir die schöne Turcala an.« Yorgi hatte
eine schöne Nase. Wenn er seinen Kopf senkte, warf sie
durch das Licht der Tischlampe einen langen Schatten. Ich
wollte diesen Schatten streicheln, aber streichelte statt dessen seine Katze und schickte ihm so meine Liebe – wie in
einem Hollywoodfilm: Gary Cooper sitzt auf seinem Pferd,
und die schöne Frau streichelt den Kopf des Pferdes und
schickt ihm so ihre Liebe. Mit der linken Hand nahm ich
den Telefonhörer ab, mit der rechten streichelte ich seine
Katze, plötzlich merkte ich, daß auch Yorgi seine Katze
streichelte und der Schatten über seiner Nase ein bißchen
zitterte. Die Katze wurde etwas unruhig, dann nahmen
wir im gleichen Moment aus der Zigarettenschachtel eine
Zigarette, und unsere Finger berührten sich kurz. Wenn
das Telefon klingelte, trafen sich unsere Hände über dem
Telefon. Manchmal schalteten wir zusammen das Licht aus,
wenn wir aus dem Büro gingen. In der Nacht hörte ich
Yorgi in Madame Gutsios Zimmer ein Buch umblättern,
und auch ich blätterte laut in meinem Buch und hustete.
Auch er hustete dann im Nebenzimmer, seine Katze fing
an zu miauen. Es war mir heiß, ich goß über mein Nachthemd kaltes Wasser und legte mich mit dem nassen Hemd
auf das Bett. Ich hatte mal gehört, daß die Matrosen es
so machen. Es half nichts. Ich öffnete das Fenster, setzte
mich auf die Fensterbank und ließ meine Beine baumeln.
Plötzlich sprang Yorgis Katze auf meine Beine, und ich sah,
daß auch Yorgi im Pyjama am Fenster saß. Ich fragte Yorgi:
»Sollen wir ein bißchen spazierenfahren?« Wir sprangen
aus dem Fenster in den Garten und fuhren im Nachthemd

und Pyjama zum See. Es war dunkel, und wir hörten unsere Schritte auf dem Sand, als ob wir Fremde wären. Der See lag da, als ob er einverstanden wäre, daß wir gekommen waren. Ein Scheinwerfer aus Ostberlin kämmte die dunkle Nacht. Yorgi sprach nicht, er rauchte und gab mir seine Zigarette in den Mund. Als die Zigarette zu Ende war, sagte Yorgi plötzlich das gleiche wie Ataman: »Du hast noch deinen Diamanten, nicht?« Ich lachte und sagte: »Ja, ich habe noch meinen Diamanten, aber ich will mich vor ihm retten.« – »Gib ihn doch her«, sagte Yorgi. Ich wußte nicht, wie man den Diamanten hergibt, aber Yorgi nahm sein Taschentuch aus seiner Pyjamatasche und legte es auf den Sand am See. Ich setzte mich auf das Taschentuch, und Yorgi küßte mich, schüttelte dabei immer seinen Kopf und sagte »Turcala Turcala«. Die Ostberliner Scheinwerfer warfen Licht auf Yorgis Stirn und Nase. Yorgi lag über mir, und wenn er meine Brüste oder Beine faßte, sprach er in Richtung des Sees griechische Sätze, zwischen denen er immer »Turcala Turcala« sagte. Der See bewegte sich nicht, er hörte zu. Ich schaute auf den See und wartete, daß ein Stern aus dem Himmel fiel, in diesem Moment würde ich auch meinen Diamanten verlieren. Dann sagte Yorgi: »Du bist noch ein Kind«, schüttelte zuerst aus meinem Nachthemd den Sand, dann aus seinem Pyjama und nahm sein Taschentuch von der Erde, faltete es und fuhr mit mir wieder zum Siemenswohnheim. Im Auto lachten wir beide, hängten im Wohnheim mein nasses Nachthemd und den Pyjama nebeneinander auf die Wäscheleine und gingen getrennt schlafen.

Am nächsten Morgen rief er Madame Gutsio an und erzählte ihr in Deutsch, daß er mich am See geküßt hätte. Madame Gutsio lachte am Telefon so laut, daß ich ihre Stimme hörte. »Aaa, Yorgi, siehst du denn nicht, das Mädchen ist noch ein Kind.« Dann sagte Yorgi einen Satz in Griechisch.

Madame Gutsio sagte mir laut in den Hörer, was Yorgi gesagt hatte: »Yorgi sagt, sie küßt auch wie ein Kind.«

Später nahm Yorgi während der Arbeit das Taschentuch, das er für mich auf den Sand gelegt hatte, aus seiner Tasche, und es fielen ein paar Sandkörner auf den Tisch. Er putzte mit dem Tuch seine Brille und konnte so nicht sehen, daß ich diese Sandkörner anschaute. Ich sammelte die Körner, und Yorgi sagte: »Laß mich machen.« Er nahm sie mir aus meiner Hand und tat sie in den Aschenbecher.

Abends telefonierte er wie Madame Gutsio mit Griechenland, weil seine Schwestern und Brüder in Militärgefängnissen saßen. Dann kam er an meine Tür, sagte: »Ich habe mit Griechenland telefoniert«, blinzelte wie Madame Gutsio mit den Wimpern und wartete, daß auch ich mit den Wimpern blinzelte. Im Korridor ging das Licht aus. Nur die auf der Schnellstraße vorbeifahrenden Autos warfen Licht auf unsere Gesichter. »Yorgi, soll ich mich schämen, daß ich mich nicht vor meinem Diamanten retten konnte?« – »Nein, du wirst dich nur retten, wenn du es willst.« – »Gute Nacht, Yorgi.« – »Gute Nacht, meine kleine Turcala.«

Ich wollte endlich meinen Diamanten hergeben. Ich dachte, bevor ich nach Istanbul zurückkehre, muß ich mich in Berlin vor diesem Diamanten retten. Engel hatte ihren Diamanten hergegeben, Gutsio hatte keinen Diamanten mehr, oben in der sechsten Etage das Mädchen mit dem toten Embryo hatte auch keinen Diamanten. Und alle zogen genauso wie ich ihre Mäntel an und aus und konnten die Türe aufmachen. Briefe öffnen. Eine Zigarette rauchen. Ein Licht ausmachen. Makkaroni schmeckten ihnen weiter. Sie konnten sich im Kino auch ohne Diamant einen Film ansehen. Ich lag im Bett und schwor mir bei den an der Wand vorbeifahrenden Autoscheinwerfern, daß ich mich vor meinem Diamanten retten würde. Aber ich wußte nicht wie und wollte Gutsio fragen, wenn sie zurückkam.

Aber sie kam nicht mehr zurück. Ich hörte von Yorgi, daß sie nach Griechenland gegangen war. Yorgi sagte: »Sie wird dort eines Tages ins Gefängnis kommen, aber sie wollte dort kämpfen, anstatt von hier aus mit Griechenland zu telefonieren.« Danach ging auch Yorgi weg. Die Siemensdirektoren sagten: »Morgen schicken wir euch einen neuen Heimleiter, einen türkischen.« In der Nacht lief ich auf den sechs Korridoren hin und her und sah wieder Kakerlaken, die an den Wänden entlangliefen. Wenn ich das automatische Licht einschaltete, verschwanden sie durch den Türspalt in den Arbeiterzimmern. Ich setzte mich in mein Zimmer und wartete darauf, daß Gutsio nebenan wieder Kafkas Buch umblätterte oder Yorgi hustete. Ich sprach laut ein paar Wörter in Griechisch mit mir: »Bre pedakimu sagapo.« Kein Buch wurde nebenan umgeblättert, niemand hustete. Nur die Autos rasten draußen auf der Schnellstraße vorbei. Ich machte Gutsios Zimmertür auf, auf dem Tisch im Aschenbecher lagen noch ein paar Kippen von Yorgi, und auf dem Boden stand ein kleiner Teller mit Wasser, den Yorgis Katze noch halb ausgetrunken hatte. Ich rief Gutsio in Griechenland an. »Zuckerpuppe«, sagte sie, »wie geht's dir. Du fehlst mir.« – »Ich will nicht mehr hierbleiben. Yorgi ist weg. Die Katze ist weg.« – »Geh du auch weg. Hast du Paris gesehen? Fahr nach Paris. Ich hab' dort einen Freund. Schreib die Adresse auf. Dann gehst du in die Schauspielschule. Und ich komme, um dich auf der Bühne zu sehen. Du bist meine Kassandra. Yasu pedakimu yasu.«

DER PLÖTZLICHE REGEN KAM WIE TAUSENDE VON LEUCHTENDEN NADELN HERUNTER

Ich kaufte ein Flugticket von Berlin bis Hannover, von Hannover fuhr ich mit dem Zug nach Paris. Wenn Leute einstiegen, sagte ich ihnen, welche Abteile leer wären. Ich war wieder die Dolmetscherin bei Siemens, die die Leute abholte und in ihre Zimmer brachte. Die Männer kamen herein, ich sagte zu ihnen: »Setzen Sie sich hin, ich stelle Ihre Koffer hoch.« Wenn es draußen regnete, übersetzte ich: »Es regnet«, »Der Regen hat aufgehört« oder »Jetzt sind wir in Liège«. Wenn der Mann mit dem Kaffeewagen vorbeilief, lief ich im Zugkorridor vor ihm her und sagte zu den Leuten: »Der Kaffeemann kommt.« Wenn der Deckel vom Zugaschenbecher herunterklappte, sagte ich: »Der Aschenbecherdeckel ist zugegangen.« Ich fragte den Zugkontrolleur, wie viele Stunden es noch bis nach Paris wären. Dann sagte ich den Leuten: »Drei Stunden bis nach Paris.«

In Paris mußte ich mit der Métro die Haltestelle Cité Universitaire finden, ich ging erst mal verloren und suchte auf den Pariser Straßen die deutsche Sprache. Wenn ich deutschsprechende Menschen hörte, fragte ich sie nach dem Weg. Ein deutscher Mann brachte mich mit der Métro bis zur Cité Universitaire. Die Métro war voller Menschen, deswegen kamen sich unsere Gesichter sehr nah. Ich hatte noch nie so nah vor einem Deutschen gestanden. Er fragte mich: »Can you speak English.« – »No, I can not, little bit. I can say only: ›The maid washed the dishes and can I put my head on your shoulder.‹« Nachdem ich alle meine englischen Wörter herausgegeben hatte, fragte ich ihn, warum er mit mir Englisch sprechen wolle. Er sagte: »Ich geniere mich in Paris für die deutsche Sprache, das ist die Sprache von Goebbels und Hitler.« Ich sagte: »Ich liebe Kafka.« In der Métro merkte ich, daß der deutsche junge Mann, wenn er mit französischen Menschen sprach, sich wie ich in deutsch immer entschuldigte. »Pardon Madame, pardon Monsieur«. Mit viel »Pardon Madame, pardon Monsieur« fanden wir in der Cité Universitaire das griechische Studentenmaison, in der Gutsios Freund wohnte. Es war schon dunkle Nacht. Der Pförtner sagte dem jungen Mann, ich solle mich hinsetzen, er würde Gutsios Freund suchen, weil im Haus eine große Feier stattfände und alle Studenten tanzten. Der deutsche Junge sagte »Good bye« und ging. Ich war sehr müde. Der Pförtner konnte Gutsios Freund nicht finden, weil er nach Marseille gegangen war. Ein anderer griechischer Junge kam und erzählte mir in Englisch: »He went to Marseille, conference contra Militärjunta greek.« Die Frau des Pförtners lud mich in ihr Zimmer ein, ich legte mich auf eine Couch und schlief ein. Am nächsten Tag brachte der Pförtner mich zu einem anderen Maison, wo türkische Studenten wohnten. Ich klopfte an eine Tür, der türkische Student war noch im Pyjama. Er zog seine Hose darüber, goß Tee in ein Wasserglas und gab es mir. Ich setzte mich auf einen Stuhl neben seinem Schreibtisch und erzählte ihm, daß ich aus Berlin käme, Madame Gutsio hätte mir von ihrem griechischen Freund die Adresse gegeben, der aber für eine politische Versammlung gegen den griechischen Militärputsch nach Marseille gefahren wäre. Der türkische Student sagte: »Wir werden uns um Sie kümmern, Fräulein«, tat zwei Löffel Zucker in mein Teeglas, rührte ihn lange mit einem Löffel und schaute, während der Zucker sich im Teeglas auflöste, dauernd in meine Augen, als ob er darin irgend etwas lesen würde. »Warten Sie hier«, sagte er und ging. Der Stuhl hatte sehr kurze Beine und sehr hohe Armlehnen. Als ich meine Arme auf sie legte, sah ich aus wie ein Mensch, der im Rollstuhl sitzt. Eine Uhr tickte im Zimmer, und draußen vor dem Fenster liefen ab und zu zwei Studenten oder ein einzelner Student vorbei. Ich sah nur ihre Köpfe, die Köpfe sahen fast gleich aus. Sicher hatten alle eine tickende Uhr in ihrem kleinen Zimmer und die gleichen Vorhänge, die gleichen Tische und Stühle, in denen man wie ein Rollstuhlfahrer aussah. Das Zimmer hatte etwas von einem Krankenhauszimmer, der Kranke, der vielleicht seit zwei Jahren dort wohnte, durfte aber seine Wäsche selber waschen. Der Student hatte sein Hemd, seine Unterhosen und Strümpfe in die gleiche Schüssel getan, darin lagen sie ineinander verdreht, in einem gelblichen Wasser. Der Zimmerboden war frisch gebohnert, meine Schuhe hatten Gummisohlen, die ein bißchen auf dem gebohnerten Boden klebten. Dann kam der Student mit zwei anderen türkischen Studenten zurück. Alle gaben mir die Hand und setzten sich nebeneinander auf das Bett. Sie warteten und sagten nichts. Nur das Bett knirschte etwas. Mein Stuhl knirschte auch. Ich bückte mich zum gebohnerten Boden zu meiner Reisetasche und sah auf dem gebohnerten Boden die Schatten der drei Studenten. Die Schatten sahen so aus, als ob sie ihre Köpfe nahe aneinanderhielten und flüsternd sprachen. Erschreckt richtete ich mich auf, doch ich hatte mich getäuscht. Sie saßen dort jeder für sich allein, mit schläfrigen Grimassen. Der Reißverschluß meiner Tasche stand halb offen, ich zog ihn zu und wollte aufstehen. In diesem Moment kam ein Mann mit Brille ins Zimmer. Er lächelte und setzte sich auf den freien Stuhl neben dem Schreibtisch, ein normaler Stuhl, so daß er etwas höher als ich saß. Er machte die Tischlampe an. Es war ein sonniger Tag, aber er machte die Lampe an. »Es ist viertel vor elf«, sagte er, indem er mit seinem linken Daumen seinen Kugelschreiberkopf in seinen Kugelschreiber hineindrückte. Ich starrte eine Weile auf diesen Kugelschreiber und dachte, wie geschickt er mit dem Kugelschreiber umging, wie wenig Lärm er dabei machte. Er fragte mich, was die türkischen Studenten in Berlin machten, wie die Luft in Berlin wäre. Ich sagte »Regen«, aber er meinte die politische Luft – ob es Kommunisten unter den Studenten gäbe. Ich sagte: »Ja.« Er wollte die Namen der Kommunisten wissen und drückte wieder auf seinen Kugelschreiberkopf. Ich antwortete aber: »Ich kann keine Namen im Kopf behalten.« Er schrieb irgend etwas auf. Dann kam ein dicklicher, älterer Türke ins Zimmer. Auch er setzte sich hin, machte die Tischlampe aus, gab mir eine Zigarette, zeigte mir Postkarten vom Eiffelturm und den Champs-Élysées und erzählte mir, wann sie gebaut worden waren. Als er mir die Eiffelturm-Postkarten zeigte, atmete er schwer, als ob er gerade die Eiffelturmtreppen hochsteigen würde, und dazwischen fragte er mich wieder nach den Namen der türkischen Kommunisten in Berlin. Die anderen hatten alle gerade die Teetassen an ihren Mündern, als der dickliche Türke mich nach den Namen fragte, und plötzlich blieben die Tassen an ihren Mündern stehen. Ich sagte dem älteren Türken, was ich dem anderen mit Brille schon gesagt hatte. Er wartete ein bißchen, dann nahm er seine Postkarten vom Tisch, ordnete sie wie Spielkarten und steckte sie in seine Brieftasche. Dabei stellten die anderen ihre Teetassen, die noch an ihren Mündern standen, ohne getrunken zu haben, auf die Untertassen und standen auf. Der ältere Türke brachte mich zu einem Hotel, wo auch ein paar andere türkische Studenten wohnten.

In der Nacht klopfte es an der Tür, ein schöner türkischer Mann kam herein und setzte sich auf mein Bett, das Zimmer war sehr klein. Er sagte: »Wir sind beide weit weg von unserem Land, wir sind beide Türken, wir könnten uns trösten.« Ich wußte nicht, warum die Türken die Türken in Paris trösten sollten, lachte und zog die Bettdecke über mein Gesicht. Er küßte mich durch die Bettdecke und fragte mich auch, wie viele Türken in Berlin Kommunisten wären, wie sie hießen, was sie sagten. Ich sagte: »Ich bin selber Kommunistin.« Dann war er plötzlich nackt und heiß. Mir gefiel sehr, daß er so einen heißen Körper hatte. Ich sagte: »Ich habe noch meinen Diamanten.« Er verstand nicht. Ich sagte: »Ich bin Jungfrau, will mich aber davon befreien.« Das Pariser Hotelbett war klein und hatte in der Mitte eine Grube. Der türkische Student mit dem heißen Körper wollte mich von meinem Diamanten befreien, aber er beobachtete ständig seinen Körper, während er meinen Mund oder meine Brust küßte. Er spannte seine Armmuskeln und seine Brust, als ob er als Denkmal auf einem Stein säße, und beobachtete, wie gut er alles machte. Auch ich fing an, ihn zu beobachten, und vom vielen Beobachten blieb mein Diamant weiter bei mir. Als er gegen Morgen ging, sagte er: »Du weißt gar nicht, was du verpaßt hast, ich hätte dich zur Frau gemacht, in der Hauptstadt Ankara war ich der Geliebte einer berühmten Opernsängerin.« Dann ging er. Seine Hitze blieb im Bett, und dieses ruhige Feuer gefiel mir, ich umarmte diese Hitze und schlief ein. Am Morgen, als ich aus dem Zimmer ging, stand plötzlich der ältere Türke in der Hotelhalle. Er hatte auf mich gewartet, klopfte schnell die Croissant-Krümel von seinem Jackett und wollte mir Montmartre zeigen. Als wir die Treppen einer Montmartrestraße hochliefen, fragte er mich wieder, welche Türken in Berlin Kommunisten wären. Er atmete wieder sehr schwer, irgendwann fing ich an, wie er zu atmen, dann standen wir vor einer sehr steilen, langen

Treppe, die er nur sehr schwer hochlaufen konnte. Ich lief schnell voraus, rannte eine andere Straße herunter, fand die Métro und fuhr zur Cité Universitaire.

Im Cité-Universitaire-Garten suchte ich die Kantine. Plötzlich pfiff jemand hinter mir, ich trug schwarze Netzstrümpfe. Ich schaute nicht hinter mich, von Istanbul war ich an Männerpfiffe gewöhnt. Aber trotzdem wackelte ich wegen der Pfiffe ein bißchen mit meinem Hintern. Ich lief zwischen den Schatten der Bäume, als ob ich diese Schatten nicht stören wollte. Die Erde zeigte mir meine Beinschatten, sie waren sehr dünn, sehr lang, dann lief ein anderer Beinschatten neben meinem her, ich schaute nur auf die Erde. Dann lief der andere Beinschatten durch meine Beine hindurch. Wir liefen und liefen. Die Kantine hatte eine Schwingtür, dort verschwanden unsere Schatten. Als ich mit meinem leeren Tablett vor der Kantinenfrau stand und zeigte, was ich essen wollte, stieß ein anderes Tablett an meins, und das Wasser im Glas auf meinem Tablett zitterte etwas. Der Junge trug eine Brille, sein Arm berührte meinen, aber auch er schaute nur auf das Essen, das die Kantinenfrau gerade auf seinen Teller tat. Ich setzte mich an einen freien Tisch und sah irgendwann neben meinem Tablett ein weiteres Tablett stehen. Ich sah nur seine Hände, die gleichzeitig mit meinen Händen das Fleisch auf dem Teller schnitten oder das Kartoffelpüree auf den Löffel nahmen. Dann ließ ich meinen Löffel neben dem Kartoffelpüree liegen, er tat das gleiche. Dann nahm ich das Wasserglas und trank, auch er nahm sein Wasserglas und sprach – das Glas vor seinem Mund – mit mir, als ob er zu seinem Glas sprach. »Pardon«, sagte ich, »I cannot speak French.« Er trank einen Schluck Wasser, dann sagte er: »Can you speak English?« Ich trank einen Schluck Wasser und sagte: »No, little bit.« Auch er trank einen Schluck und sagte: »I cannot speak English too, little bit.« Gleichzeitig stellten wir unsere Wassergläser auf die Kantinentabletts. Die Gläser waren beide nur halb ausgetrunken, und das Wasser in beiden Gläsern zitterte etwas. Sein Jackenarm berührte meinen Pulliarm. Mein Pulli aus Mohair ließ an seinem Jackenarm Haare. Hinter uns zählten die Kantinenfrauen auf den Tellern das Kleingeld. Die Lichter waren an, es war sehr laut in der Kantine. Wenn jemand wegging, bemerkte es niemand. Auch ich merkte nicht, wie ich weggegangen bin. Es war, als ob ich als ein zweites Ich neben mir lief. Der plötzliche Regen kam wie Tausende von leuchtenden Nadeln herunter, und die Wassernadeln spielten auf der Erde weiter miteinander. Der Regen ging durch meine schwarzen Netzstrumpflöcher und machte bald meine Schuhe von innen naß. Das Ich neben mir ging neben dem Jungen, der seinen Regenmantel wie ein Torero über eine Schulter geworfen hatte. Er nahm diesen Regenmantel und hielt ihn über seinen Kopf und über den Kopf des neben mir laufenden Ichs. Sie gingen und gingen, und der Regen machte auf dem Mantelstoff laute Geräusche wie auf einem Zelt. Dann gingen sie in ein Studentenheim, sie hatten Glück, der Pförtner telefonierte gerade mit dem Rücken zum Fenster. Sie rannten die Treppen hoch und kamen in ein Zimmer, ich mit ihnen. Das große Zimmer hatte eine Treppe, oben gab es ein weiteres Zimmer. Ich setzte mich auf die Treppe und schaute mir das Mädchen, das ich sein sollte, und den Jungen an. Der Junge sagte: »I am from Spain.« Das Mädchen sagte: »I am türkisch.« Der Junge ging zu seinen Büchern, nahm ein Gedichtbuch und las ein Gedicht in Französisch.

Er sagte: »Nazim Hikmet, great Socialist Poet Türk.« Ich hatte nur den Namen gehört. Dann legte der Junge eine Schallplatte von Yves Montand auf und sagte: »Yves Montand sings a poem of Nazim Hikmet, you know?« – »No, I don't know«, sagte das Mädchen. Er nahm den Arm des

Plattenspielers und stellte die Nadel auf ein bestimmtes Lied. Yves Montand sang: »Tu es comme un Scorpion frère. Tu es comme un Scorpion frère.« Der Junge setzte sich neben das Mädchen auf die Treppe. Er sprach Französisch und sang mit Yves Montand: »Tu es comme un Scorpion frère.« Das Mädchen verstand kein Französisch, aber wenn das Wort frère kam, wiederholte sie es. Der Junge lachte und sagte: »Frère like brother.« Ich fragte: »Have you brother?« – »Yes, five brother, and my father ist great Mathematikprofessor in Spain.« Das Mädchen wiederholte das Wort »Mathematik«. »Yes, Mathematik«, sagte der Junge. Yves Montand sang plötzlich nicht mehr. Ich bekam Angst. Ich sagte mir, was wird das Mädchen jetzt tun, die Musik ist vorbei, muß sie aufstehen, muß sie gehen? Der Junge stand aber auf und legte noch eine Schallplatte auf, Ravels »Bolero«. Das Mädchen zog ihre nassen Schuhe aus, griff in die Löcher ihrer Netzstrümpfe und legte ihre warmen Hände auf ihre nassen Füße. Sie hörte sich die Musik an, aber nicht mit ihren Ohren, sondern mit ihren Augen und ihrem Mund, und auch der Junge schaute auf ihr Gesicht, als ob er Ravels Bolero aus ihrem Gesicht hörte. Ich schaute mir das Zimmer an. Gegenüber der Treppe, neben dem Plattenspieler, gab es einen Schreibtisch, auf dem Bücher und ein paar Fotos im Rahmen standen. Auf einem tanzte der Junge mit einem Mädchen, und auf dem anderen schaute mir dieses Mädchen mit lockigen Haaren in die Augen. Draußen hatte der Regen aufgehört, die kräftige Sonne wuchs ins Zimmer und zerbrach an den Silberrahmen der Bilder nochmals in mehrere Sonnenbahnen, im Raum tropfte aus dem Regenmantel des Jungen noch der Regen von vorhin. Als Ravels Bolero zu Ende war, hatte die Sonne im Zimmer den Regenmantel und die nassen Netzstrümpfe des Mädchens etwas getrocknet. Plötzlich gingen die beiden die Treppe hoch. Oben, am

Ende der Treppe, stand ein Bett. Ich blieb tiefer unten auf der Treppe stehen und sah, daß mein Pullover, mein Rock, die Netzstrümpfe, der Strumpfhalter, Büstenhalter und die Unterhose langsam von oben auf dem Geländer herunterrutschten und am Ende des Treppengeländers übereinander hängenblieben. Die Sonne fiel durch die Löcher der auf dem Treppengeländer hängenden Netzstrümpfe, und das Mohairhaar meines Pullis flog in der Sonne ganz langsam im Zimmer hoch. Das Mohair juckte in meiner Nase. Dann rutschten von oben die Hose und das Hemd des Jungen herunter und bedeckten meine Kleider auf dem Treppengeländer. Die Sonne traf jetzt ganz genau auf das Gürtelmetall des Jungen und blieb in der Luft als ein langer Strahl stehen. Ich versuchte, diesen Sonnenstrahl in meine Hand zu nehmen, dann ging ich hoch und schaute mir das Bett an. Der Junge und das Mädchen waren unter der Bettdecke verschwunden. Die Decke bewegte sich, und ich wußte nicht, wo das Mädchen war, oben, unten, neben dem Jungen, links oder rechts. Sie blieben so lange unter der Bettdecke, daß ich meinen Kopf auf das Bett legte und wartete. Plötzlich faßte die Hand des Jungen in meine Haare, er verteilte meine Haare auf dem Kopfkissen und sagte: »You are a child.« Als er »child« sagte, machte er mit seinem Kopf in Richtung meiner Beine eine leichte Bewegung. »Yes, yes«, sagte ich, »I am a child.« Beide hatten vom vielen Küssen dicke Lippen, das Blut floß schnell unter ihren Lippen und zeigte drei verschiedene Farben. Ich schaute auf ihre Münder, und sie warfen die Bettdecken herunter. Der Junge hatte seine Brille neben das Bett gelegt und mußte sich auf das Sehen konzentrieren, so sahen seine Augen sehr schön aus. Das Mädchen zog ihn wieder zu sich heran, aber ich fand in meinem Kopf ein englisches Wort, das ich schon lange vergessen hatte, das Wort kam plötzlich wie ein Geruch aus einer Truhe, die zu lange ge-

schlossen war: »Wait.« Ich soufflierte dem Mädchen »wait«.
Sie sagte »wait«, der Junge wartete, sie wartete. Sie warteten
beide nackt übereinander, die Sonne wärmte den Rücken
und den Bauch des Jungen, und das wärmte den Bauch des
Mädchens. Die Brüste hörten ihren Augen nicht zu. Die
Augen warteten, aber die Brustwarzen warteten nicht. Ich
schaute mir die Brüste des Mädchens an, und das Mädchen
schaute in die Augen des Jungen. Die Augen des Mädchens
vergrößerten die Augen des Jungen so lange, bis er nur ein
Auge wurde. Die Sonne gab ihren letzten Atem und zog
sich langsam zurück von ihren Körpern. So, im Schatten,
standen sie auf, sie zogen sich beide gleichzeitig an. Als
sie an den Fotografien am Schreibtisch vorbeigingen, fragte
ich den Jungen: »Who is this girl?« – »She's my wife, she's
in England this time«, sagte er. Das Mädchen knöpfte sich
ihre Jacke zu. Sie fuhren in einem Auto, und das Mädchen
schaute sich Paris hinter dem Profil des Jungen an. Da ist
der beleuchtete Eiffelturm, er verschwand so schnell, dann
sah sie wieder das Profil des Jungen. Die Menschen draußen gingen, ihre langen Brote in der Hand, langsam nach
Hause. Der Junge und das Mädchen setzten sich an einen
Tisch in einem Restaurant.

Das lange Brot, das die Franzosen in der Hand oder unter dem Arm trugen, lag in Scheiben geschnitten auf dem
Tisch. Der Junge brach das Brot, als ob sie beide zwei Vögel wären, in kleine Stücke und gab ihr ab und zu ein Stück
in den Mund, dann erzählte er von einem spanischen Dichter, Lorca. Die Militärs hatten ihn als jungen Mann getötet,
aber er hatte viele Gedichte geschrieben. Der Junge sagte
ein Gedicht von Lorca auf: »Huye, luna, luna, luna«. Luna
heißt Mond. Er übersetzte: Zigeuner nahmen den Mond,
zerschnitten ihn und machten daraus Ohrringe. Das Restaurant war klein und hatte einen schiefen Fußboden. Eine
alte Frau brachte das Essen, dann wusch sie hinter der The-

ke weiter Teller ab, das Restaurant hieß »Chez Marie«. Die Tür ging ständig auf und zu, immer wieder kamen neue Leute herein, am Tisch bissen alle laut in die Baguettes, das knisterte so laut, daß die Gespräche darunter nicht zu hören waren. Alle saßen da und aßen Schnecken. Es war nicht leicht, Schnecken zu essen. Ich hatte einmal als Kind gesehen, wie meine Eltern die Schnecken im Wald sammelten, sie klebten noch an den nassen Blättern oder der Erde und ließen ihren Schleim heraus. Sie sammelten sie und legten sie über Nacht in einen Topf mit viel Wasser. Die Schnecken sollten in Ohnmacht fallen und ihren Schleim abgeben. Meine Eltern stellten diesen Topf mit den Schnekken ins Badezimmer, vergaßen aber, über den Topfdeckel einen Stein zu legen. Am nächsten Morgen wachten wir umgeben von vielen Schnecken auf. Sie hatten zusammen den Topfdeckel angehoben, waren aus dem Topf herausgekrochen und klebten jetzt in allen Zimmern an den Wänden und am Boden. Meine Mutter sagte, sie könnte jetzt keine Schnecken mehr essen, weil sie jetzt unsere Gäste geworden wären. Wir sammelten alle Schnecken und brachten sie, in weiche Tücher gewickelt, wieder zurück in den Wald. Das Mädchen wollte diese Geschichte dem Jungen in englisch erzählen, aber die Wörter reichten nicht aus, deswegen aß sie weiter. Sie schwiegen und aßen und lachten. Alle Gegenstände, die die Kellnerin auf den Tisch stellte, machten kleine Geräusche, aber diese Geräusche holten sie nicht voneinander weg. Die Gegenstände kamen und gingen, er nahm eine Flasche, goß Wasser oder Wein ein, aber es entstand keine Gefahr für beide. Sie merkten sich die Farbe des Weins oder Wassers, aber diese Farben oder Geräusche lenkten die beiden nicht voneinander ab. Alle Gegenstände bedienten die beiden, nicht die beiden die Gegenstände.

Als sie gingen, nahm der Junge seinen weißen Regen-

mantel vom Haken und warf ihn wieder wie ein Torero
über seine Schulter. So gingen sie zum Auto, am Autofenster blinzelte der Eiffelturm. Das Mädchen drehte sich aber
nicht um. Dann merkte der Junge, daß der Mantel, den er
vom Haken im Restaurant mitgenommen hatte, nicht seiner war. Sein Mantel lag auf dem Rücksitz. Er schaute sich
den fremden Mantel an und sagte: »It is okay«, und legte
ihn über seinen weißen Regenmantel auf dem Rücksitz. So
fuhren sie mit zwei Regenmänteln zur Cité Universitaire.
Als sie aus dem Auto ausstiegen, regnete es wieder, und
wieder sah der Regen im Autolicht wie Tausende leuchten-
der Nadeln aus. Der Junge nahm einen der Regenmäntel
und bedeckte damit wieder seinen Kopf und den Kopf des
Mädchens, es gab wieder das Geräusch, als ob es auf ein
Zelt regnen würde. Der Regen war gut, warmherzig. Es war
schön, mit nassen Strümpfen, Haaren und Schuhen in ein
Zimmer zu treten. Aus den Ärmeln der Jacken kam frische
Luft. Wegen der nassen und kalten Sachen zog man sich
ganz selbstverständlich aus. So kamen sie sich nahe wie die
Lämmer. Der Junge legte wieder eine Platte auf, spanische
Männer sangen Liebeslieder als Chor. Draußen regnete es,
und der Regen schlug an die Fenster, aber drinnen sangen
Männer, und das Mädchen hörte ihnen mehr zu als dem
Regen. Der Junge ging in die Knie, und während alle die
Männer nach Liebe riefen, sang er mit »Que bella rosa«
und umarmte so die Beine des Mädchens. Ich hörte mir die
Lieder an, es hörte sich so an, als ob manche schon keine
Zähne mehr im Mund hatten. Es war schön, die Stimmen
der Männer zu hören, derer, die ihre Zähne noch im Mund
hatten, und derer, die ihre Zähne nicht mehr im Mund hatten, und alle redeten von der Liebe, »Que bella rosa, rosa,
rosa«. Es war schön, die Hand in den Haaren eines Mannes
zu halten, der auf den Knien saß und mitsang. Ich fühlte,
wie das Mädchen in guten Männerhänden und -stimmen

lag. Ich schloß die Augen und hörte als letztes zwischen den singenden Männerstimmen die Stimme des Jungen. Er sagte zu dem Mädchen: »You are a crazy horse.« Als er sie zum ersten Mal in sein Zimmer gebracht hatte, war sie child gewesen, jetzt war sie ein crazy horse. Der Junge erinnerte mich an ein Bild, auf dem ein Kind, das in kurzen Hosen und barfuß vor einem Hund stand, über dem großen Hund mit einem anderen Jungen die Hand hielt, sie sprachen miteinander, und sie waren so ernst vor einem großen Himmel. So lagen das Mädchen und der Junge im Bett. Der Junge folgte mit einer ungeheuren Konzentration den Bewegungen des Mädchens, so sahen sie beide wie ein einziger Körper aus. Es regnete weiter, und bei jedem Regenschlag am Fenster verschwand ein Möbelstück. Dann verschwanden alle Gegenstände im Zimmer. Auch das Bett, in dem der Junge und das Mädchen lagen, verschwand. Das Mädchen und der Junge flogen langsam hoch oben im Zimmer, auf dem Boden sah ich nur die ineinanderliegenden Mädchen- und Jungenkleider und die Schuhe. Der Junge und das Mädchen atmeten tief und faßten sich in der Luft an. Ihr Atem war so stark, daß jetzt auch ihre Kleider in die Luft flogen. Hier ein Schuh des Jungen, dort der Rock des Mädchens. Auch meine Netzstrümpfe flogen langsam durch das Zimmer und verknoteten sich mit den Schuhschnürsenkeln des Jungen und flogen zusammen. Plötzlich sah ich zwei Frauen nebeneinander in der Luft stehen. Eine war meine Mutter, die andere die Mutter des Jungen. Ich dachte, gut, daß ihr uns geboren habt, und klatschte in meine Hände. Die Mutter des Jungen warf mir in der Luft einen Kuß zu, und meine Mutter schaute den Jungen an, als würde auch sie ihn sehr lieben. Ich flog in die Richtung meiner Mutter, aber der Junge hielt mich fest, ging mit seinen Händen zwischen meine Haare und verteilte sie in der Luft, nach links, nach rechts. Er hatte sehr schöne Haare, ich hielt meine Hände in seine Haare und fühlte den in der Nacht wachsenden Bart an meinen Wangen und meinem Kinn. Der Bart aus seinen Wangen und über seinem Mund wuchs in meine Wangen hinein, so klebten unsere Gesichter aneinander. Über unseren Körpern gingen kleine Feuer an. Manchmal fielen vom Hals, der Stirn oder der Brust des Jungen Schweißperlen auf meinen Körper. Diese Schweißperlen löschten eine Flamme, dann ging die kleine Flamme wieder an. Draußen regnete es weiter, und im Zimmer tropften von unseren Körpern mal ein Feuer, mal Wassertropfen herunter.

Ich wurde wach. Der Regen und der Wind schlugen ein Fenster auf, und das Fenster schlug die auf dem Schreibtisch stehenden Sachen um. Das Bild der Frau des Jungen kippte um, Papiere flogen durchs Zimmer, und eine Zeitung öffnete ihre Blätter durch den Wind. Ich sah das Mädchen und den Jungen im Bett. Auch der Junge wachte von dem schlagenden Fenster auf, er ging im Halbschlaf herunter und machte das Fenster zu. Ich stellte das Foto seiner Frau wieder auf seinen Platz. Er ging zum Kühlschrank, nahm eine Gin- und eine Whiskyflasche, kippte etwas aus beiden Flaschen in ein Glas, ging wieder hoch zum Bett, setzte sich auf die Bettkante, schaute auf das Mädchen, das im Bett lag, und schaute dann zum Boden, wo ihre Kleider ineinander verwühlt lagen. Er nahm das Unterhemd des Mädchens, es war ein Männerunterhemd, legte es auf seine nackten Knie, schaute es sich an und trank das Glas ganz schnell aus, dann schaute er hilflos in die Luft. Jetzt suchte er mit seinen Händen neben dem Bett seine Brille. Er fand sie, setzte sie auf, und als ob er seine Hände durch die Brille wiederbekommen hätte, faßte er das Mädchen an, zog sie an, zog sich an und schnürte dem Mädchen und sich die Schuhe zu. Ich schaute mir schnell das Bett an, es war noch warm von ihren Körpern, aber ich sah keine Blutflecken. Ich ging schnell hinter dem Mädchen her und setzte mich im Auto hinter sie, ich wollte ihr sagen, befrei dich von deinem Diamanten, mach es mit dem Jungen. Ich kam aber nicht dazu, weil der Junge mit der linken Hand fuhr und mit der rechten das Mädchen zu sich heranzog und ihren Kopf faßte. Sie sang in sein Ohr ein türkisches Lied:

»Als ich nach Üsküdar ging, hatte es angefangen zu regnen.
Ach, meinem Geliebten steht das gestärkte Hemd sehr schön.
Ich gehöre ihm, er gehört mir.
Was bleibt den fremden Mündern zu sagen übrig.«

Der Junge fuhr so lange durch Paris, bis er das Lied mitsingen konnte. So sah das Mädchen nicht viel von Paris, weil sie dauernd das Lied in seine Ohren sang, sie sah nur sein Profil, seine Wimpern, seine unrasierten Wangen, seine Lippen, sah sie vergrößert – und Paris sah sie nicht. Dann sah ich die Pferde. Der Junge sagte: »Crazy horse, here are the horses.« Die Pferde rannten, die Menschen hielten die Wettpapiere in ihren Händen. Ich sah die Füße der Pferde, die offenen Münder der Menschen. Die Menschen bewegten sich im Rhythmus der Pferde, auf die sie gesetzt hatten. Der Junge und das Mädchen hatten keine Wettpapiere in den Händen, so liebten sie alle Pferde. Am Ende gingen die Menschen nach Hause. Alles war jetzt leer, nur die Wettpapiere lagen auf dem Gras. Der Junge und das Mädchen setzten sich in das leere Hippodrom, mit dem Abendwind bewegten sich die Wettpapiere zwischen ihren Füßen. Sie schwiegen lange, ihr Englisch war nur a little bit. Er nahm seine Brille ab, putzte sie und schaute ohne Brille das Mädchen an, seine Augen sahen wieder sehr schön aus. Er sagte: »Crazy horse.« Das Mädchen lachte. Er schaute lange in diese lachenden Augen. »You know Guillotine?« fragte der

Junge. »Yes«, sagte das Mädchen, »I know Guillotine, from Film.« Sie fuhren nach Versailles, die Guillotine war nicht zu sehen, aber viele Spiegel und ein gebohnerter Fußboden und viele Menschen, die hinter Touristenführern herliefen. Die beiden konnten nicht allein vor den Spiegeln stehen, in denen sich Marie Antoinette jeden Tag angeschaut hatte.

Dann waren aber die Menschen, die in Versailles wie aneinandergenäht von einem Zimmer zum anderen gelaufen waren, im Garten und liefen auch dort wie aneinandergenäht hinter ihren Touristenführern her. Der Garten war geometrisch angelegt, auch die Menschen sahen darin wie geometrische Zeichen aus. Der Junge und das Mädchen blieben am Fenster und schauten sich die unten entlanglaufenden Menschen an. Als sie durch die jetzt leeren Zimmer zurückliefen und wieder an einem Spiegel vorbeikamen, ging der Junge vor dem Spiegel auf die Knie und küßte die Knie des Mädchens. Sein Kopf blieb eine ganze Zeit an die Knie des Mädchens gelehnt, so konnte sich das Mädchen dieses Bild allein im Spiegel anschauen. Sie sah dort ein ganzes Mädchen und einen halben Mann, der vor ihr kniete. Der halbe Mann sagte im Spiegel: »Mon amour.« Dann sagte er: »What is mon amour in Türkisch?« Sie sagte zum Spiegel: »Sevgilim« – »Sevgilim, Sevgilim, Sevgilim«, sagte der halbe Mann. Ich schaute auf das Mädchen. Sie hielt ihre Hände in seinen Haaren und dachte an ihn und schaute zum Ende des Zimmers, wo eine Tür offenstand, sie hielt weiter ihre Hände im Haar des Jungen, aber plötzlich sah sie den gleichen Jungen durch diese Tür herausgehen. Sie verließ den Spiegel und ging hinter diesem zweiten Jungen her. Ich sah den ersten Jungen noch kurz im Spiegel auf seinen Knien, dann verließ auch er den Platz vor dem Spiegel, im Spiegel blieb nur der leere Raum mit einem Fenster. Das Mädchen ging hinter dem zweiten Jungen her, der erste ging hinter dem Mädchen her, ich ging hinter allen her.

Draußen stand das Auto des ersten Jungen und nahm uns alle auf. Ich saß hinten, und der zweite Junge saß neben mir. Keiner sagte etwas. Die Dunkelheit kam und schluckte uns alle, das Auto fuhr so, als ob es etwas Schweres zu tragen hätte, langsam. So blieb das Licht der Straßenlampen oder der vielen Glühbirnen, die über den nassen Fischen in den Fischläden hingen, länger im Auto. Wenn diese Straßenlichter eine Weile ins Auto leuchteten, schaute das Mädchen im Rückspiegel nach hinten, ob der zweite Junge noch dort saß. Sie sah ihn dort sitzen und atmete tief durch. Dann verschwanden die Lichter, sie saß im Dunkeln voller Angst, daß er nicht mehr da wäre. Der erste Junge vorne merkte, daß das Mädchen irgendwo anders war. Aus dem Körper des Mädchens hörte er Stimmen, als wenn ein Kind weinte. Das Mädchen rauchte eine Zigarette und pustete den Rauch zum Rücksitz. Der erste Junge sah im Rückspiegel den Rauch und drehte das Fenster etwas runter. Durch das offene Fenster kamen die Nachtstimmen herein. Parkende Autos, fahrende Autos, leise sich öffnende Cafétüren. Die Lichter in den Häusern sahen so sicher aus, als ob drinnen niemand sterben würde. Man konnte nicht sehen, wie die Leute drinnen laufen, sitzen, man sah keinen Menschen, der mit seinem Wasserglas in der Hand vor dem Fenster stand. Die Häuser wiesen das Leben draußen ab. Man wurde aber neugierig, in sie hereinzukommen. Die ganze Stadt war ein großes Museum, nur die Cafés waren lebendig wie Bordelle. Die Stadt floß neben dem Auto rückwärts, die Brücken kamen, unten floß das Wasser. Der zweite Junge, der neben mir saß, schaute aus dem Fenster ins Wasser. Wir stiegen zu viert an der Cité Universitaire aus dem Auto. Das Mädchen ging wieder hinter dem zweiten Jungen her. Der Pförtner des Studentenheims war nicht da, die Vorhänge seines Fensters waren zugezogen. Der erste Junge wollte den automatischen Lichtschalter im

Korridor drücken. Ich sagte zu ihm: »I must go to Berlin tomorrow morning. My fly ticket finished tomorrow.« Sofort zitterte er so stark, daß er den Lichtschalter nicht traf. So liefen wir die Treppen im Dunkeln hoch. Er öffnete im Dunkeln die Türe, wir traten zu viert ins Zimmer. Dann machte er überall die Lichter an und lief dabei trotzdem wie ein Blinder von einem Schalter zum anderen. Das Mädchen saß auf der Treppe, und der zweite Junge saß vor ihr. Sie schaute auf seine Schulter. Der erste Junge sah noch immer wie ein Blinder aus, kniete mit geschlossenen Augen vor der Treppe, auf der das Mädchen saß, und sagte ein Gedicht auf.

»*Mon enfant, ma sœur,*
Songe à la douceur
D'aller là-bas
Vivre ensemble!
Aimer à loisir,
Aimer et mourir
Au pays qui te ressemble!
Les soleils mouillés
De ces ciels brouillés
Pour mon esprit ont les charmes
Si mystérieux
De tes traîtres yeux,

Brillant à travers leurs larmes.
Là, tout n'est qu'ordre et beauté,
Luxe, calme et volupté.«

Danach blieb der erste Junge weiter vor dem Mädchen auf den Knien sitzen. Das Mädchen fing an zu weinen und schaute zwischen ihren Tränen weiter auf die Schulter des zweiten Jungen. Ich kratzte an meinen beiden Wangen, es juckte dort und brannte. Alle vier gingen wir ins Bett, die Lichter blieben an, ich kratzte weiter an meinen beiden Wangen. Das Mädchen umarmte den zweiten Jungen, der erste Junge sagte: »I have cold«, und zog sich seine Pyjamajacke an, und während er die Jacke zuknöpfte, flüsterte ich zu dem Mädchen: »Heute ist die letzte Nacht. Schlaf mit ihm«, und knöpfte dem ersten Jungen seine Pyjamaknöpfe wieder auf. Er hatte Fieber, so daß sogar die Knöpfe heiß waren. »You are sick«, sagte ich. »Yes, I am«, sagte er, »this is a Love Story.« Ich drehte das Mädchen zu ihm, legte ihre Arme und Hände auf ihn, das Mädchen hatte aber in ihrem rechten Arm den zweiten Jungen, so drehte sich der zweite Junge mit zum ersten Jungen herüber, und sie umarmten sich zu dritt. Sie erkannte den ersten Jungen kaum noch, immer kam der zweite Junge zwischen die beiden, und sie umarmte ihn mehr als den ersten. Der erste Junge zog eine Decke über das Mädchen, sie war jetzt nicht mehr zu sehen. Er sagte: »You are already in Berlin, you are already lost in the black forest. I cannot find you.« Dann umarmte er das Mädchen mit der Decke. Die Decke war bald naß durch sein Fieber, ich kratzte weiter an meinen Wangen, es brannte und juckte. Meine nassen Haare klebten an meinen Wangen und taten ihnen weh. Der Junge fiel im Fieber in den Schlaf. Das Mädchen unter der Decke hörte sich seinen Atem an, umarmte den zweiten Jungen und weinte. Die Decke, das Bett, alles war naß. Ich stand auf, ging die Treppen herunter, alle Gegenstände des Jungen standen an ihren Plätzen, Tisch, Stühle, Schuhe, alles warf Schatten auf den Boden oder an die Wände, es sah so aus, als ob sie aus ihren Schatten herausgewachsen wären. Ich setzte mich auf einen Stuhl, und auch der Stuhl war bald naß. Mein Körper klebte an ihm. Gegenüber dem Stuhl stand der Schreibtisch, auf dem die Fotos seiner Frau standen. Sie schaute mich an, ich schaute sie an. Ich stand auf, nahm eines der

Fotos in meine Hand, küßte ihre beiden Wangen, machte
die Lichter aus, ging zum nassen Bett und wartete dort, daß
der Himmel herunterfiel. Der Junge schrie manchmal unter
seinem Fieber im Schlaf, und ich kratzte meine juckenden,
brennenden Wangen. Am Morgen war der Junge aufgestanden, sein Fieber erzeugte Nebel auf seinen Brillenglä-
sern, er putzte sie mit seinem Hemd. Das Mädchen hatte
sich angezogen, stand mit dem zweiten Jungen unten und
machte den Reißverschluß ihrer Tasche zu. Der erste Junge
sagte »wait«. Er setzte sich an seinen Schreibtisch, fragte
das Mädchen, wie sie heißt, nahm ein englisch-spanisches
Wörterbuch, schaute ab und zu herein und schrieb etwas
auf ein Papier, es war ein Gedicht und fing mit »Sevgilim –
mon amour« an. Unter dem Gedicht stand der Name des
Jungen, Jordi. »Your name is Jordi?« fragte das Mädchen.
Dann ging alles schnell, wir saßen wieder zu viert im Auto,
und keiner sagte etwas. Nur der erste Junge hielt ab und zu
kurz an und putzte seine Brille, die durch das Fieber wieder
beschlagen war. Dann stieg das Mädchen mit dem zweiten
Jungen in den Zug nach Hannover. Ich stieg mit ein und
stand am Zugfenster hinter ihr. Sie hatte das Fenster her-
untergeschoben und schaute heraus auf Jordi. Jordis Brille war beschlagen, er putzte sie aber nicht mehr, sondern
sagte dauernd den Namen des Mädchens und »Sevgilim,
Sevgilim«. Langsam fuhr der Zug an, und ich sah Jordis
Augen hinter den nebligen Gläsern nicht mehr. So rannte
er ohne Augen hinter dem Zug her, und dann war er weg.
Das Mädchen machte das Fenster zu und setzte sich in das
Abteil neben den zweiten Jungen. Ihr gegenüber saßen
eine deutsche Frau und ein deutscher Mann, denen sie das
Gedicht von Jordi zeigte. Als die beiden das Gedicht lasen,
lächelten sie, das Gedicht gefiel ihnen. Sie übersetzten es
dem Mädchen ins Deutsche, sie schrieb ihre Sätze auf. Jordi hatte in englisch geschrieben:

»Sevgilim
I like turkish mare,
and your black helmet,
troting in Marmara Sea.
I see in this occidental Megalopolis,
a joyful poppy,
disturbing all the circulation planning.
This little alcove is broken
and it is impossible to come back
and it is impossible to come on.
To dawn it is a thing of yesterday,
and only a carnation in the night
under the same moon,
in Istanbul, in Barcelona,
remain for tomorrow.
The beginning and the end,
Sevgilim end, Sevgilim beginning.
Your wind, my wind,
in our passionate sky.
only in our.«

Das deutsche Paar, das das Gedicht ins Deutsche übersetzt
hatte, lächelte. Die Frau bekam glänzende Augen, der
Mann hatte auf seiner Stirn ein paar Schweißperlen. Sie
hatten für die Liebe gearbeitet.

DIE FREILAUFENDEN HÜHNER UND
DER HINKENDE SOZIALIST

In Hannover fuhr ich mit dem Mädchen und dem zweiten
Jungen zum Flughafen, bekam aber wegen Ostern keinen
Platz. Ich ging zur Bahnhofsmission, eine Nonne zeigte mir
ein Bett mit einer Stroh-Matratze und einer harten Decke
in einem dunklen Zimmer. Als ich mich auf das Bett setzte,
merkte ich, daß das Mädchen und der zweite Junge weggegangen waren, ich hatte nur noch das Gedicht von Jordi in meiner Jackentasche. Ich ging von der Mission in die
Bahnhofshalle und wollte aus einem Automaten ein Paket
Zigaretten ziehen. Im Bahnhof lag ein Mann auf dem Boden, er hatte sich mit ein paar alten Zeitungsblättern zugedeckt. Ich bückte mich und las: ALSO NICHT IN DEN
KOPF SCHIESSEN. Die Zeitschrift »Pardon« berichtete,
daß in zahlreichen deutschen Großbetrieben bereits be-
waffnete Werkschutztruppen aufgestellt würden. Bei seinen
Recherchen in den Firmen stellte sich »Pardon«-Redakteur
Günter Wallraff als Vertreter eines fiktiven Zivilschutzaus-
schusses beim Bundesministerium vor. Der Mann, der sich
mit den Zeitungsblättern zugedeckt hatte, hatte neben sich
gekotzt, er hatte die Augen geschlossen, und aus seinem
Mund tropfte Speichel und sammelte sich langsam über der
Kotze. Ich ging zur Bahnhofsmission zurück, die Nonne öffnete mir die Tür und drehte sich sofort wieder um, sie hatte leise Schuhsohlen. Die Nonnen waren stumm, sprachen
nicht miteinander und auch nicht mit sich selbst und sahen

aus, als wenn sie nur aus Knochen beständen. Ich setzte mich auf die Strohmatratze und wollte an Jordi denken, aber man konnte in diesem Raum nicht einmal an Hunger denken oder an Zigaretten. Man konnte dort nur sitzen wie ein Stein, alles war wie aus Stein, das Strohbett, die harte Decke, man selbst. Ich versuchte, meine linke Fußzehe zu bewegen, auch sie war aus Stein. Durch eine Schwingtür kam ich in einen mit Neonlampen beleuchteten, nackten Raum mit einem großen, langen Tisch, ein paar Stühlen aus grauem Holz. Wenn jemand aus diesem Raum in die Toilette ging, schlugen die Eisentüren zu, bevor man sie hinter sich schließen konnte, das Geräusch warf eiserne Echos in den leeren Raum. Der Boden war aus verbrauchtem Stein, alle Menschen, die hier saßen, gingen entweder an Stöcken oder Krücken oder saßen im Rollstuhl. Wenn sie herumliefen oder fuhren, warfen auch ihre Krücken oder Rollstuhlräder auf dem Steinboden Echos. Wenn jemand mit Krücken in Richtung Toilette lief, folgten ihm die anderen mit ihren Blicken Schritt für Schritt. Echo für Echo gingen ihre Augen mit diesem Menschen, bis auf die Toilette, dann kam das Eisentürecho, und man verließ ihn für ein paar Momente. Dann machte die Toilettenspülung laute Geräusche, und man wartete darauf, daß er wieder aus der Toilette herauskam, und begleitete ihn in seinem Krückentempo bis zu seinem Platz am Tisch. Alles bewegte sich langsam, nur die Nonnen huschten schnell hin und her. Sie brachten dünnen Krankenhaustee und graue Brotstücke, auf die dünnes Fett gestrichen war. Auf die Menschen schauten sie nicht, sie kannten den Tisch und die Tabletts, die sie trugen.

Eine Frau im Rollstuhl trug eine Brille, die ihr immer die Nase herunterrutschte, ihr Sohn saß neben ihr und schob die Brille jedesmal wieder an ihren Platz.

»Was kochen wir morgen, Mama«, sagte er, »wenn wir zu Hause sind.« Sie antwortete nicht. Dann fuhr die Frau mit ihrem Rollstuhl Richtung Waschbecken, um ihre Hände zu waschen. Ihr Sohn zog seine Jacke aus, legte sie über seine Beine und holte aus der Jackentasche ein Bonbon. Dann schaute er auf das Bonbon so traurig, so traurig, auch er hatte eine Brille, die seine Augen dreimal vergrößerte, deswegen sah auch seine Traurigkeit dreimal größer aus. Ganz langsam wickelte er das Bonbon aus, nahm es in seinen Mund, und dann wußte er nicht, was er mit dem Papier machen sollte, ein blaues Stück Papier. Das Teeglas hatte keinen Unterteller, um das Papier darauf zu legen. So legte er das Bonbonpapier zuerst auf den Tisch und bügelte es glatt. Als er es glattgebügelt hatte, hörte er den Wassergeräuschen am Waschbecken zu, wo seine Mutter sich gerade die Hände wusch. Ich wollte an Jordi denken, aber schaute nur auf das blaue Bonbonpapier. Jetzt fuhr die Mutter langsam mit dem Rollstuhl zurück, die Gummiräder bremsten auf dem Stein, und der Junge faltete das Bonbonpapier, bis es ganz klein war. Die Frau sagte: »Jürgen, gehen wir schlafen?« – »Ja, Mama«, sagte er, ließ das gefaltete Bonbonpapier auf dem Missionstisch liegen, und sie gingen durch die Schwingtür raus. Ich blieb allein in dem großen Raum und dachte, jetzt kann ich an Jordi denken – wie sein Beinschatten zwischen meinem Beinschatten lief, wie der Regen in Tausenden von leuchtenden Nadeln herunterkam, wie er seinen Mantel über unsere Köpfe hielt und der Regen darauf Geräusche machte wie auf einem Zelt. Dann ging die Schwingtür wieder auf, und eine Nonne kam mit einem Tablett und sammelte die Teegläser ein. Bevor sie das Bonbonpapier entdeckte, nahm ich es weg. Das Neonlicht war so hell, daß ich immer auf die Risse auf dem Holztisch und auf dem Steinboden schaute und die Löcher zählte. Dann fing auch ich an, das Bonbonpapier auf dem Tisch glattzubügeln. Ich bügelte und bügelte, es war nicht möglich, an Jordi zu denken.

Wieder ging die Schwingtür auf, und es kam ein junger Mann in einem schwarzen Anzug herein, er sagte »Guten Abend« und setzte sich mir gegenüber an den Tisch. »Ich heiße Olaf«, sagte er. Auch er hatte im Flugzeug keinen Platz bekommen. Er sah das Bonbonpapier, legte seine Zigarettenschachtel daneben und sagte: »Mein Vater ist Pfarrer, aber ich bin nicht religiös.« Er rauchte, gab mir auch jedesmal eine Zigarette, pustete den Rauch in mein Gesicht und redete. »Oh«, sagte er, »wie ich das Rauchen genieße.« Dann: »Weißt du, du willst es nicht wahrhaben, aber ... Weißt du, mein Großvater war Fremdenlegionär. Seine Brüder mußten ihn mit ihrem Studiengeld zurückkaufen, deswegen waren sie sauer auf ihn. Er kam zurück, heiratete, und du willst es nicht wahrhaben, er verbot seiner Frau, in der Wohnung zu rauchen. Sie rauchte nur im Stall. Du willst es nicht wahrhaben, aber er starb, und sie raucht weiter nur im Stall. Du willst es nicht wahrhaben, aber mein Vater ist ein Pastor mit Doktortitel. Er hat dreimal geheiratet, er muß immer bumsen. Er wollte auch Romane schreiben, aber statt dessen mußte er für seinen Psychiater seinen Lebenslauf aufschreiben. Der Psychiater mußte diesen Lebenslauf an die Barmer Ersatzkasse geben, damit die Behandlung bezahlt wurde. So machte er bei der Barmer Ersatzkasse Karriere als fickendes Schwein. Er durfte als Pastor nicht ein viertes Mal heiraten, sonst hätte er seine Pension verloren und hätte nicht mehr Pastor sein können. Seine dritte Frau hatte Krebs, ihre Zähne fielen ihr aus. Du willst es nicht wahrhaben, aber er saß bei der Krebsoperation seiner dritten Frau vier Stunden lang dabei und hielt ihr die Hand, damit sie nicht stirbt. Aber auch wenn sie gestorben wäre, hätte er kein viertes Mal heiraten dürfen. Jetzt ist er pensioniert und arbeitet als Taxifahrer. Du willst es nicht wahrhaben, aber er hat mir erzählt, er hätte eine Frau als Kundin gehabt, die zu einem Männerpuff wollte, sie wollte von einem Mann gebumst werden. Da hat mein Vater zu ihr gesagt, das können Sie auch bei mir, meine Dame, ich lasse dabei einfach die Uhr laufen. Einmal mußte er eine 92jährige, blinde Frau als Pastor über die Straße führen. Er gab ihr seinen Arm, und du willst es nicht wahrhaben, aber sie sagte zu ihm: »Junger Mann, hängen Sie sich an mir nicht so fest, sonst kann ich Sie nicht über die Straße führen.«

Dann fragte mich Olaf: »Hast du schon mit jemandem geschlafen?« Bevor ich etwas sagen konnte, blies er schon wieder seinen Zigarettenrauch in mein Gesicht und erzählte: »Ich habe mit zwei 14jährigen Schwestern geschlafen, einen Abend mit der Blonden, am nächsten Abend mit der Schwarzhaarigen. Hoffentlich werden sie später so schön wie du. Aber ich schlafe nicht mehr mit Mädchen. Stell dir zwei Blatt Papier vor, die du aufeinanderklebst. Versuche sie auseinanderzunehmen, ein Blatt geht kaputt, weil Teile auf dem anderen klebenbleiben. So ist es auch mit Frau und Mann. Männer haben einen Schwanz, Frauen ein Loch. Den Schwanz kannst du zwar rausnehmen, aber die Frau bleibt trotzdem an dem Mann kleben.« Eine Nonne kam durch die Schwingtür, schaute böse auf die Zigaretten in unseren Händen und zog sich zurück. Olaf stand auf und sagte: »Ich danke dir, daß du mir zugehört hast. Du willst es nicht wahrhaben, aber jetzt muß ich schlafen gehen.« Und auch er verschwand durch die Schwingtür.

Am nächsten Morgen flog ich mit zwei Mark in der Tasche nach Berlin und suchte in Kafkas Buch die Telefonnummer von Atamans Freund Bodo. Eine Mädchenstimme sagte am Telefon: »Bodo ist an der Universität. Ich weiß, Sie sind Atamans Freundin, Bodo hat es mir erzählt. Kennen Sie sich in Berlin aus?« – »Ich kenne am Bahnhof Zoo das Aschinger Erbsensuppenrestaurant.« – »Warten Sie dort, wir holen Sie ab. Ich heiße Heidi.« Heidi hatte ein vorstehendes Gebiß, sie kicherte, als sie mich sah. Bodo hatte einen etwas zu großen Kopf für seinen Körper und große blaue Augen. Er schlug ein paarmal mit den Wimpern und sagte: »Ich habe mich für Sie schon um eine Wohnung gekümmert, bei einer alten Frau, etwas außerhalb, aber es gibt U-Bahn bis zur Tür. Was wollen Sie in Berlin machen?« – »Ich muß Geld verdienen, dann möchte ich an die Schauspielschule.« – »Heute und morgen können Sie bei meinem Großvater schlafen, er ist ein alter Sozialdemokrat und halb blind.« Bodo sagte: »Ich bin im Sozialistischen Studentenbund, SDS. Wissen Sie, ich bin Deutscher, aber mir sind die Deutschen unheimlich. Jeder Deutsche schaut zu seinem Nachbarn und denkt, ihm geht es besser als mir.«

Bodos Großvater hatte nur ein Zimmer und lag schon im Bett. Bodo sagte zu ihm: »Großvater, hier ist eine türkische Sultanin.« Bodos Großvater hatte einen sehr dicken Schnurrbart. Das Zimmer war dunkel. Er zwirbelte an seinem Schnurrbart und sagte: »Ich bin ein armer Schuster, meine Lampe brennt so duster.« Bodo lachte und sagte: »Das ist nicht von ihm. Das ist von einem deutschen Dichter, Büchner. Er hat es als Sechsjähriger aufgesagt.« Bodo und Heidi zogen die Couch aus, um ein Bett für mich zu machen. Bodo sagte: »Ich wohne unten, morgen suchen wir für Sie einen Job. Bis morgen.« Ich blieb mit dem alten, halbblinden Großvater allein und legte mich ins Bett. Irgendwann fragte mich der alte Mann im Dunkeln: »Bist du wirklich eine türkische Sultanin?« – »Nein, nein, ich bin Sozialistin.« Der alte Mann sagte: »Ich habe damals meine Butterbrote in die Arbeiterzeitung gewickelt und in der Pause unter meinen Broten heimlich darin gelesen. Alle mußten damals den Hitlergruß machen, ich machte ihn mit der rechten Hand, aber die linke hielt ich in der Hosentasche und machte eine Faust. Gib mir deine Hand.«

Ich stand auf, ging zu dem alten Mann und gab ihm meine Hand. Er hielt sie ein paar Minuten lang in seiner, dann ließ er sie los und hielt die Hand, mit der er meine Hand gehalten hatte, an seine Nase und schlief so ein. Im Zimmer des alten, halbblinden Mannes konnte ich in dieser Nacht zum ersten Mal an Jordi denken. Alle Momente, die wir zusammen hatten, liefen vor meinen Augen ab, und ich wußte in diesem Moment, daß er in meinem ganzen Leben meine große Liebe bleiben würde. Ich sagte mir, du wolltest dich von deinem Diamanten befreien, warum hast du ihn nicht bei ihm in Paris gelassen. Weil ich böse auf mich selbst war, sah ich Jordi allein vor mir. Ich folgte seinen Bewegungen – wie er seine Brille suchte, wie er seinen Mantel über seine Schulter geworfen hatte, wie er am Tisch saß und ein Gedicht schrieb. Ich nahm mich aus den Erinnerungsbildern heraus und vergrößerte nur die Bilder von ihm. Ich lag noch gegen Morgen wach im Bett, kein Mensch konnte ihn mir wegnehmen. Dann schlief ich ein. Am Morgen kam Bodo, brachte frische Brötchen, sein halbblinder Großvater schmierte mir Marmelade auf das Brötchen. »Iß, türkische Sultanin, iß«, sagte er. Bodo schlug die Zeitung auf und suchte eine Arbeit für mich. Dann sagte er: »Hotel Berlin sucht Zimmermädchen«, und fuhr mich zum Hotel Berlin. Ich konnte dort schon am nächsten Tag als Zimmermädchen anfangen. »Jetzt fahren wir zum Café Steinplatz«, sagte er dann, »das Café Steinplatz ist das Herz der Studentenbewegung. Alle treffen sich dort. Es gibt dort ein Kino, man kann die besten Filme dort sehen. Kennen Sie die Filmemacher Eisenstein, Godard, Alexander Kluge?« – »Nein, ich war in Berlin noch nie in einem Kino.« Bodo sagte: »Filme sind die einzige gemeinsame Sprache dieser Welt.« Wir kamen im Café Steinplatz an. Im Kino lief »Das chinesische Mädchen« von Godard. Wir tranken Kaffee, und Bodo erzählte mir von der Studentenbewegung. Fast bei jedem Satz schlug er mit den Wimpern, als ob diese Wimpernschläge Kommas oder Punkte seiner Sätze wären. Er sagte: »Wir Studenten buhen, pfeifen, provozieren, wir lehnen uns auf gegen professorale Fachidioten und gegen die Restauration des deutschen Bildungswesens. Wir verdammen die Große Koalition in Bonn, den Krieg in Vietnam und die Diktatur in Athen. Wenn wir Sitzstreikaktionen machen, sagt der Rektor Hans-Joachim Lieber, das trage faschistische Züge. Die Deutschen haben immer versucht, ihre linke Seite abzuschneiden. Dieser Hans-Joachim Lieber sagte auf die Frage einer Journalistin, ob er sich zum Rektor hätte wählen lassen, wenn er die studentischen Attacken vorausgesehen hätte: ›Masochistisch müßte man ja sein, nein, nein, nein.‹ Dabei ist er ein Sadist. Er hatte unsere Immatrikulationsfeier abgesagt. Wir haben aber in Berlin für den Vietcong Geld gesammelt und bei einer Straßendemonstration gegen den US-Einsatz in Vietnam demonstriert. Wir sind einfach auf die Straße gegangen. Letzten Mittwoch erschien der Bundespräsident Heinrich Lübke zu einer 125-Jahr-Feier für den Orden Pour le mérite in der FU. Wir bereiteten ihm ein Pfeifkonzert und riefen: ›Geld her für den Vietcong.‹ Lübkes Begleiter, Ernst Lämmer von der CDU, zeigte uns einen Vogel und schrie: ›Ihr seid ja besoffen.‹ Aber schau dir die SPD an. Der SPD-Mann Herbert Wehner hat schon vor Wochen vor unseren Augen auf der großen Berliner Straße Kurfürstendamm, als wir demonstrierten, seinen Begleiter gefragt: ›Sagen Sie mal, ist ganz Berlin ein Zoo?‹ Die Studenten, die in Dahlem in Studentenheimen wohnen, haben nicht mal eine Studentenkneipe, dort gibt es nur Luxusvillen für traditionelle CDU-Wähler. Dort dürfen preisgekrönte Luxuspudel überall scheißen, aber was glaubst du, wenn ein Student dort im Freien pinkeln würde? Der Berliner CDU-Chef Franz Amrehn sagte über die Studentenbewegung: ›Folge geistiger

Knochenerweichung.‹ Die SPD sagt fast die gleichen Sätze. Der SDS arbeitet in einer Halbruine am Kurfürstendamm. Zwei Treppen runter gibt es ein Sarglager, an der Tür steht: ›Bestattungen jeder Art‹. Zwei Treppen rauf sitzt der SDS, und dort steht an einer Tafel: ›Rebellion ist gerechtfertigt.‹ Kennst du Dutschke? Weißt du, daß er Nichtraucher ist? Er war im Osten Mitglied der Jungen Gemeinde, drei Tage vor dem Mauerbau kam Dutschke in den Westen. Er hat eine amerikanische Ehefrau, eine Theologiestudentin, sie heißt Gretchen. Dutschke sagt: ›Die Kommune ist eine neue Form der Freiheit, und das Fernziel ist, ganz Berlin in Kommunen aufzulösen.‹ Seitdem sind zwei Gruppen dabei, Dutschkes Theorie in der Praxis zu probieren. Eine Gruppe will so arbeiten, daß durch sie tendenziell die Gesamtgesellschaft umgewälzt werden kann. Die zweite Gruppe ist die ›Horrorkommune‹. Sie sind auf der Suche nach einer neuen Form der Freiheit, das heißt, Auflösung aller privaten Verhältnisse, auch der privaten Liebesverhältnisse. Die ›Horrorkommune‹ hat einmal ohne Zustimmung des Verbandes Flugblätter verteilt, und der SDS feuerte den Kommuneführer. Weißt du, es gibt zwei Arten von Studenten, über die eine Gruppe sagt die Presse: ›akademische Variante des Gammlertums‹, die andere Gruppe trägt keine Beatlesfrisuren, ist sauber gekleidet, gewaschen, aber sie kennen alle Gesellschaftstheorien von Marx bis Marcuse, sie gehen schwimmen, waldlaufen. Aber Kleidung hin, Kleidung her, Jacke wie Hose, wir wollen autoritäre Herrschaftsformen in der Hochschule und in der Gesellschaft abbauen und Demokratie praktizieren. Die gesamte Springer-Presse sagt über uns ›immatrikulierter, mobilisierter Mob‹ und bringt unsere Bewegung mit dem Ostberliner SED-Parteichef Ulbricht in Verbindung.«

Während Bodo mir von den Studenten erzählte, hatte er acht Tassen Kaffee getrunken. Er rauchte mit der linken

Hand, und mit der rechten brachte er die Kaffeetasse zu seinem Mund, und an den Stellen, an denen er von der Polizei oder von den Politikern sprach, drückte er seine Zigarette nicht im Aschenbecher, sondern in seiner Kaffeetasse aus. Dann hörte ich ein kleines Zischen, und es verbreitete sich ein schlechter Geruch von nassen, mit Kaffee aufgeweichten Zigarettenkippen, und dieser Geruch blieb mir in Erinnerung als der Geruch der deutschen Polizei und Politiker.

Am Abend ging ich ins Kino und sah Godards Film »Das chinesische Mädchen«. An einer Stelle saßen ein Junge und ein Mädchen an einem Tisch, hinter ihnen hing ein Plakat von Mao. Sie lasen politische Bücher, machten Notizen, und das Radio lief. Sie waren ein Liebespaar, der Junge schaute ab und zu in Richtung des Mädchens, das Mädchen schaute ihn nicht an, sondern arbeitete konzentriert. Er schaute noch ein paarmal zu ihr, wurde unruhig und sagte: »Ich verstehe nicht, wie kannst du lesen und dabei zur gleichen Zeit Radio hören?« Sie schaute ihn an und sagte: »Weißt du, ich liebe dich nicht.« Er wurde traurig, bekam Angst und sagte: »Aber warum, wieso?« Das Mädchen antwortete: »Siehst du, das Radio läuft, und du kannst zur gleichen Zeit traurig sein und Angst bekommen.« Als der Godard-Film zu Ende war, gingen die Studenten sofort wieder ins Café und redeten über den Film. Das Café sah so aus, als ob es die gemeinsame Küche aller wäre. Jeder konnte sich an jeden Tisch setzen und sich in das Gespräch einmischen, ohne jemanden vorher gekannt zu haben. Jemand sagte: »Findest du nicht auch, daß der Film die Veränderungen von Leuten behandelt, die etwas verändern wollen?« – »Nein, das sind Bourgeois, dieses Mädchen und der Junge, und ihre Ausdrucksweise ist lächerlich. Sie sitzt in der großen Wohnung ihrer Eltern und spielt zwei Monate Marxismus-Leninismus. Das ist aber die Wohnung ihrer

149

Eltern.« – »Ich meine, sie verhält sich antibourgeois.« – »Ich meine, sie verhält sich bourgeois. Godard ist auch ein Bourgeois.« Ich hatte früher in Istanbul mit meinen Eltern Filme wie »Drei Musketiere« oder Filme von Liz Taylor, Marilyn Monroe, Clark Gable gesehen. Man sagte: »Es ist ein schöner Film. Es ist ein tragisches Ende. Liz Taylor ist wunderbar.« Oder: »Clark Gable hat wieder zuviel Clark gezogen.« Clark ziehen bedeutete, daß Clark Gable mit seinen Augenbrauen zuviel tragische Posen gemacht hatte. Bei diesen alten Filmen war es leicht, die Figuren nachzumachen. Liz Taylor kippte, wenn sie böse auf ihren Geliebten war, ein Glas Wasser über seine Jacke. Oder sie verließ die Wohnung und schrieb mit ihrem Lippenstift an den Spiegel: »Ich bin nicht verkäuflich.« Sie unternahm immer etwas Theatralisches, und es war leicht, es nachzumachen. Die Figuren im Godard-Film aber waren nicht leicht nachzumachen, sie sprachen eine neue Sprache, die mußte man erst kennen. Zu Liz Taylor sagte man: schön oder dick – das reichte. Schön oder dick konnte man sich vorstellen. Aber bei den Godard-Figuren sagte man bourgeois oder antibourgeois. Es war schwer, sich vorzustellen, was bourgeois oder antibourgeois ist.

Ich fing an, im Hotel Berlin als Zimmermädchen zu arbeiten. Ich machte die Betten und putzte die Zimmer und Hoteltreppen. An manchen Tagen hörte ich dabei draußen die Stimmen der demonstrierenden Studenten: »Killer raus aus Vietnam, Ho-Ho-Ho-Chi-Minh.« Zwischen diese Sätze mischten sich irgendwann Polizeisirenen, dann hörte ich Tausende von Leuten pfeifen. Nach der Arbeit ging ich zum Café Steinplatz. Auf der Hauptstraße, Kurfürstendamm, lagen überall Puddingreste auf dem Boden. Die Studenten hatten gegen den amerikanischen Vizepräsidenten Hubert Humphrey demonstriert und versucht, Pudding auf ihn zu werfen, die Polizei hatte viele Demonstranten wegen

»Anschlägen gegen das Leben und die Gesundheit des US-Vizepräsidenten Humphrey mit Pudding« festgenommen. Tagsüber gingen die Studenten auf die Straße, abends, im Radio oder Fernsehen, sprachen die Senatssprecher über den Tag, und einer sagte: »Je enger der Hühnerhof – um so wilder flattern die Hühner.« Für den Berliner Senat waren die Studenten Hühner. Berlin ein Hühnerstall. Die Politiker waren Hühnerstallbesitzer, und die Polizei rupfte den Hühnern die Federn. So gingen die Hühner tagsüber auf die Straße, und abends tranken sie, von der Polizei halb gerupft, am Café Steinplatz Coca, Dünnbier, Kaffee. Die Hühner rauchten, die Hühner gingen ins Kino und sprachen über die Filme von Godard, Eisenstein und Kluge. Manchmal gab es zwischen den Hühnern auf den Berliner Straßen ein berühmtes Huhn, z. B. Günter Grass, der mit den anderen Hühnern lief und vor der Brust ein Schild trug: »Tausche Grundgesetz gegen Bibel«. Wenn Universitätsprofessoren auf der Seite der Hühner waren, setzte der Hühnerstallbesitzersenat sie ab, und der Hühnerstallbesitzersenat erließ ein Notprogramm gegen die freilaufenden Hühner:

– konsequente Anwendung von Disziplinarmaßnahmen gegen Rädelsführer sowie Hausverbot für universitätsfremde Hühner,

– danach staatlich sanktioniertes Vorgehen der Universität gegen politische Hühnergruppen,

– darauf die Weisungsbefugnis staatlicher Institutionen gegenüber der Hühneruniversitätsleitung,

– schließlich Suspendierung der Hühneruniversitätsverfassung und Berufung eines Staatskommissars.

Der Hühnerdirektor ließ fünf jungen Hühnerchefs, darunter Häußermann, einem 23jährigen Huhn, Dutschke und ein paar anderen Hühnern monatlich 305 Mark von ihrer Unterstützung streichen. Oft hörte man von Hüh-

nergegnern in den Hühnerhörsälen den Satz: »Hier ist die
Hölle los.« Die Hühner sollten alle die heimlichen Hühner
vom Ostberliner Präsidenten Ulbricht sein. Weil er sich
dort keine freilaufenden Hühner erlauben durfte, hatte er
sich Hühner in Westberlin geschaffen. Die Hühner aber liefen weiter frei, stimmten an der Freien Universität ab, und
die linken Hühner gewannen. Der Rektor bekam ein Flug-
blatt von der Hühnerkommune: »Niemand will dir deinen
Posten als Rektor der Walt-Disney-Universität rauben.« Es
gab viele Hühner auf den Berliner Straßen zu sehen, alles
sehr junge Hühner, man sah fast keine alten Hühner.

Ich wohnte in dem Zimmer bei der alten Frau, das
Bodo für mich gefunden hatte. In der Nacht, wenn ich in
die Wohnung kam, bellte ihr Hund, in der Morgenfrühe
ging ich zur Arbeit, deswegen sah ich die alte Frau und
ihren Hund fast nie, nur die Stimme ihres Hundes kannte ich. Nach der Arbeit als Zimmermädchen ging ich zu
den Hühnern, rauchte mit ihnen Zigaretten, trank Kaffee,
Bier und ging ins Kino. Und bald lernte ich auch türkische
Hühner, die auf den Straßen neben den deutschen Hühnern mitliefen und die gleiche Hühnersprache sprachen,
kennen. Die türkischen Hühner gingen jeden Abend zu
einer griechischen Kneipe, in der von der griechischen Militärjunta gerupfte, nach Deutschland abgehauene griechische Hühner saßen oder die Hühner, die vor dem Rupfen
des griechischen Militärs Angst hatten. Türkische und griechische Hühner tanzten zusammen griechischen Sirtaki,
tranken Ouzo, sprachen zusammen gegen die griechische
Militärjunta, und viele griechische Hühner, die nicht nach
Griechenland durften, fuhren damals wegen Heimweh in
die Türkei zum Urlaub. Türkische und griechische Hühner tauschten unter sich Adressen in Griechenland und der
Türkei. Manchmal kam aus Griechenland ein vom Militär
richtig gerupftes Huhn, und alle anderen türkischen, grie-

chischen, deutschen Hühner, die noch ihre Federn hatten, sammelten sich um es und hatten enormen Respekt vor diesem gerupften Huhn. Damals demonstrierten die Studenten gegen die griechische Militärjunta, sie liefen und liefen, und die Zeitungen schrieben am nächsten Tag: »Wir rechnen mit faulen Eiern.« Alles beschäftigte sich mit Griechenland. Ich saß einmal im Café Steinplatz zwischen den anderen Studenten, und eine Bildhauerin kam und sagte: »Entschuldigen Sie, ich bin Bildhauerin. Sie haben einen sehr guten Kopf, ein klassisches griechisches Profil. Würden Sie mir und meinem Freund an der Kunstakademie Modell stehen?« So ging ich nach der Arbeit manchmal zur Kunstakademie, und die beiden Bildhauer modellierten meinen Kopf als klassische griechische Statue. In den Reisebüros gab es billige Griechenlandflüge oder Hotels, und im Kaufhaus konnte man Mülleimer in der Form klassischer Säulen kaufen, aber die Studenten lehnten es ab, die griechische Militärjunta durch Tourismus zu unterstützen. Wenn die Studenten eine Demonstration machten, sprachen manchmal alte Leute auf der Straße mit ihnen. Einmal hörte ich, wie ein alter Mann zu einem Mädchen sagte: »Hitler hat aber wenigstens die Autobahn gebaut.« Andere sagten, sie sollten alle über die Mauer nach Ostberlin übersiedeln. Die Studenten hörten diese Sätze von den Nichtstudenten mit heldischem Charme. Manchmal versuchten die Studenten, sich mit den Gegnern zu unterhalten, aber die Studenten hatten eine andere Sprache als die älteren Leute. Es ging um Wörter. Alle Studenten hatten große Ohren, weil sie jedes Wort hörten und sofort, wie die Chirurgen, die Wörter sezierten. Man machte dauernd Autopsien der benutzten Wörter, dann gab es Autopsieberichte, die auch wieder Autopsien brauchten. Auch die türkischen politischen Studenten sezierten gerne die Wörter. Wenn sie die Wörter sezierten, sah es so aus, als ob sie ein medizinisches Fachbuch in ihrer rechten Hand hielten und in der linken Hand ein Operationsmesser. Man stand um die Wörter herum und las in Deutsch, wie man seziert, übersetzte es dann ins Türkische und probierte es aus. Sie sahen wie sehr unerfahrene Wörterchirurgen aus, die gerade Sezieren lernten. Es gab viele falsche Schnitte. Auch Haltungen wurden seziert. Ich lief einmal mit einer türkischen Studentin zum Café Steinplatz und hatte meinen Arm in ihrem Arm. Sie sagte zu mir: »Nimm deinen Arm weg, sonst werden sie glauben, daß wir lesbisch sind.« Ich war früher in Istanbul mit Frauen immer Arm in Arm gelaufen, aber niemand dachte dabei an Lesben. Auch Männer liefen dort Arm in Arm.

Die deutschen Studenten hatten Dutschke als Studentenführer, bald bekamen auch die türkischen Studenten in Berlin ihren Chef. Die türkischen Studenten sagten im Café Steinplatz, heute abend gibt es eine Versammlung im türkischen Studentenverein mit dem neuen Mann aus der Türkei, er ist ein Kommunist. Nach der Arbeit ging ich zum türkischen Studentenverein, zuerst fand ein Schönheitswettbewerb unter ein paar türkischen Mädchen statt. Die Siegerin bekam einen Blumenkranz um den Hals. Dann sprach der Mann, der aus der Türkei gekommen war. Er berichtete, daß die Sozialistische Arbeiterpartei in der Türkei ihn nach Berlin geschickt hätte, er war gekommen, um mit uns in Berlin einen Sozialistischen Verein zu gründen. Wer wollte? Im Vereinsraum standen die Fenster offen, es war ein sehr schöner Abend, draußen vor den Fenstern stand ein Lindenbaum, es roch kräftig nach Lindenblüten. Elf Studenten hoben ihre Hände. Ich sah diese elf Hände, hinter ihnen den Lindenbaum. Es sah so aus, als wären auch die Hände und Arme aus dem Lindenbaum gewachsen. Jemand zählte und sagte: »Elf. Laßt uns ein Dutzend werden.« Das Wort Dutzend erinnerte mich an unsere farbigen Stifte im Malunterricht. In einem Paket lagen immer zwölf Stifte, mein Vater gab mir ein Dutzend farbiger Stifte und sagte: »Nimm, meine Tochter, das sind deine Stifte, ein Dutzend. Jetzt kannst du schön malen.« Ich liebte die zwölf Stifte, wenn einer fehlte, sahen die anderen elf Stifte traurig aus. Vor mir hatte ein sehr schlankes Mädchen ihre Hand gehoben. Während sie auf eine zwölfte Hand warteten, blieben die elf Hände lange in der Luft. Das Mädchen vor mir hatte eine kleine Hand, sie zitterte in der Luft. Ich sah das und hob meine Hand. »Jetzt sind wir in Ordnung«, sagte eine Stimme. Dann kam ein Fotograf und fotografierte uns. Auf diesem Foto lachten wir. Am Abend gingen wir zwölf nach Ostberlin, kauften Schallplatten von Brecht-Liedern und wollten in Ostberlin tanzen gehen und den Verein feiern. Das Tanzlokal war sehr voll, und wir kamen nicht hinein. Wir kehrten nach Westberlin zurück, gingen in unser griechisches Lokal und tanzten dort mit den griechischen Studenten Sirtaki. Der sozialistische Mann, der aus der Türkei nach Berlin geschickt worden war, um den Verein zu gründen, hatte ein kurzes Bein und hinkte, ein hinkender Sozialist.

Seitdem ich aus Paris zurückgekommen war, dachte ich immer mehr daran, mich von meinem Diamanten zu befreien. Ich sagte zu mir, du hast dich in Paris in Jordi verliebt, aber deinen Diamanten nicht bei ihm gelassen. Als ich den hinkenden türkischen Sozialisten einmal vor dem Café Steinplatz sah, er überquerte gerade hinkend die Straße, sagte ich zu mir, schlaf mit dem hinkenden Sozialisten, er hinkt, er ist Sozialist, er wird dich danach in Ruhe lassen, er ist Sozialist, er wird keine Angst bekommen, daß du ihn zum Heiraten zwingen willst. Ich dachte, ich müßte das in Berlin schaffen, in Istanbul würde ich den Mut nicht haben. Er kam, setzte sich im Café an den Tisch, an dem ich saß, wir tranken Tee, er fragte mich, was mein Vater für einen Beruf hätte. Ich schämte mich aber vor dem hinkenden Sozialisten, daß mein Vater ein Bauunternehmer war und zu den Kapitalisten gehörte. Deswegen sagte ich: »Er ist ein pensionierter Lehrer.« Im Kino Steinplatz zeigten sie einen Film von dem russischen Regisseur Eisenstein, »Alexander Newsky«. Er fragte mich: »Gehen Sie auch rein?«

Ich saß im Kino und dachte nur, wie ich es schaffen könnte, mich heute abend von meinem Diamanten zu befreien. Der Film war alt, er riß ein paarmal, und im Kino gingen kurz die Lichter an, bis man den Film wieder geklebt hatte. Auch die Tonspur war zerkratzt, aber ich hörte sowieso nicht dem Film, sondern nur den drohenden Sätzen in meinem Kopf zu: Du Nutte, wenn du dich nicht heute abend von deinem Diamanten befreist, wirst du dich nie retten, dann wirst du als Jungfrau heiraten und dich als Jungfrau einem Mann verkaufen. Ich machte Pläne im Kopf, wie ich den hinkenden Sozialisten dazu bringen könnte, mich heute abend von meinem Diamanten zu befreien. Der Film war zu Ende, die Lichter gingen an, die Studenten gingen langsam raus und zündeten sich Zigaretten an. Der hinkende Sozialist wartete vor der Kinotür und fragte mich, ob er mich zu einer Tasse Tee einladen dürfe. Dann ging er mit mir in ein anderes Café, Café Kranzler, dort saßen tagsüber ältere deutsche Frauen und Witwen, keine politischen Studenten. Wir setzten uns, ich schaute in sein Gesicht und dachte, der Arme weiß gar nichts von meinem Plan. Im Café hing eine große Uhr, die ich oft anschaute, weil ich hoffte, die letzte U-Bahn zu verpassen. Aber schon bevor die letzte U-Bahn weg war, fragte er mich: »Ich habe zu Hause eine Flasche Rakı aus der Türkei, wollen Sie mit mir etwas Rakı trinken?« So liefen wir in Richtung seiner Wohnung. Er hinkte und war langsam, ich ging langsam neben ihm her. Heute abend werde ich mich von dem Diamanten befreien. Armer Mann, er weiß nichts davon. Wir saßen in seiner Wohnung am Tisch, tranken Rakı, und ich wußte nicht, wie ich anfangen sollte. Er fragte mich, was mein Ideal wäre. Ich sagte: »Ich will Schauspielerin werden.« – »Haben Sie schon gespielt?« – »Ja, schon als ich zwölf Jahre alt war. In einem Stück habe ich eine ältere englische Frau gespielt, dabei habe ich das Kleid meiner Mutter getragen.« Er stand plötzlich auf und sagte: »Wie schade, als so junges Mädchen eine alte Frau spielen zu müssen.« Er küßte meine Wangen, als ob er Mitleid mit mir hatte. Ich lachte, und er sagte: »Armes junges Mädchen«, und küßte meinen Mund. Ich saß auf einem Sessel, er zog mich hoch, stand vor mir und mußte seinen kurzen Fuß strecken, damit er gerade stand. Er küßte mich lange, sein Fuß blieb genauso lange gestreckt und knickte dann plötzlich zur Seite. »Du hast mich schwindlig gemacht.« Mit seinen Händen auf meiner Taille lief er hinkend mit mir in Richtung Bett. Ich lachte und fühlte, daß mein Lachen ihn verführte. Durch das Lachen kam kein falsches Wort aus meinem Mund, ich lachte weiter, als er mich und sich auszog. Dann schlief er sofort mit mir. Es tat sehr weh, ich zitterte und sagte zu ihm: »Ich bin noch Jungfrau, ein bißchen Geduld.« Er setzte sich aufs Bett und sagte: »Ich schlafe nicht mit Jungfrauen. Ich dachte, du bist eine erfahrene Frau.« – »Heute nacht ist meine letzte Chance«, sagte ich, »morgen habe ich diesen Mut nicht mehr.« – »Nein«, sagte er, »Jungfrauen schlafen mit einem Mann, und dann zwingen sie ihn zum Heiraten.« In türkischen Zeitungen gab es oft solche Nachrichten: »Er nahm ihr ihr Gold weg, jetzt muß er zum Standesamt.« Ich sagte: »Ich will nicht heiraten, ich will mich von der Jungfernhaut befreien.«

»Nein«, sagte er, »wir schlafen hier als Bruder und Schwester bis zum Morgen« und legte zwischen uns ein Kopfkissen. Das Kopfkissen erinnerte mich an Ehebruchsgeschichten in der Türkei. Ein Mann schläft mit seiner

Geliebten in einem Hotelzimmer, seine Frau folgt ihm, kommt mit der Polizei zum Hotel, die Polizei macht die Zimmertür auf, die Fotografen kommen herein, aber der Ehemann hatte ein Kopfkissen zwischen sich und seine Geliebte gelegt. So konnte er vor Gericht sagen: »Aber Herr Richter, zwischen uns gab es ein Kopfkissen.« Ob ein Kopfkissen für das Gesetz wirklich eine solche Rolle spielte, wußte ich nicht, vielleicht war alles eine Zeitungslüge. Der hinkende Sozialist aber konnte das Kopfkissen nicht lange zwischen uns lassen, er zog es weg, ich zitterte weiter, er war sehr aufgeregt und schlief immer wieder mit mir. Danach stand er jedes Mal auf, ging hinkend zum Waschbecken und wusch sich. Ich sollte mich auch waschen und ein kleines Stück Seife in meine Vagina stecken. »Die Seife tötet die Samen«, sagte er. Am Morgen stand ich auf, um zur Arbeit zu gehen, und fand kein Blut im Bett. »Ich habe mit dir sechsmal geschlafen, du warst keine Jungfrau.« Mit dem Morgenbus fuhr ich zur Arbeit ins Hotel Berlin, es war noch früh, und ich wusch mich im Hotel lange unter einer Dusche. Durch das heiße Wasser stand der Duschraum im Nebel. Ich schaute meine Hände, Beine, Brüste im Nebel an, und dort im Nebel verstand ich, daß ich meinen Diamanten schon in Paris bei Jordi gelassen hatte, ich war schon seit Paris, ohne es zu wissen, eine Frau gewesen. Als Kind hatte ich oft über die Jungfernhaut Geschichten in einem sehr alten Buch, das meine Mutter vor mir versteckte, gelesen. Das Buch hatte einen Deckel aus altem Leder, auf dem sich ein Mann und eine Frau zwischen den Sternen umarmten. Dort war das Verlieren der Jungfernhaut als eine Tragödie beschrieben, in einer alten Sprache, die für mich oft schwer zu verstehen war. Ich blieb lange unter der Dusche und sagte im Nebel: »Jordi.« Auf der Arbeit merkte ich plötzlich, daß ich mich vor Männern genierte. Früher waren sie gar nicht dagewesen, jetzt waren sie da. Ich bemerkte jetzt viele Details an ihnen – ob sie gut rasiert waren, seit wie vielen Tagen sie nicht rasiert waren, wie ihre Hände aussahen. Wenn ich in den Hotelzimmern die Betten machte, schaute ich mir jetzt in den Schränken ihre Anzüge oder Schuhe an. Ich hatte hinter einem Berg gestanden, ich war bis zum Gipfel gelaufen, und hinter dem Berg gab es Männer. Ich hatte meinen Weg zu ihnen aufgeräumt. In einem Märchen betrat ein Junge ein Zimmer, das verboten war zu öffnen, sah dort sehr schöne Mädchen und fiel wegen ihrer Schönheit in einen Schlaf. Am nächsten Abend, bevor er wieder in das Zimmer trat, schnitt er sich an seinem kleinen Finger, damit es ihm weh tat, er nicht wieder einschlief und hinter ihrer Schönheit hergehen konnte. Auch ich hatte in meinen Finger geschnitten, um nicht mehr zu schlafen und hinter der Schönheit der Männer hergehen zu können.

Danach ging ich zur Arbeit und am Abend zum politischen Studentencafé Steinplatz. Der hinkende Sozialist wartete vor dem Café, nahm meinen Arm, stieg mit mir in einen Bus und sagte: »Gehen wir.« Wir kamen zu seiner Wohnung, er zeigte mir eine Zahnbürste und sagte: »Hier, die habe ich für dich gekauft.« Wir schliefen wieder zusammen, und er sagte wieder zu mir: »Du mußt Seife benutzen, gegen Kinder. Ich wünsche mir, mit dir in ein paar Jahren wieder zu schlafen.« – »Warum?« – »Du wirst in ein paar Jahren eine sehr gute Frau sein, jetzt bist du noch eine Kindfrau. Du wirst aber sehr schnell lernen.« Er schrieb sich die Telefonnummer meiner Eltern in Istanbul auf, um mich nach zwei Jahren dort wieder anzurufen.

In unserem sozialistischen Verein hatten die türkischen Studenten gehört, daß ich mit dem hinkenden Sozialisten geschlafen hatte. In diesen Tagen übernachtete ich bei einem Pärchen aus dem Verein, am nächsten Morgen ging das Mädchen zur Arbeit, und der Junge kam an mein Bett und sagte: »Laß uns zusammen schlafen.« – »Nein, was wird deine Freundin sagen, sie ist auch meine Freundin, nein.« – »Sie wird nicht böse sein, sie wird es verstehen, sie ist Sozialistin.« Wir schliefen nicht zusammen, sondern redeten in unseren Pyjamas darüber, was richtig wäre: böse zu werden oder nicht böse zu werden, wenn der Freund oder die Freundin mit jemand anderem schläft. Das Zimmer war müde, es roch nach kaltem Zigarettenrauch und schläfrigen Körpern. Ich hatte nein gesagt, aber das Nein war schwerer durchzusetzen als ein Ja. Wenn man ja sagte, mußte man arbeiten, aber wenn man nein gesagt hatte, mußte man auch arbeiten. Ich fragte ihn: »Was würdest du machen, wenn sie mit jemand anderem schläft?«

»Sie wird es nicht tun.«

»Nein, du kannst es nicht wissen.«

»Ja, ich weiß es.«

»Nein, du kannst es nicht wissen.«

»Ja, bei ihr weiß ich es, aber bei dir nicht.«

»Ja?«

»Nein. Du lachst verführerisch. Darüber reden auch die anderen Jungs im Verein.«

»Ja?«

»Nein, nein«, sagte er und lachte.

Er ging, machte das Fenster auf, die frische Luft kam rein, ich zog mich an. Er fragte: »Gehst du, ja?« – »Ja, ich gehe.«

Am gleichen Tag kam der hinkende Sozialist zu mir ins Hotel. Ich putzte gerade die Treppen, ein Eimer mit Wasser stand auf der Treppe. Wenn ich eine Treppe gewischt hatte, stieg ich mit dem Eimer rückwärts, gebückt, eine Stufe weiter nach unten. Plötzlich sah ich ein hinkendes Bein herunterkommen. »Ich habe dich gesucht, du mußt mir helfen.« – »Was ist los?« Wir standen auf der Treppe um den Wassereimer, er rauchte und warf die Zigaretten-

kippen in den Eimer. Er war in der Nacht mit einem anderen türkischen Mädchen aus dem Café zu sich nach Hause
gegangen. Sie hatte ihn gefragt, wem die zweite Zahnbürste
gehört. Sie wußte schon, daß er mit mir geschlafen hatte,
und er gab zu, daß er für mich eine Zahnbürste gekauft
und neben seine ins Glas gestellt hatte. Dann hatte er versucht, auch mit ihr zu schlafen, jetzt wollte das Mädchen
zum türkischen Konsulat gehen und ihn anzeigen, weil er
mit ihr schlafen wollte. »Bitte sprich mit ihr, du bist ein
bewußtes Mädchen, sie soll es nicht tun.« Ich traf mich
abends mit dem Mädchen, wir tranken Tee, und sie sagte:
»Ich werde ihn nicht anzeigen, aber er hat mich wütend
gemacht. Weißt du, was er gesagt hat? ›Ich werde dir auch
eine Zahnbürste kaufen.‹« Ich lachte, und auch sie lachte
jetzt. Er kam hinkend zu unserem Tisch. »Sie will keine
Zahnbürste«, kicherte ich. Sie stand auf und kippte beim
Weggehen ihren Teerest auf die Jacke des hinkenden türkischen Sozialisten, der gerne Zahnbürsten kaufte. Sie machte es wie Liz Taylor, nicht wie die Frauen aus den Godard-
Filmen. Er saß dort wie eine halbvolle Wasserflasche, die
seit Tagen offenstand.

Ich traf andere Männer, türkische Studenten, die in
Deutschland studierten. Inzwischen war ich aus dem Hotel, in dem ich gearbeitet hatte, herausgeflogen, weil ich mit
zuwenig Wasser geputzt hatte und die Treppen nicht richtig
sauber geworden waren. Es gab aber viele Jobs in Berlin,
und ich fand eine Halbtagsarbeit in einem Studentenhotel.
Nachmittags ging ich in eine Theaterschule und bekam einen Ausweis als Schauspielschülerin. Ich liebte diesen Ausweis sehr, auf dem Foto lachte ich.

Die Lehrerin, Frau Kirschoff, war eine ehemalige Schauspielerin. Sie sagte: »Jetzt geht raus und tretet als Mondschein auf oder als Wind.« Man konnte der türkische
Halbmond sein oder Vollmond und als Mond Karriere ma-

chen. Ich schaute mir meinen Paß an. Beruf »Arbeiterin«.
Ich ging zum türkischen Konsulat und wollte statt dessen
»Mondschein« oder »Clown« eintragen lassen. »Wenn du
ein Mondschein bist, wird die deutsche Polizei dich zum
Mond schießen«, sagten die Beamten. Einer der Männer
stellte sich in die Mitte des Raumes: »Ich bin die Welt,
Mondschein. Dreh dich bitte um mich herum.« Als ich unten wieder auf die Straße trat, hörte ich weiter ihr Lachen
aus dem offenen Fenster.

Wir Schülerinnen standen alle vor einem Spiegel und
machten Ballettübungen, bogen unsere Arme über unsere
hochgestreckten Beine und lächelten uns selbst im Spiegel
zu, zwei Stunden lang. Aus dem Fenster sahen wir in einen
Garten. Das Licht wuchs bis zur Ballettstange, und es sah
so aus, als ob dieses Licht unsere Beine in der Luft hielt.
Wir machten Übungen – Wer schaut am längsten in die
Augen der anderen? Wer weckt am kräftigsten Gefühle im
anderen? Was machen zwei Gefühle miteinander? Wer füllt
mit Gefühlen den ganzen Raum? Ich war so glücklich, daß
ich auf den Straßen Salto mortale machte. An den Abenden ging ich zu den Theatern und setzte mich so laut in
den Rang oder in die Loggias, daß mich viele Zuschauer
anschauten, als ob das Stück mit mir anfangen würde. Im
Dunkeln machte ich einen Schmollmund und schaute mir
das Stück mit übertrieben traurigen oder interessierten Augen an. Dann ging ich mit den anderen Schülerinnen ins
Nacht-Kino. Als es im Raum dunkel wurde, fragte eine von
uns: »Was würde jetzt passieren, wenn ich meine Coca-Cola-Flasche nach vorne würfe?« Jeden Filmstar schauten wir
uns an mit dem Gedanken: Wie hätten wir an ihrer Stelle
gespielt? In einem Film über Liz Taylor lachten wir uns tot,
weil sie so dick war wie eine Schwangere, und eine Schauspielerin durfte niemals schwanger sein.

Eines Tages war ich plötzlich schwanger und wußte nicht von wem. In dem Studentenhotel sprang ich von den hohen Schränken und Tischen herunter, um das Kind zu verlieren, aber es ging nicht weg. In der Schauspielschule machte ich stundenlang Gymnastikübungen, aber auch dadurch ging das Kind nicht weg. Ich wußte nicht, was ich tun sollte, und ging oft ins Kino, um das Kind zu vergessen. Einmal lief im Kino ein Film von Peter Brooks Theaterinszenierung »Marat/Sade« von Peter Weiss. Der französische Revolutionär Jean Paul Marat wird von der Nonne Charlotte Corday in seiner Badewanne ermordet, und als ich aus dem Kino herauskam, waren die Berliner Straßen voller Polizisten und Menschen. »Benno Ohnesorg ist tot, erschossen von der Polizei.« Die Polizei hatte ein Huhn erschossen, aber es lag ein Mensch da. Am nächsten Tag gab es ein Foto des toten Studenten. Ein dünner Mann, er lag vor einem Auspuffrohr eines Volkswagens. Eine Frau hatte sich über ihn gebeugt, sie hatte Ohrringe an den Ohren und trug einen Abendmantel. Vielleicht wollte sie mit ihm nach der Demonstration in die Oper oder ins Theater gehen. Sie hielt Bennos Nacken etwas hoch, vielleicht wollte sie den Kopf aus dem Blut herausnehmen. Der persische Schah war an diesem Tag in Berlin gewesen, und Benno hatte an der Demonstration teilgenommen, Polizisten hatten ihm in den Kopf geschossen. Die Stadt schlief tagelang nicht.

In diesen Tagen kam ein Brief von meinem Vater, er schrieb: »Meine Tochter, deine Mutter ist krank. Komm schnell zurück nach Istanbul.« Ich hatte sofort Angst, daß meine Mutter sterben könnte und wollte nach Istanbul zurück. Es war Sommer, zwei Studenten aus dem türkischen Studentenverein sagten: »Wenn du willst, fahr mit uns, wir wollen über die Tschechoslowakei, Ungarn und Bulgarien fahren, um sozialistische Luft zu riechen.«

Als wir von Berlin nach Süden fuhren, fuhr auch der persische Schah mit dem Zug durch das Land und besuchte verschiedene deutsche Städte. Wir übernachteten in einem Bauernhaus in Bayern und gingen in eine Kneipe, das Fernsehen zeigte Polizeihubschrauber, die am Himmel über dem Bahnhof standen, an dem sein Zug ankam. Ein Chefarzt war bereit für Notoperationen. Bevor der Zug des Schahs ankam, rangierten sie leere Züge auf die Nebengleise, um die Hauptstrecke abzuschirmen. Der Schah trug Lackschuhe, überall, wo er diese Schuhe hinsetzte, gab es Katastrophenalarm. Um den Münchener Hauptbahnhof wurden sechzig geparkte Autos abgeschleppt, ihre Besitzer sollten zahlen. Der Luftraum über ihm war bis zu 2000 Meter Höhe vom Flugverkehr freigehalten. Die Froschmänner suchten in den Dampfern am Main nach Sprengkörpern. Eine Lok fuhr seinem Zug voraus, um Zündsätze auszulösen. Er saß in einem Schloß in Bonn, das Orchester spielte Bach, und zwischen der Musik piepsten die Polizeifunkgeräte. Die Polizisten trugen Fracks. Nach den Nachrichten lief ein Dokumentarfilm, in dem gezeigt wurde, wie man mit einer Handprothese an der anderen Hand Fingernägel schneiden kann. Damals gab es in Deutschland viele Männer mit Handprothesen, die künstlichen Hände steckten in schwarzen Lederhandschuhen.

Von Bayern fuhren wir nach Ungarn. Ich hoffte, die holprigen Straßen würden mir helfen, das Kind zu verlieren. Immer wieder ging ich auf die Toilette und guckte in meine Wäsche. In Ungarn sah ich in einem Café ein paar Tropfen Blut in meiner Wäsche, aber ich war nicht sicher, ob das Kind so einfach weggegangen war.

Wir kamen in Budapest an, es war, als ob man in einer anderen Zeit angekommen war. Die Lichter der Straßenlampen waren schwach, unsere Augen hatten sich an das helle Berliner Licht gewöhnt. Aber die schwachen Lichter waren schön. Wir standen an der Buda, am Wasser, die Tür eines Lokals ging auf, ein junges Mädchen und ein Junge kamen heraus und eine traurige Zigeunermusik, dann ging die Tür wieder zu. Das Mädchen und der Junge lachten. Alles war sehr still in Budapest, nur ihr Lachen war zu hören. Wir liebten alle auf- oder zugehenden Türen, die kaputten Steine auf dem Straßenpflaster, die fließende Donau, die Luft. Wir schrien »Socialism« und atmeten ein paarmal sehr kräftig die Luft ein. Wir schliefen im Auto, am Morgen schien die Sonne, und es war schwer, ein Café zu finden. Eine Frau verkaufte uns am Straßenrand heiße Milch und süßes Brot, wieder freuten wir uns auf den Sozialismus. Dann fuhren wir lange durch Jugoslawien, auch Jugoslawien liebten wir. Wir drehten die Fensterscheiben herunter, rochen die Luft und freuten uns über die sozialistischen Wolken. Auf den Landstraßen trafen wir türkische Arbeiter aus Deutschland. Einer erzählte uns, daß sein Auto komische Geräusche gemacht hätte, und er wäre deswegen langsam gefahren. Trotzdem war die jugoslawische Polizei gekommen und hatte gesagt: »Du hast überholt.« – »Nein, ich habe nicht überholt«, hatte er gesagt. »Du hast überholt, und das Auto hinter dir mußte bremsen.« – Es war klar, der Polizist wollte Geld essen. Ich sagte zu ihm: ›Schau, ich war in der Türkei Polizist, so wie du hier. Ich habe Geld gegessen, und sie haben mich aus dem Polizeidienst rausgeschmissen. Schau, deswegen bin ich Straßenarbeiter in Deutschland geworden, in der Fremde. Aber nimm diese zehn Mark, du kannst dir dafür ein Mittagessen kaufen.‹ Er hat mir aber meinen Paß abgenommen und gesagt: ›Wenn du mir 30 Mark gibst, kannst du den Paß zurückhaben.‹ Dann fuhr er einfach los, und ich fuhr ihm durch die ganze Stadt hinterher. Der Schuft. Wohin er fuhr, ich fuhr hinter ihm her. Als mein Benzintank fast leergefahren war, hielt er an einer Tankstelle an. Ich habe ihm die 30 Mark gegeben, um meinen Paß zurückzubekommen, und noch für 20 Mark getankt.« Wir glaubten ihm die ganze Geschichte nicht, wir dachten, im Sozialismus gäbe es keine Menschen, die Geld essen, die gäbe es nur in der Türkei.

2. TEIL

DIE BRÜCKE
VOM GOLDENEN HORN

DER LANGE TISCH
IM RESTAURANT »KAPITÄN«

Wir kamen in Istanbul an, wo viele Leute Geld aßen. Die
Studenten fuhren mich zu meinen Eltern. Vor dem Haus
kam uns ein Mann mit einem Pontiac-Auto entgegengefah-
ren. Aus dem Autofenster heraus sagte er: »Willkommen,
meine Tochter, kennst du deinen Vater nicht mehr? Hast
du uns in Deutschland vergessen?« Er bedankte sich bei
den beiden Studenten und sagte: »Laßt uns einen Müdig-
keitstee trinken.« Wir gingen hinter ihm her in die dritte
Etage, eine Frau öffnete die Tür und schrie: »Meine Tochter!«, küßte mich und schaute mich immer wieder an, als
ob sie nicht glauben wollte, daß ich zurückgekommen war.
Ich hatte meine Mutter nicht wiedererkannt. »Ich konnte
dich nur mit der Lüge von einer Krankheit nach Istanbul
zurückholen, du warst zu lange in Deutschland, für ein junges Mädchen ist es zu gefährlich, so lange allein in einem
fremden Land zu leben.« Ich saß zusammen mit den beiden
Studenten auf dem Sofa wie in einer fremden Wohnung.
Das Zimmer war voller Sonne, aber ich erkannte auch die
Sonne nicht wieder. Ein Vogel im Käfig fing an zu singen.
Die Frau, die meine Mutter sein sollte, sagte: »Schau, der
Vogel Memisch hat dich erkannt, er singt für dich.«
  Auch den Vogel hatte ich vergessen. Die beiden Studen-
ten wollten weiterfahren, blieben aber sitzen, bis der Vogel
Memisch zu Ende gesungen hatte. Dann standen sie auf,
als ob ein Konzert zu Ende war, gaben mir ihre linke Hand

zum Abschied, meinen Eltern ihre rechte, und sagten in deutsch: »Paß auf dich auf bei den Kapitalisten.« Vom Balkon aus sah ich, wie sie rechts abbogen und in einem Kastanientunnel verschwanden, die Sonne blinzelte noch auf das Blech ihres Berliner Nummernschilds. Das letzte Stück Berlin.

Ich ging zu meiner Reisetasche, ihr Reißverschluß klemmte, in ihr lagen zwei Berliner Blusen, zwei Jacken, ein Rock, ein Kleid, ein paar Stiefel, zwei paar Schuhe, zwei Schallplatten von Kurt Weill und Bertolt Brecht und Jordis Gedicht. Ich nahm eine der Blusen in meine Hand. Sie war aus dünnem weißem Stoff mit gelben Blumen. Ich hatte sie an dem Tag, als Benno Ohnesorg getötet worden war, getragen. Die Bluse hatte noch Kaffeeflecken vom Café Steinplatz und roch nach Zigaretten und Zigarren der linken Berliner Studenten. Die Kleider waren durch die lange Reise zerknittert. Ich legte sie über das Sofa und schaute mir die vielen Falten an: Zwischen Istanbul und Berlin lagen drei Tage und drei Nächte. Die Frau, die meine Mutter sein sollte, sagte: »Mein Kind, warum sitzt du so da, als ob dir deine Schiffe untergegangen sind? Sprich etwas. Sag uns einen Satz in deutsch.« Wenn sich in Berlin unter den linken Studenten die Diskussion im Kreise drehte und die Ursache nicht zu finden war, gab es eine Frage, die ich dort oft gehört hatte: »Wer war zuerst da: Die Henne oder das Ei?« Ich sagte diesen Satz in deutsch. »Was heißt das in Türkisch?« fragte meine Mutter. Ich übersetzte. Meine Mutter sagte: »Bei uns gibt es einen ähnlichen Satz. Der Hahn kroch aus dem Ei und fand die Schale nicht schön genug für ihn. Vielleicht findest du uns auch nicht mehr gut genug für dich, weil du Europa gesehen hast.« Mein Vater sagte: »Deine Mutter wollte auch eine Europäerin werden. Sie hat sich die Haare blond färben lassen.«

Außer den blonden Haaren meiner Mutter war in der

Wohnung alles wie früher. Als ich vor zwei Jahren nach Deutschland gegangen war, hatte die Glühbirne am Hauseingang gezittert. Sie zitterte immer noch. Auch das alte Radio gab es noch. Mein Vater sprach mit ihm wie mit einem Menschen. »Gib die Stimme her, sonst schlage ich dich.« Oder er sagte: »Jetzt hat es wieder keine Lust.« Der Kühlschrank in der Küche machte die gleichen lauten Geräusche. Die Nachbarin mit ihrer Katze saß immer noch auf dem gleichen Stuhl unter unserem Balkon. Sie trug einen Kimono, und ich sah von oben herunter, wie früher, ihre Riesenbrüste. Die Nachbarinnen gingen, wie früher, laut mit ihren Stöckelschuhen die Treppen herunter. In ihren Wohnungen schlugen die Türen wie immer wegen der offenstehenden Fenster zu. Nur ich war mit Sachen nach Istanbul zurückgekommen, die ich jetzt vor den Augen meiner Eltern verstecken mußte. Als erstes versteckte ich das Gedicht von Jordi in einem meiner Stiefel und stopfte noch eine Zeitung darüber. Mein Vater legte manchmal seine Hosen unter die Matratzen, damit sie ihre Bügelfalten behielten. Ich fand eine seiner Hosen unter meiner Matratze und wurde sofort nervös: »Leg deine Hose nicht unter mein Bett!« Meine Mutter wollte meine Blusen mit den Hemden meines Vaters waschen. »Nein, ich wasche meine Blusen getrennt«, sagte ich. »Du bringst eine neue Mode mit nach Hause, hast du das in Europa gelernt?« fragte sie.

Meine Eltern saßen in ihren Sesseln, lasen Zeitungen und tauschten ab und zu die Seiten unter sich aus. Die starke Sonne schien auf die offenen Zeitungsblätter. Wenn sie die Zeitungen aufgeschlagen vor ihren Gesichtern hielten, wurde ich etwas ruhiger. Wenn sie die Zeitungen vor ihrem Gesicht herunternahmen, ging ich zur Toilette und schaute, ob meine Tage gekommen waren. Ich zog die Toilettenspülung, das Wasser zischte, und meine Mutter rief von draußen: »Was ist, meine Tochter, bist du krank, hast du

Durchfall?« – »Nein«, schrie ich wütend und zeigte ihr im Toilettenspiegel die Zähne. Vielleicht kommen meine Tage, dachte ich, wenn ich alle meine Kleider, die ich aus Berlin mitgebracht hatte, wasche, bügele und in den Schrank hänge. Dann werde ich wieder das alte Mädchen meiner Eltern sein. Ich wusch und bügelte und hing alles an seine alten Plätze in den Schrank. Dann ging ich wieder auf die Toilette. Kein Blut. Meine Mutter zeigte mir Fotos und Briefe, die ich ihr vor zwei Jahren aus Berlin geschickt hatte. Auf einem dieser Fotos aß ich mit fünf Mädchen Suppe, die Mädchen aus dem Frauenwohnheim. Auf dem zweiten Foto stand ich lachend zwischen unserem kommunistischen Heimleiter und seiner Frau. Die beiden Fotos kamen mir vor, als wären sie vor dreißig Jahren gemacht worden – als ich noch Jungfrau war. Jetzt hatte ich neue Fotos in der Tasche. Auf einem sah man mich an dem Tag, an dem wir mit dem hinkenden Sozialisten in Berlin den Sozialistischen Verein gegründet hatten. Unsere zwölf linken Fäuste standen hoch in der Luft, als ob wir uns alle in einer wackelnden Straßenbahn an den Lederriemen festhielten. Meine Mutter sagte: »Seitdem du weggegangen warst, kam mir die Zeit wie eine lange Nacht vor. Du hattest dich in dieser Nacht versteckt. Ich konnte dich nicht mehr finden. Manchmal küßte ich die Zimmertür, hinter der du früher geschlafen hattest, und sagte: ›Mein Allah, schütze sie dort vor schlimmen Dingen.‹« Sie fing an zu weinen. »Zwei Jahre habe ich mich beherrscht, jetzt kommen aber die Tränen.« Mein Vater sagte: »Weine nicht, weine nicht. Guck, sie ist da, sie ist doch genauso zurückgekommen, wie sie gegangen ist.« – »Ja, ich weiß. Auch wenn eine Birne vom Baum herunterfällt, fällt sie nicht weit weg von ihrem Baum. Sie hat sicher dort auf unsere Familienehre keine Flecken kommen lassen.« Ich ging wieder auf die Toilette. Als ich wieder herauskam, saß auch Tante Topus im Salon, meine Mutter hatte die einsame Frau vor vielen Jahren auf einem Schiff kennengelernt und aufgenommen. Tante Topus sagte: »Das Huhn, das viel herumspaziert, kehrt nach Hause zurück mit viel Scheiße unter seinen Füßen. Was hast du aus Alamania unter deinen Füßen mitgebracht?« Meine Mutter sagte: »Sie hat Deutsch gelernt. Eine Sprache ist ein Mensch, zwei Sprachen sind zwei Menschen.« Mein Vater sagte: »Sie ist als Nachtigall nach Alamania geflogen und dort ein Papagei geworden, sie hat die deutsche Sprache gelernt. Jetzt ist sie eine türkische Nachtigall und zugleich ein deutscher Papagei.« Alle saßen im Salon und tranken Tee und schauten mich an, die Nachtigall, die jetzt auch ein deutscher Papagei war. Durch die Langsamkeit dieser drei Menschen im Salon bekam ich plötzlich Angst, daß ich die Zeit verliere, etwas gegen meine Schwangerschaft zu tun. Wenn in einem Zimmer zu viele Menschen waren, war ich als Kind sofort auf die Straße gelaufen und hatte dort bis zum Abend gespielt. Ich ging herüber zu unseren Nachbarn, einer Offiziersfamilie mit drei Töchtern. Alle drei Mädchen waren zu Hause, auch sie waren blondgefärbt wie meine Mutter. Während sie Tee tranken, drückten sie mit ihrem linken Zeigefinger ihre Nase hoch. Sie glaubten, daß man eine Stupsnase wie Liz Taylor oder Kim Nowak bekam, wenn man lange genug drückte. Nachdem ich nach Berlin gegangen war, hatte in Istanbul die Mode mit Stupsnasen und blonden Haaren angefangen. Die berühmte Popsängerin Ajda Pekkan hatte ihre Nase operieren und ihre Haare blond färben lassen, sie war das Idol vieler Istanbuler Frauen geworden. Sie sieht wie eine Europäerin aus, sagten die drei Mädchen und studierten, was an mir zuviel war. Ich müßte die Knochen an meinen Füßen operieren lassen, und meine Augenbrauen waren zu dick. Auch bei ihnen ging ich ein paarmal auf die Toilette und schaute, ob meine Tage endlich kamen. Die drei Mädchen sagten: »Du warst lange in Europa. Man kann dich zu

den Europäern zählen, aber das geht nicht mit deinen dik-
ken Augenbrauen wie von einer Bäuerin.« Sofort brachten
sie mich zu einer Nachbarin, einer Schneiderin und Witwe,
die allen ihre Haare blond färbte und ihnen ihre Augenbrauen zupfte. Auch mir zupfte sie die Hälfte meiner Augenbrauen weg und fragte mich, was ich zwei Jahre lang in
Deutschland gemacht hätte. Ich überlegte, ob ich vielleicht
ihr sagen sollte, daß ich schwanger war. Sie hatte keine Kinder, vielleicht wußte sie, was man machen könnte. Ich sagte:
»Ich bin …« – aber bevor ich »schwanger« sagte, schaute ich
auf ihren Tisch, um zu sehen, was für eine Zeitung sie las,
eine linke oder eine Boulevardzeitung. Sie las Hürriyet, die
türkische Bild-Zeitung, und anstatt »schwanger« sagte ich:
»Ich bin Sozialistin geworden.« Sie zupfte weiter an meinen
Augenbrauen und sagte: »Gute Besserung. Auf den Kopf
eines Menschen können in dieser Welt alle Dinge fallen!«
Auch bei ihr ging ich ein paarmal auf die Toilette. Kein
Blut. Dann schaute ich mich im Spiegel an und seufzte. Die
drei Mädchen und die Schneiderin tranken draußen Tee
und sprachen darüber, was Frauen machen müßten, damit
sie eine dünne Taille bekommen. In der Nacht müßten die
Mädchen monatelang mit einem ganz eng zugeschnürten
Gürtel um die Taille schlafen, und eines Tages würde man
mit einer dünnen Taille aufwachen und einen Mann finden.
Wenn man einen Ehemann gefunden hätte, könnte man
mit ihm wieder dicker werden. Man mußte einen Ehemann
sogar absichtlich dicker machen, damit die anderen Frauen
ihn nicht schön fanden. Eines der Mädchen sagte: »Oh, ich
bekomme meine Tage«, und klopfte an der Toilettentür. Als
sie schnell an mir vorbeilief, wollte ich einfach nur sie sein,
und als sie wieder aus der Toilette herausgekommen war,
schaute ich dauernd in ihr Gesicht und auf ihren Bauch, ich
wollte einfach nur sie sein. Sie biß in ein Biskuit, kleine Krümel fielen auf ihren Rock, und ich putzte meinen Rock, als

ob die Krümel auf ihn gefallen wären. »Ich habe so starke Blutungen«, sagte sie.

Als ich hoch zur Wohnung meiner Eltern ging, sah ich eine Etage unter ihnen die Katze der alten Frau, die immer am gleichen Platz auf dem Balkon in ihrem Kimono saß. Die Katze miaute und kratzte an ihrer Wohnungstür. Die alte Frau machte die Tür auf, sah mich und sagte: »Komm rein.« Ich wollte die Katze auf meinen Arm nehmen, sie kratzte aber meine Hand. Die alte Frau sagte: »Die Katze hat Angst, sie ist schwanger.«

Die alte Frau im Kimono lebte mit ihrer Schwester zusammen, meine Mutter nannte sie »die tote Madame«. Die beiden Frauen waren achtzig Jahre alt, türkische Griechinnen. Die Frau im Kimono hatte nie geheiratet, hatte aber als junges Mädchen, als unter Atatürk Tanzen Mode wurde, einmal mit Atatürk getanzt, und er hatte ihr gesagt: »Sie sind ein Schmetterling, Mademoiselle.« Deswegen nannte meine Mutter sie »Mademoiselle Schmetterling«. Ihre Schwester, »die tote Madame«, lag seit fast zehn Jahren im Bett. Als eines Tages ihr Mann gestorben war, hatte sie aufgehört zu essen und zu trinken. Meine Mutter hatte in der Küche der Frau auf dem Tisch einen Zettel gefunden, auf dem stand: »Mein Gott, hilf mir, heute ist mein Mann gestorben.« Sie hatte die Melancholie bekommen, irgendwann kam sie nicht mehr aus dem Bett, sie lebte dort wie eine Tote. Eine Putzfrau fütterte sie mit Suppe und gab ihr Medizin. Die tote Madame schluckte und spuckte und sang der Putzfrau Kinderlieder auf Griechisch vor. Mademoiselle Schmetterling tat seit zehn Jahren alles, ihre Schwester am Leben zu halten, sie hatte sonst niemanden. Ich ging zum Bett der toten Madame, die Putzfrau drehte sie gerade von links nach rechts, damit ihr Fleisch vom vielen Liegen keine Wunden bekam. Die Putzfrau sagte: »Ich habe Rückenschmerzen, weil ich die Madame immer hochheben und auf die andere Seite legen muß.« Mademoiselle Schmetterling sagte ihr: »Du hast die Rückenschmerzen nicht von der Arbeit, sondern weil du zwanzig Mal abgetrieben hast. Ich sage dir noch einmal, du mußt zum Arzt gehen und dir diese neuen Antibabypillen verschreiben lassen, sonst stirbst du.« Ich wagte nicht, die Putzfrau zu fragen, aber es gab also auch Abtreibungen in Istanbul. Ich mochte die Frauen in dieser Wohnung, hier gab es Tragödien, und auch ich hatte jetzt meine Tragödie. Über dem Bett der toten Madame hing eine Ikone, auf der Mutter Maria Jesus in ihren Armen hielt. Als Kind hatte ich gedacht, wenn ich einmal ohne Ehemann schwanger sein sollte, kann ich sagen, ich bin wie Mutter Maria schwanger geworden, weil Allah es so wollte. Unser kommunistischer Heimleiter hatte im Frauenwohnheim in Berlin gesagt: »Die intelligenteste Hure dieser Welt war die Mutter Maria. Sie hat so gut gelogen, daß die ganze Welt ihr noch heute glaubt.«

In der Wohnung der beiden Schwestern gab es eine Bibliothek, und ich sah dort mehrere dicke Bücher in Leder von Karl Marx und Friedrich Engels in französisch. Die Bücher hatten dem Ehemann der toten Madame gehört. Die Namen Karl Marx und Engels. Alle meine Freunde in Berlin hatten Bücher von ihnen. Und vor diesen Menschen, die Karl Marx und Engels lasen, hätte ich meine Schwangerschaft nicht versteckt. Plötzlich nahmen mir die Bücher des toten Ehemanns der toten Madame meine Angst, und ich lief hüpfend die Treppen hoch und sang ein Stück aus Nannas Lied von Brecht auf Deutsch, das ich in Berlin auswendig gelernt hatte.

Gott sei Dank geht alles schnell vorüber
Auch die Liebe und der Kummer sogar.
Wo sind die Tränen von gestern abend?
Wo ist der Schnee vom vergangenen Jahr?

Als es Nacht wurde, deckte meine Mutter über den Käfig des Vogels Memisch ein Tuch. Es war sehr warm. Ich stand auf und ging in die Küche, dort brummte laut der Kühlschrank. Dann ging ich wieder auf die Toilette, die zischte, und ich dachte, wenn meine Tage kommen würden, würde ich alle diese Geräusche nicht mehr hören. Im Zimmer schnarchte Tante Topus, über ihrem Gesicht summten Moskitos. Ich schlug, um einen Moskito zu töten, Tante Topus auf die Wange. Die alte Frau wachte auf: »Warum schlägst du mich?« Dann setzte ich mich auf den Balkon. Manchmal fielen aus den Kastanienbäumen ein paar Kastanien auf die Straße. Auf dem Meer fuhren ein paar Fischerboote mit kleinen Lichtern. Ich sprach laut in deutsch mit mir selbst: »Du mußt etwas machen. Du kannst wieder als Arbeiterin nach Deutschland gehen.« Aber um nach Deutschland zu gehen, mußte man durch eine ärztliche Kontrolle. Sie hätten an der Urinprobe gesehen, daß ich schwanger war, Schwangere durften nicht nach Deutschland. Außerdem wollte ich keine Arbeiterin mehr sein. Ich wollte Schauspielerin werden, alles, was im Leben schwer war, war am Theater leichter. Tod, Haß, Liebe, schwanger sein. Man konnte ein Kissen unter das Kleid stecken und schwanger spielen, dann das Kissen wieder rausnehmen und am nächsten Abend das Kissen wieder hereintun. Man konnte sich wegen der Liebe töten, aber wieder aufstehen, das Theaterblut abwischen, eine Zigarette rauchen.

Als am nächsten Morgen der Vogel Memisch anfing zu singen, ging ich unter den Kastanien spazieren, hoch und runter, wie in einem Gefängnishof, und dachte darüber nach, wie ich aus diesem Gefängnis fliehen könnte. Am Ende des Kastanientunnels gab es einen Zeitungskiosk. Ich suchte Kraft bei der linken Zeitung CUMHURIYET (Republik). Die Nachrichten an diesem Tag waren: »Die amerikanischen Soldaten, die sich weigerten, den Vietnamkrieg mitzumachen, flogen erst nach Japan, dann nach Rußland, dann trafen sie in Stockholm ein.« – »Herzchirurg Dr. Barnard machte seine zweite Herztransplantation. Der Zahnarzt, dem Dr. Barnard ein Frauenherz transplantierte, kam nach der Operation zu sich, und seine ersten Sätze waren: Grüßen Sie meine Frau.« Jeden Morgen ging ich jetzt unter den Kastanienbäumen zum Zeitungskiosk und stand vor CUMHURIYET: »Amerikanische Soldaten haben in Hue einen Vietnamesen verletzt und festgenommen. Es wurde behauptet, er spioniere für den kommunistischen Vietcong.« – »Am türkischen Schwarzen Meer in den Kohlegruben protestierten die Bergarbeiter und streikten. Zwischen Arbeitern und Polizei gab es Zusammenstöße, und zwei Bergarbeiter wurden getötet. Die fortschrittliche Gewerkschaft hatte gegen diese Morde protestiert, und in Istanbul hatten die Studenten ihre Universitäten verlassen und sind auf die Straße gegangen.« – »Tausende von Straßenfegern haben angefangen, sich zu wehren. Sie werden von Anatolien bis nach Istanbul 750 Kilometer zu Fuß kommen. Die sozialistische Jugend solidarisiert sich mit den Arbeitern und demonstriert.« Auf den abgebildeten Plakaten war zu lesen: »Das fließende Arbeiterblut wird den Faschismus erwürgen. Indem man uns schlägt, werden wir kräftig. Die türkische Jugend wird Revolution machen.«

Die streikenden Arbeiter und demonstrierenden Studenten waren irgendwo in meiner Nähe in Istanbul, und ich bewegte mich nur zwischen meiner Elternwohnung, dem Zeitungskiosk und dem Kastanientunnel. Ich kam mir vor wie eine zusammengedrückte Spirale in einer Schachtel. Wenn die Schachtel aufgeklappt würde, würde die Spirale herausspringen. Es gab in CUMHURIYET ein Foto von einem Mann ohne Hände, ein Bauer. Als er mit einer Maschine seinen Acker gepflügt hatte, hatte er eine Schildkröte un-

178

ter der Maschine gesehen und wollte sie vor den Messern der Maschine retten. Er rettete die Schildkröte, aber die Messer der Maschine schnitten ihm beide Hände ab. Auch ich liebte Schildkröten, und dadurch erinnerte ich mich an einen Jungen, einen Freund, mit dem ich früher oft Kastanien in den Himmel über dem Meer geschmissen hatte. Dieser Junge hatte eine Schildkröte gehabt. Nachts saß er auf dem Balkon, setzte auf den Rücken der Schildkröte, die über den Tisch lief, eine brennende Kerze und las ein Buch. Die Moskitos verbrannten im Kerzenlicht und zischten. Manchmal sprach er mit mir von seinem Balkon aus. Die Schildkröte lief, die brennende Kerze auf dem Rücken, langsam auf dem Tisch hin und her, und der Junge wechselte seinen Platz mit der Bewegung der Schildkröte. Ich fragte ihn öfter von unserem Balkon herüber: »Wie geht es deiner Schildkröte? Was liest du?« – »Gedichte.« Und wie er mit mir die Kastanien in den Himmel geworfen hatte, warf er manchmal einen Satz aus dem Gedicht zu mir herüber.

Vielleicht konnte er mir helfen. Ich ging nach Hause und schaute auf den Balkon, auf dem der Junge früher mit seiner Schildkröte gesessen hatte. Sein Vater zerschnitt gerade eine große Wassermelone und aß dann stundenlang alleine die große Melone. Meine Mutter erzählte mir, daß seine Eltern sich hatten scheiden lassen und er mit seiner Mutter weggezogen war. »Ich habe gehört, daß er plötzlich krank geworden ist. Man sagt, er ist jetzt schizophren. Er hat die Universität verlassen, wo er Jura studiert hatte.« Ich besorgte mir die Adresse des Jungen von seinem Vater, er wohnte auf der europäischen Seite von Istanbul. Zwischen den beiden Teilen lag das Marmara-Meer, große Schiffe fuhren von einem Ufer zum anderen. Als am nächsten Tag der Vogel Memisch anfing zu singen, ging ich zum Hafen und fuhr zur europäischen Seite herüber. Auf das Schiff zu springen war gefährlich. Das Meer war oft unruhig, das Schiff bewegte sich hin und her, entfernte sich von der Kaimauer und klatschte wieder an die Wand. Es gab Unfallgeschichten, Menschen waren ins Meer gefallen und vom Schiff zerquetscht worden. Deswegen wiederholten Eltern ständig vor ihren Kindern: »Springt nicht auf das Schiff, bevor der Steg nicht ausgelegt ist.« Ich war aber früher trotzdem gesprungen, und gerade in diesem Moment hatten mir oft Männerhände von hinten in den Oberschenkel gezwickt. Ich konnte mich dann nicht umdrehen und »Esel« rufen, weil das Schiff zu sehr wackelte. Jetzt sprang ich wieder, und wie früher kniff mir eine Hand von hinten in den Oberschenkel. Auf dem Schiff tranken die Leute aus kleinen Gläsern Tee, ich hörte aus den Kitteltaschen der dort herumlaufenden Teeverkäufer Kleingeldgeräusche, schaute die Mädchen an und wußte, daß auch diese, wie ich, gekniffen worden waren. So saßen die Mädchen böse auf dem Schiff, und wenn sie auf der europäischen Seite ausstiegen, versuchten sie, sich vor die Frauen oder die älteren Männer zu stellen.

Ich lief in Richtung der Brücke vom Goldenen Horn, die die beiden europäischen Teile von Istanbul verbindet. Die Männer kratzten sich wie früher auf den Straßen zwischen den Beinen. Die vielen Schiffe neben der Brücke leuchteten in der Sonne. Die langen Schatten der Menschen, die über die Brücke vom Goldenen Horn liefen, fielen von beiden Seiten der Brücke auf die Schiffe und liefen an deren weißen Körpern entlang. Manchmal fiel auch der Schatten eines Straßenhundes oder eines Esels dorthin, schwarz auf weiß. Nach dem letzten Schiff fielen die Schatten der Menschen und Tiere ins Meer und liefen dort weiter. Über diese Schatten flogen die Möwen mit ihren weißen Flügeln, auch ihre Schatten fielen aufs Wasser, und ihre Schreie mischten sich mit den Sirenen der Schiffe und den Schreien der Stra-

ßenverkäufer. Als ich auf der Brücke entlanglief, kam es
mir vor, als müßte ich mit meinen Händen die Luft vor mir
herschieben. Alles bewegte sich sehr langsam, wie in einem
zu stark belichteten, alten Slow-motion-Film. Kleine Kinder
oder alte Männer trugen auf ihren Rücken aus der ottomanischen Zeit übriggebliebene Wasserkanister und verkauften
das Wasser an die Menschen. Sie schrien: »Wassssseeeerrrr«
in den Himmel hinein, und die Menschen sahen so aus, als
ob sie sich an diesen »Wasssseeerrrr«stimmen festhielten,
um nicht wegen der Hitze in Ohnmacht zu fallen.

Am Ende der Brücke vom Goldenen Horn gab es eine
große Moschee, dort saßen Blinde unter der Sonne, und
Tauben saßen auf ihren Köpfen und Beinen, weil die Blinden Getreide verkauften. Wenn Leute dort entlangliefen,
flogen die Tauben plötzlich auf, kamen dann wieder herunter und pickten weiter an dem Getreide der blinden Männer. Zwei blinde Männer liefen Arm in Arm und lächelten,
sie trugen Schuhe aus den 50er Jahren wie von Elvis Pres-
ley mit hohen Absätzen. Ein anderer blinder Mann drehte
sich nach links und rechts und sagte: »Moslems, helft mir,
gebt mir einen Arm.« Ein gutgekleideter Mann half ihm.
Der Blinde lief ruhig an seinem Arm in Richtung der Brükke vom Goldenen Horn, und die Tauben flogen vor ihm
wieder hoch.

Ich lief die steilen Straßen hoch und fand das Haus des
schizophrenen Jungen, ein Holzhaus, dessen Tür offenstand. Das Haus roch nach Basilikum, das in Blumentöp-
fen vor den Fenstern wuchs. Ich kam in ein sehr großes
Zimmer, der Boden lag voller Teppiche, und an den Wänden standen viele Stühle im Dämmerlicht. Unter einem
der Stühle sah ich die Schildkröte. Der schizophrene Junge
saß auf seinen Knien und betete vor dem heiligen Turban
und Mantel seines Großvaters, der ein berühmter religiöser Führer gewesen war. Ich ließ ihn dort beten und lief

von Zimmer zu Zimmer. Fast in jedem Zimmer wohnte ein Verwandter, in einem Zimmer saß eine Frau im Rollstuhl und sagte: »Ich bin seine Tante.« Es gab alte Frauen, junge Frauen, einsame Männer, verheiratete Männer. In einem Zimmer saßen vier Katzen und schauten aus dem Fenster. Unten auf der Gasse lief ein Junge mit acht Broten in den Armen vorbei, zwei alte Frauen gingen mit zwei Kühen am Haus entlang. Der schizophrene Junge hatte aufgehört zu beten. »Wie bist du hierhergefallen?« – »Ich wollte dich und deine Schildkröte sehen.« Er nahm die Schildkröte auf seine Hand, stand mir genau gegenüber, streichelte den Panzer der Schildkröte und ihre Füße und sagte zu mir: »Du bist in Deutschland ein wunderschönes Mädchen geworden.« Wir setzten uns in das Zimmer seines heiligen Großvaters. Ein Licht von einer Öllampe an der Wand beleuchtete den heiligen Turban und Mantel, die Schildkröte lief langsam über den Teppich. Der Junge schwieg. Wir saßen dort zwei Stunden. Ich wollte ihm erzählen, daß ich schwanger war und nicht wußte, was ich machen sollte. Bevor ich aber anfing, sagte plötzlich der Junge: »Man beobachtet uns. Die Bauarbeiter beobachten uns. Gehen wir hier raus.« Er hatte furchtbare Angst. Ich umarmte ihn, und wir gingen in ein anderes Zimmer. Auch dieses Zimmer war dunkel, die dicken Vorhänge waren geschlossen. Er legte sich ins Bett, schaute an die Decke des Zimmers und sagte leise: »Die Bauarbeiter kommen durch die Wände herein.« Ich saß neben ihm auf dem Bett und schaute nicht die Wände an, sondern sein Gesicht. Ich bewegte meine Hand vor seinen Augen, er sah sie nicht, er sah Männer mit Hämmern in den Händen durch die Wände kommen. Ich wollte ihn retten. Früher war ich manchmal mit meinen Eltern in dreidimensionale Filme gegangen. Wenn ich schrie und meine Mutter aus Angst vor den Indianerpfeilen umarmte, nahm sie mir die Spezialbrille von den Augen. Ich dachte, ich könnte dem schizophrenen Jungen diese Brille einfach abnehmen, küßte ihn, und wir schliefen zusammen. Dabei sah er nicht mehr auf die Wände, weil er mich jetzt anschaute. Danach zündete er zwei Zigaretten an, gab mir eine und zog die Vorhänge auf. Wir saßen auf dem Bett, rauchten und schauten aus dem Fenster zur Gasse. Wieder kamen die beiden alten Frauen mit ihren Kühen vorbei, und ein paar Kinder zogen ein altes Grammophon, unter das vier Räder gebaut waren, wie einen Wagen hinter sich her. Der schizophrene Junge sagte: »Weißt du, das war einmal unser Grammophon. Mein Großvater war gerade gestorben. Alle Leute aus den Zimmern dieses Hauses kamen heraus und riefen: »Dein Großvater ist tot.« Ich war sieben Jahre alt, ich weinte ununterbrochen und wollte meinen Großvater wiederhaben. Die Leute brachten mir dünne Schokolade, damit ich aufhörte zu weinen. Ich fand in einer Tafel Schokolade ein Los und gewann damit dieses Grammophon. Die Nestlé-Fabrik gab auch noch zwei Schallplatten dazu, »Die Stimme seines Herren«, mit einem Bild in der Mitte, auf dem ein Hund ins Mikrophon bellte. Eine ist schnell kaputtgegangen. Wenn ich zum Spielen auf die Straße ging, nahm ich das Grammophon mit heraus. Alle Nachbarn kamen in unser Haus, um die Schallplatte zu hören. Aber der Strom war oft weg, deswegen drehten wir die Schallplatte auf dem Grammophon mit der Hand. Einer nach dem anderen drehte mit seinem rechten Zeigefinger die Schallplatte so schnell, daß das Bild des Hundes auf der Schallplatte nicht mehr zu sehen war. Dann ist das Grammophon kaputtgegangen, die ganze Gasse hatte es auch satt, dauernd mit den Fingern die Platte zu drehen. Jahrelang blieb das Grammophon so kaputt in einem Zimmer stehen, jetzt haben die Kinder das Grammophon auf vier Räder gesetzt und daraus ein Auto gebaut.«

Als er mir diese Grammophon-Geschichte erzählte, sah

er keine aufgehenden Wände mehr. Ich dachte, ich hätte dieses Wunder geschafft.

Der schizophrene Junge wollte mir unbedingt seinen besten Freund vorstellen, der auch in diesem Haus wohnte. Wir gingen über den knarrenden Holzboden der langen Korridore, in einem Zimmer flogen Kanarienvögel frei herum. Der Freund des schizophrenen Jungen hieß Hüseyin, ein kleiner Mann mit einem dünnen Schnurrbart, der wie ein Sultanssohn aussah. Der schizophrene Junge sagte mir, Hüseyin wäre der Sohn eines tanzenden Derwischs. Die Männer in dessen Mevlevi-Orden würden sich in weißen, weiten Kleidern stundenlang um sich selbst drehen und wollten durch diese Drehungen in Trance kommen, um in dieser Ekstase zwischen Gott und der Erde zu vermitteln.

Als Hüseyin hörte, daß ich in Deutschland gewesen war, fragte er mich, ob ich Heinrich Böll gelesen hätte. Ich kannte Böll nicht. Er gab mir ein Buch in deutsch und sagte: »Hier, es ist mein Lieblingsbuch. Du mußt es unbedingt lesen.« Sie kochten Tee, ich schlug im Buch eine Seite auf, und Hüseyin sagte: »Das ist eine Geschichte nach dem Zweiten Weltkrieg in Deutschland.« Das Buch von Böll hieß: »Und sagte kein einziges Wort«. Ich sagte: »Ich bin schwanger.« – »Bist du sicher?« fragten mich beide. »Ich glaube, ich bin sicher.« – »Warte noch ein paar Tage, vielleicht verzögern sich deine Tage durch die lange Reise. Sonst müssen wir eine Lösung suchen.« Hüseyin sagte: »Ich habe eine Freundin, die einen Arzt kennt. Sie war selbst schon einmal bei ihm.«

Mit dem Schiff fuhr ich wieder auf die asiatische Seite zu meinen Eltern, um noch ein paar Tage zu warten. Am nächsten Tag, kurz nachdem der Vogel Memisch zu singen angefangen hatte, kam plötzlich die Mutter des schizophrenen Jungen zu uns und erklärte meinen Eltern, daß ihr Sohn mich heiraten wollte. Meine Mutter sagte: »Ich weiß jetzt nicht, was ich sagen soll. Ich dachte, sie wären nur Freunde von Balkon zu Balkon.« Die Mutter des Jungen sagte: »Das dachte ich auch, aber er sagt, er liebt sie seit Jahren, seit der Zeit, als die beiden noch Kastanien ins Meer geworfen haben. Aber bitte überlegen Sie es sich gut, er ist krank. Wir hoffen aber, daß er gesund wird.« Die Mutter des schizophrenen Jungen war nicht allein gekommen. Neben ihr saß ein Mann, ein Verwandter, diesen Mann kannten meine Eltern, er war der Vorsitzende einer Partei, sein Foto sah man jeden Tag in der Zeitung. Vielleicht wagten meine Eltern deswegen nicht, nein zu sagen. Als die beiden gegangen waren, sagten meine Eltern zu mir: »Wir lieben diesen Jungen. Aber tu das nicht, so etwas macht man nur, wenn man sich opfern möchte. Du kannst selber davon krank werden.« Die Mutter des Jungen sagte mir: »Sein Arzt möchte dich sprechen.« – »Ich denke«, sagte der Arzt, »Sie wissen nicht, was Schizophrenie ist. Wenn Sie ihn verlassen, wird er noch kränker. Überlegen Sie sich das gut.« Danach lief ich mit der Mutter des Jungen eine Straße herunter und schaute ihr Profil an. Sie war eine schöne Frau, noch jung, aber sie ging sehr langsam, als ob sie ihren Jungen auf dem Rücken mittrug. Ich sagte zu ihr: »Ich will ihn heiraten.« Sie kam mit ihrem Sohn zu uns, wir tranken Limonade. Am nächsten Tag besuchte mich der Junge mit seinem Freund, dem Derwisch-Sohn Hüseyin, und wir gingen zu dritt zum Friedhof, wo der heilige Großvater des Jungen begraben war. Der Friedhof lag auf einem Hügel am Meer. Zwischen den schiefen Grabsteinen sahen wir den Bosporus. Die Fährschiffe fuhren vorbei, auf dem Deck saßen Mädchen, und ich dachte, sie sind alle in die Schenkel gekniffen worden. Als der schizophrene Junge vor dem Grabstein seines Großvaters betete und uns nicht sah, gab mir Hüseyin ein Buch. »Lies diesen Roman. Er handelt von einer französischen Frau aus dem 18. Jahrhundert, die sich für einen Mann opfert. Du bist wie diese Frau. Komm in vier Tagen zum Hafen auf der europäischen Seite und bring mir das Buch zurück.« Nach vier Tagen fuhr ich mit dem Schiff zur europäischen Seite. Hüseyin fragte mich: »Hat dir das Buch gefallen?« – »Ja, aber ich bin nicht diese Frau.« – »Du willst sie vielleicht werden«, sagte Hüseyin. »Hüseyin, ich glaube, ich will nicht heiraten, ich wollte ihn nur retten.«

»Das schaffst du nicht«, sagte Hüseyin, »mein Freund ist sehr krank. Nach zwei Tagen gehst du weg, dann bist du die Schuldige.« Dieses Wort traf mich wie eine Backpfeife. Ich knetete meine Finger und hörte die Knack-Geräusche. Als ich alle Finger dreimal durchgeknetet hatte, fragte mich Hüseyin: »Was wolltest du machen, bevor diese Heiratsgeschichte kam?« – »Schauspielerin.« – »Rette die Schauspielerin.«

Ein Schiff legte an, viele Leute sprangen herunter und liefen in Richtung einer sonnigen Straße. »Überleg es dir gut«, sagte Hüseyin. Das Schiff wartete. Ich fuhr damit zurück zur asiatischen Seite, viele Männer und Frauen auf dem Schiff lasen Zeitungen. In CUMHURIYET gab es ein Foto: »Der rote Rudi Dutschke«. Die Nachricht war: »Tausende Studenten sind in Westberlin auf der Straße mit der Polizei zusammengestoßen.«

Berlin war für mich wie eine Straße gewesen. Als Kind war ich bis Mitternacht auf der Straße geblieben, in Berlin hatte ich meine Straße wiedergefunden. Von Berlin war ich in mein Elternhaus zurückgekehrt, aber jetzt war es für mich wie ein Hotel, ich wollte wieder auf die Straße. Auf dem Schiff nahmen die Männer ihre Zeitungen vor ihren Gesichtern herunter und schauten mich an. Jeden Abend würde ein Schiff voller Menschen kommen, um mich als Schauspielerin auf der Bühne zu sehen. Die Männer werden sich in mich verlieben. Ich merkte plötzlich, daß ich sehr neugierig war, wie diese Männer, die sich in mich verlieben würden, aussähen. Ich wollte wie Molière auf der Bühne sterben, zwischen den Kulissen. Ich sah mich auf der Bühne, andere Schauspieler trugen mich auf ihren Armen, ich blutete aus dem Mund, starb und hinterließ keine Kinder, die nach meinem Tod weinen müßten. Das Schiff befand sich gerade in der Mitte zwischen dem asiatischen und europäischen Istanbul. Die Schauspielerin kam aus meinem Körper heraus, vor sich her schob sie einen Mann und ein Kind und warf sie vom Schiff ins Marmara-Meer. Dann kam sie zurück und ging wieder in mich hinein. Als das Schiff auf der asiatischen Seite ankam, wußte ich, daß ich in meinem Leben niemals heiraten wollte. Ich konnte gar nicht warten, bis ich zu Hause war. Bevor ich in den Bus einstieg, rief ich meine Mutter an. »Ich will nicht heiraten, ich will in die Schauspielschule gehen.«

»Du kannst Deutsch sprechen, warum willst du heiraten? Wenn du eines Tages heiraten willst, gibt es so viele Männer.« Ich merkte, daß ich am Telefon mit meiner Mutter leichter sprechen konnte als zu Hause. Das Telefon stand auf der Straße, und die Straße gab mir Mut, aber zu Hause schloß ich mich einen ganzen Tag in meinem Zimmer ein, bis Hüseyin dem schizophrenen Jungen gesagt hatte, daß ich ihn nicht heiraten könnte.

Hüseyin machte mich mit seinen Freunden bekannt, sie nannten sich Surrealisten – ein paar junge Männer, die Kunst studierten, und ein Mädchen. Hüseyin sagte: »Hier stelle ich euch eine wunderbare Schauspielerin von morgen vor.« Einer der Jungen rief: »Medea, willkommen!« Sie versammelten sich in den Wohnungen ihrer Eltern, wickelten die Bettwäsche ihrer Mütter um ihre nackten Körper wie die Römer, saßen im Kreis in einem Zimmer und stellten sich Fragen, die sie aus einem Buch der surrealistischen Bewegung der Franzosen und Spanier auswendig gelernt hatten. »Wir wollen poetisch leben, deswegen müssen die von der Zivilisation unterdrückten Bedürfnisse befreit werden.« Wenn einer etwas fragte, mußte der neben ihm Sitzende sofort antworten. Das Mädchen stand hinter ihnen und guckte ihnen so zu, wie die Frauen in einem Spielcasino hinter den pokerspielenden Männern stehen und zugucken. Ein Junge fragte: »Wie denkst du über gleichzeitige Masturbation des Mannes vor der Frau und der Frau vor dem Mann?« Der andere sagte sofort: »Ich finde das sehr gut.«

Ein anderer fragte: »Was hältst du vom Exhibitionismus beim Mann?«

»Das läßt mich kalt.«

»Mich ebenfalls. Es hat nur eine soziale Bedeutung.«

»Wie denkst du über das Bordell?«

»Es ist so la la, es ist nicht sehr gut, aber immerhin.«

»Ich halte es für sehr übel.«

»Wenn mir eine Frau gefällt, ja.«

»Welche Bedeutung hat deiner Meinung nach das Sprechen beim Geschlechtsakt?«

»Eine normale Bedeutung, und zwar eine negative. Manche Sätze können mich ganz am Lieben hindern.«

»Manche Wörter können die Lust steigern.«

»Inwieweit und wie oft können ein Mann und eine Frau gleichzeitig zum Höhepunkt kommen?«

»Sehr selten.«

»Ist die Gleichzeitigkeit, von der wir hier sprechen, wünschenswert?«

»Sehr.«

»Was hältst du von der Homosexualität?«

»Ich halte sie für zulässig, aber sie interessiert mich nicht.«

»Wenn sich zwei Männer lieben, keine moralischen Einwände.«

»Und zwei Frauen?«

»Ich stelle mir vor, daß die eine Frau den Mann und die andere die Frau spielt oder daß sie 69 praktizieren.«

»Ich habe niemals mit einer Lesbierin gesprochen.«

»Wie denkst du über Onanie?«

»Die Onanie kann nur ein Ersatz sein.«

»Ich sehe in der Onanie weder Ersatz noch Trost. Die Onanie ist in sich und absolut ebenso legitim wie die Homosexualität.«

»Hat nichts miteinander zu tun.«

»Es gibt keine Onanie ohne Vorstellungen von Frauen.«

»Und die Tiere?«

»Das soll wohl ein Witz sein?«

»Welchen Unterschied machst du zwischen den Vorstellungen von Frauen beim richtigen Geschlechtsakt und bei der Onanie?«

»Der Unterschied zwischen Traum und Phantasie im wachen Zustand.«

»Diese Antwort ist äußerst vage. Der Unterschied besteht darin, daß man bei der Onanie wählt und sogar sehr heikel ist, während man beim Geschlechtsakt keine Wahl hat.«

»Richtig.«

Das Mädchen, das den Jungs im Stehen zuhörte, unterbrach diese manchmal und korrigierte ihre Sätze. Sie kannte die Sätze genau, weil sie sie aus dem Französischen ins Türkische übersetzt hatte. Sie studierte in Paris und sagte zu mir: »Die Sätze stammen von den französischen Surrealisten Breton, Tanguy, Peret, Prévert, Man Ray aus dem Jahre 1928.« Die Jungen gaben auch mir Bettwäsche, ich wickelte sie um meinen Körper, sie fotografierten mich von vorne und im Profil und sagten: »Willkommen im Surrealismus.« Ich mußte sofort einen Traum erzählen. Das Mädchen sagte: »Sie wollen, daß du sie mit deinen Traumbildern verzauberst und in ihrer Phantasie ein Zimmer aufmachst.« Ich erzählte einen Traum, den ich in Berlin gehabt hatte. Ich hatte im Himmel über einer Wolke gestanden. Die Wolke war wie eine große Decke gewesen. Ich bückte mich und öffnete sie und sah unten auf der Erde meine Mutter und meinen Vater auf einer steilen Wiese stehen.

Das Mädchen, das in Paris studierte, sagte: »Politisch ging die surrealistische Bewegung 1928 in Frankreich mit der Kommunistischen Partei zusammen, bewahrte aber ihre Freiheit nach innen, deswegen distanzierte sich die Partei eines Tages von den Surrealisten.« Das Mädchen hatte eine sehr dunkle, tiefe Stimme, die klang, als ob man eine Handvoll Sand ständig über einen seidenen Stoff reiben würde. Sie liebte ihre Stimme und hörte sich gerne zu. Sie sagte: »Ein Gehirn ist wie der Körper einer Balletttänzerin, nur wenn sie viel übt, kann sie gut tanzen. Die guten Ballerinen üben zuerst mit sehr schweren Kostümen, um später leicht tanzen zu können. Sie hängen Blei an ihre Hosenbeine und üben und üben. Die Regel ist, zuerst mit schweren Kostümen das Tanzen zu üben. Unser Gehirn muß sich die Arbeit einer Balletttänzerin als Beispiel nehmen. Alle Begriffe, die sehr schwer zu lernen sind, lernen, lernen, um das passive Leben unserer Intelligenz aufzuwecken.« Ich hörte mir diese schwierigen Sätze mit großen Augen an. Das ist das Blei an meinem Rock wie bei einer Balletttänzerin, die mit Übungen anfängt, dachte ich. Sie hatte das passive Leben ihrer eigenen Intelligenz aufgeweckt, und jetzt wollte sie meines aufwecken. Die tiefe Stimme des Mädchens gefiel mir sehr. Sie sagte: »Die surrealistische Sprache besteht aus gemeinsamen Dialogen. Mehrere Gedanken stehen sich gegenüber. Die Worte, die Traumbilder, bieten sich dem, der zuhört, als Sprungbrett des Geistes an. Sie wollen nicht analysieren, sie wollen wie

in einem Opiumrausch im Bilderrausch sein. In der Tiefe
unseres Geistes sind seltsame Kräfte. Deswegen ist jedes
spontane Schreiben, Erzählen, Antworten, Fragen wichtig.
Die Surrealisten waren gegen die Ideale Familie, Vater-
land, Religion, Kinderzeugung. Das waren Bedrohungen,
weil man eine untergeordnete Rolle spielen mußte, und
das setzte der Phantasie Grenzen, versklavte die Phantasie.
Freiheit, Liebe, Poesie, Kunst, das waren die Flammen, die
Persönlichkeit und Phantasie erweiterten.« Das Mädchen
hätte noch weitererzählt, aber die Mutter des Jungen, wo
wir uns versammelt hatten, machte die Zimmertür auf, sah
uns alle in ihre Bettwäsche gewickelt. »Kinder, ich weiß,
daß ihr spielt, aber könnt ihr nicht meine Wäsche in Ruhe
lassen?« Ihr Sohn versuchte, die Tür, hinter der sie stand,
zuzudrücken. Sie rief hinter der Tür: »Mein Sohn, soll ich
denn dauernd die Bettwäsche waschen. Guck, der Strom
ist schon wieder weg, wer weiß, wann er wiederkommt. In
der Waschmaschine wartet noch andere Wäsche.« Ihr Sohn
rief: »Mutter, wir haben die Bettwäsche nicht verschmutzt,
wir legen sie auch wieder zusammen.« Als Hüseyin und
das Mädchen mit der dunklen Stimme gemeinsam die
Bettwäsche zusammenlegten und sich dabei gegenüber-
standen, sagte Hüseyin zu ihr: »Unsere Freundin braucht
einen Arzt, sie ist schwanger.« Das Mädchen zog an dem
Bettuch und faltete es mit Hüseyin einmal zusammen: »Ich
kenne einen Arzt. Ich rufe ihn heute an. Natürlich macht er
das illegal, er ist sehr gut.« Als sie das Bettuch noch einmal
falteten, sagte Hüseyin: »Sie hat kein Geld.« Sie falteten das
Bettuch noch einmal, und das Mädchen gab Hüseyin das
fertig gefaltete Bettuch in die Hand, drehte sich zu ihrer Tasche um, holte 600 Lira heraus, gab sie mir und sagte: »Gib
das dem Arzt. Und hab keine Angst. Es ist so, als ob du dir
einen Fingernagel schneidest.« Als ich mit dem Schiff nach
Hause fuhr, standen am Hafen viele Zeitungsverkäufer ne-

beneinander, hielten die Zeitungen mit ihrer linken Hand hoch und schrien: »Che Guevara ist getötet.« Der tote Che Guevara lag auf einem Holzgestell, um ihn herum standen drei Soldaten, drei junge Männer, ein Polizist. Keiner von ihnen trug eine Krawatte, und der tote Che Guevara sah so aus, als ob er in die Kamera schauen würde. Viele Leute sammelten sich vor dem Zeitungsverkäufer, kauften die Zeitungen, und weil sie nicht glaubten, daß es wahr war, schauten sie immer in die Zeitung des Nebenstehenden, ob dort etwas anderes stünde. Sie vergaßen, in das Schiff einzusteigen. Das Schiff hupte und fuhr mit wenigen Leuten ab.

Nach zwei Tagen brachte Hüseyin mich zu dem Arzt. Er machte die Abtreibung mit seiner Krankenschwester illegal in seiner Mittagspause und sagte zu Hüseyin: »Sie soll heute Fleisch mit viel Salz essen.« Als ich mit Hüseyin über die Brücke vom Goldenen Horn lief, wußte ich nicht, ob die Brücke schwankte oder ich. Hüseyin brachte mich bis zum Hafen und sagte: »In zwei Tagen erwarte ich dich hier um neun Uhr. Ich werde dich zur Schauspielschule bringen. Die besten Theaterleute der Türkei sind dort Lehrer.« Auf dem Schiff saßen wieder die Menschen mit offenen Zeitungen vor ihren Gesichtern. Ich las die Nachrichten: »Amerika schickt noch 10 000 Soldaten nach Vietnam«, »Herzchirurg Dr. Barnard machte seine dritte Herztransplantation«. Ich ging auf die Schiffstoilette. Neben der Toilette saßen zwei Schiffsarbeiter an einem Tisch, einer las aus der Zeitung CUMHURIYET seinem Freund, der nicht lesen konnte, eine Nachricht vor. Er las die Wörter wie ein Kind im ersten Schuljahr. In der Toilette hörte ich weiter seine Stimme:

»Der Ab-ge-ord-ne-te der tür-kischen Ar-bei-ter-par-tei, Çetin Altan, ist im Par-la-ment von rechten Par-tei-abge-ord-neten verprügelt wor-den. Einer der Rechten rief zu

Çetin Altan: ›Du bist Kom-mu-nist, dein Bru-der ist sicher auch, wie du, Kom-mu-nist.‹ Çetin Altan blu-te-te am Kopf und sagte: ›Wir sind nicht Kom-mu-nisten, nicht Sowjets, wir sind So-zia-lis-ten.‹« Als ich nach Hause kam, sagte ich zu meiner Mutter: »Ich habe meine Tage bekommen.« Sie gab mir zwei Aspirin, ich warf sie ins Waschbecken und schaute mich im Spiegel an.

Zwei Tage später fuhr ich, bevor der Vogel Memisch anfing zu singen, auf die europäische Seite. Hüseyin wartete im Hafen und rauchte. Der Direktor der Schauspielschule war ein berühmter Schauspieler und Regisseur, Memet. Er hat-te in Amerika im Actor-Studio studiert, Marlon Brando war sein Lehrer gewesen. Ich liebte Marlon Brando. Memet saß mir gegenüber an einem Tisch, schwieg vier, fünf Minuten lang und schaute mir in die Augen. Dann, fast böse, fragte er mich: »Warum wollen Sie Schauspielerin werden?«

»Ich will poetisch leben. Ich will das passive Leben mei-ner Intelligenz aufwecken.«

»Andere Gründe?«

»Ich liebe Filme. Weil man innerhalb von eineinhalb Stunden eine Geschichte ohne Löcher sieht. Es ist sehr schön, in einem dunklen Raum zu sitzen und zu weinen und zu lachen. Ich möchte am Theater die Gefühle der Zu-schauer wecken.«

Memet gab mir ein Buch, Hamlet von Shakespeare, und sagte: »Lesen Sie.« Während ich las, stand er auf, ging hin-ter meinen Rücken und deckte mit seinen Händen meine Augen zu. »Sagen Sie mir schnell, was ich anhabe. Welche Farbe hat mein Hemd? Und meine Haare? Sind sie nach links, nach rechts oder nach hinten gekämmt? Trage ich eine Uhr? Sagen Sie auch, was auf dem Tisch liegt!« Mit geschlossenen Augen sagte ich ihm, was ich gesehen hat-te. »Machen Sie Ihre Mutter oder Ihren Vater nach.« Ich machte nach, wie mein Vater rauchte. Memet sagte: »Erste Bedingung, um Schauspielerin zu werden, ist es, nachahmen zu können. Vater und Mutter kann man gut nachahmen, weil man sie kennt. Aber man muß jeden nachahmen können, und das geht nur, wenn man das Beobachten lernt und das Wesentliche beobachtet. Kommen Sie am Montag um neun Uhr zum ersten Unterricht und lesen Sie bis dahin drei Theaterstücke.«

Unten auf der Straße nahm ich Hüseyin auf meinen Rükken und trug ihn die steile Straße herunter. Hüseyin erzählte mir auf meinem Rücken: »Wußtest du, daß die ersten Schauspielerinnen in Istanbul Armenierinnen waren? Später gab es dann auch ein paar türkische Frauen, die auf die Bühne stiegen. Die Zeitungen schrieben über sie: Die, die ohne Unterhosen sind, sind wieder auf der Bühne. Der Polizeichef kam ins Theater und sagte zu den Schauspielerinnen: ›Treten Sie nicht ohne Unterhose auf. Ziehen Sie Ihre Unterhosen an.‹ Manchmal wurden sie zur Polizeipräfektur gebracht und dort gefragt: ›Zieht ihr eure Unterhosen an?‹ Die Schauspielerinnen sagten: ›Ja, wir ziehen sie an.‹ Dann ließ man sie wieder frei.« Hüseyin stieg von meinem Rükken runter und sagte: »Jetzt bist du auch eine von denen ohne Unterhosen.«

Unser Lehrer Memet behielt uns von neun Uhr morgens bis Mitternacht in der Schule. Er fing den Unterricht mit zwei Stunden Gymnastik an und sagte: »Negro-neutral-vorne.« Wenn er negro sagte, mußte man den Popo wie ein Neger rausstrecken. Neutral bedeutete, ihn wieder an seinen alten Platz zurückziehen. Und vorne bedeutete, ihn nach vorne zu drücken. Ich fand sofort eine Freundin, sie sprach fünf Sprachen und wollte unbedingt wissen, was Orgasmus ist. Sie sagte mir, daß sie mit ihrem Mann im Bett unsere Gymnastikübung Negro-neutral-vorne gemacht und trotzdem keinen Orgasmus bekommen hatte. Wenn

Memet uns an manchen Abenden zu lange in der Schule
behielt, schlief ich bei ihr und ihrem Mann. Sie hatten ein
sehr großes Bett, und weil sie nicht oft miteinander schliefen, schlief ich mit ihnen im gleichen Bett, und wir lasen
gemeinsam die Rollen der Theaterstücke. Einmal sollte ich
dabei zugucken, wie sie zusammen schliefen, um zu sehen,
wer schuld daran hatte, daß sie keinen Orgasmus bekam.
Sie fingen an, sich zu küssen, ich kicherte, auch sie fingen
an zu lachen und konnten nicht weitermachen. Manchmal
während des Unterrichts schrieb sie einen kleinen Zettel
und gab ihn mir heimlich zum Lesen. Darauf stand: »Ich
bin seit 660 Tagen verheiratet und kenne noch keinen Orgasmus. Ist das nicht eine verlorene Zeit?« Auch unser Lehrer Memet redete von verlorener Zeit. Einmal kam er mit
drei Puppen in den Unterricht. Er sagte zu uns, er wäre der
griechische Halbgott Saturn – »Saturn war Zeus' Vater – Saturn aß seine Söhne, nur Zeus konnte sich retten.« Memet
tat so, als ob er diese drei Puppen essen würde, und sagte:
»Saturn aß seine Kinder, weil er die Zeit essen wollte. Kinder waren Zeit.« Memet meinte, auch wir äßen unsere Zeit
mit leeren Gedanken, wir läsen nicht. Man sollte die Zeit
nicht essen, sondern füllen. »Wer kennt von euch Jean-Paul
Sartre? Kennt ihr seine Bücher? Sartre hat die Zeit nicht
gegessen, deswegen geht er der Zeit voran.« Für jedes Wochenende gab Memet uns Fragebögen mit nach Hause. Die
Fragen waren: Was habe ich diese Woche getan, um mein
Bewußtsein zu erweitern? Welches Buch habe ich gelesen?
Um Antworten geben zu können, las ich das Theaterstück
»Woyzeck«, das ich sehr liebte. In dem Buch gab es ein
Foto von Büchner, ein Junge, der wie ein Vogel aussah und
mir in die Augen guckte. Ich schämte mich vor Büchner,
weil er mit 20 Jahren so schöne Stücke geschrieben hatte
und so jung gestorben war und wir in seinem Alter unsere
Zeit aßen. Ich wollte nicht mehr schlafen, weil man beim

Schlafen Zeit aß. In der Nacht las ich bis vier, fünf Uhr morgens, meine Mutter kam ins Zimmer, machte das Licht aus und sagte: »Strom ist teuer.« Ich antwortete ihr im Dunkeln mit einem Satz aus Hamlet: »Schlafen, sterben vielleicht.« In diesen Nächten, als ich bis morgens wach blieb, sah ich, daß auch in vielen anderen Häusern das Licht an war. Manchmal ging das Licht aus und nach zwei Minuten wieder an. Vielleicht machten auch dort die Mütter das Licht aus, und ihre Kinder, die lasen, machten es wieder an. Ich hätte gerne gewußt, was sie lasen. Die Nächte waren heiß, und meine Bücher waren mit Blut beschmiert, weil ich mit ihnen die Moskitos tötete. Ich dachte, vielleicht sind auch die Bücher der anderen, die in der Nacht lange lesen, mit Moskito-Blut beschmiert.

Auch Memet brachte einmal ein Buch in die Schule, das mit Moskitoblut beschmiert war, die Prometheus-Sage. Der Name des Prometheus bedeutete: derjenige, der vorher schon alles sah. Prometheus wohnte mit anderen griechischen Göttern am Olymp, er stahl das Feuer und gab es den Menschen. Das Feuer aber gehörte nur den Göttern. Deswegen war Zeus zornig auf Prometheus, kreuzigte ihn auf einem Berg und schickte tagsüber einen Adler dorthin. Der Adler fraß die Leber des Prometheus, aber in der Nacht bildete sich die Leber wieder neu, am nächsten Tag kam der Adler zurück und fraß die Leber wieder. Memet legte sich in der Klasse auf den Boden wie der gekreuzigte Prometheus. Wenn der Adler kam und seine Leber fraß, schrie Memet minutenlang und sagte dann zu uns: »Ihr müßt wie Prometheus das Feuer von den Göttern stehlen und den Menschen bringen! Wer von euch kennt die Petrolprobleme der Türkei? Wißt ihr, daß wir unsere Bodenschätze nicht benutzen dürfen, damit Amerika uns seine Bodenschätze teuer verkaufen kann? Wenn euch die Schlange auch nicht beißt, beißt sie aber die anderen, die

Schwächeren. Und was werdet ihr machen? Der Schlange applaudieren? Oder euch unter die Gebissenen mischen und ihnen wie Prometheus das Feuer bringen?« Memet liebte auch Michael Kohlhaas. Er sagte: »Michael revoltierte wegen eines Pferdes gegen die Mächtigen. Das ist es! Wegen eines Flohs kann man eine Bettdecke verbrennen. Das sind die großen Charaktere, die über ihre Grenzen gegangen sind. Ihr müßt über eure Grenzen gehen! Ihr müßt alle Gefühle aus eurem Körper rausholen, bis ihr sie kennengelernt habt. Dann gehen eure Grenzen auf. Theater ist ein Laboratorium, in dem die Gefühle unter dem Mikroskop untersucht werden. Aber erst müßt ihr sie aus eurem Körper rausholen.« Bei dem letzten Satz legte Memet seine Hand über sein Geschlechtsteil, zog dann die Hand ganz langsam wieder hoch, als ob er seine inneren Organe aus dem Körper rausziehen würde, und schrie dabei.

Ein anderer Lehrer hatte in Deutschland studiert und liebte wie der kommunistische Wohnheimleiter bei Telefunken in Berlin das epische Theater und Bertolt Brecht. Er sagte: »Ihr dürft nicht mit den Gefühlen, sondern müßt mit dem Kopf spielen, ihr müßt die Wissenschaft heranziehen und die Beziehungen der Menschen soziologisch analysieren. Ihr könnt nicht alles aus euren Körpern herausholen. Ihr sollt nicht in euch hineinhören, sondern auf eure Umwelt schauen, beobachten. Mit Schreien und Brüllen zeigt ihr nicht die Welt, sondern nur euch selbst. Das Drama entsteht aber nur zwischen der Bühne und dem Zuschauerraum und nicht auf der Bühne alleine.« Bei ihm mußten wir unsere Figuren soziologisch erforschen und darstellen. So könnten die Zuschauer über sich selbst und ihre Weltanschauung etwas erfahren und sich dem Stück und seinen Figuren gegenüber positiv oder negativ verhalten. Sie könnten anfangen, untereinander zu kämpfen oder sich sogar zu schlagen. Manche Zuschauer würden vielleicht das Theater verlassen. »Der Kopf eines guten Schauspielers muß wie ein Trapezartist oder Seiltänzer arbeiten, in jeder Sekunde zwischen Tod und Leben.«

Wir Schüler nannten unsere beiden Lehrer Körperist und Kopfist. Bei dem einen ließen wir unsere Körper vor der Klassenzimmertür und gingen nur mit unseren Köpfen in den Unterricht, bei dem anderen ließen wir die Köpfe vor der Klassenzimmertür und gingen als Körper in die Klasse. Ich kam nach Hause, legte mich auf den Teppich, warf meinen Körper hin und her, schrie und übte, Gefühle aus dem Körper herauszuholen. Die alte Tante Topus sah das und sagte: »Dein Vater soll dich ins Irrenhaus bringen.« Oder ich setzte mich als Kopf an den Tisch gegenüber meiner Mutter und sagte zu ihr: »Was hast du, um dein Bewußtsein zu erweitern, diese Woche gemacht?« Meine Mutter fragte mich, was Bewußtsein heißen sollte. Weil ich nicht richtig antworten konnte, fragte ich sie wie die Studenten in Berlin: »Mutter, wer war zuerst da, die Henne oder das Ei?« Meine Mutter lachte und sagte: »Du bist das Ei, das aus meinem Popo rausgekommen ist, und du findest die Henne, aus der du herausgekommen bist, nicht mehr gut genug. Mach mich nicht böse, sonst pisse ich auf das Wort Bewußtsein. Du ißt dich mit dem Geld deines Vaters satt und willst mir neue Modewörter verkaufen. Verkauf deine Wörter am Theater.« Ich antwortete meiner Mutter als Hamlet: »Es ist etwas faul im Staate Dänemark.«

Einmal gab uns Memet im Unterricht Fotos in die Hand und sagte: »Fotografien beeinflussen ständig unsere Vorstellung von der Erscheinung der Dinge. Wenn man etwas anschaut, betrachtet man es nicht nur direkt, sondern auch unter dem Eindruck dessen, was Fotografien einem schon vorher vermittelt haben. Ihr müßt in das Bild hineinwandern und entschlüsseln, was ihr für seine Wirklichkeit haltet. Und das Gefühl, was euch dieses Foto vermittelt hat, müßt ihr auf der Bühne mit einer Stimme und dem Körper darstellen.« Er gab mir ein Foto. Ein Toter lag mit offenem Mund auf der Erde, er war so mager wie ein Skelett, nackt, seine Wangenknochen, sein Knie und Schulterknochen ragten aus dem Körper heraus, als ob er in einer Wüste läge und der Körper langsam austrocknete. Aber es gab Bäume in seiner Nähe auf dem Foto. Ich ging auf die Bühne, schaute mir das Foto zwei Minuten lang an, schrie und warf mich hin und her, zog an meinen Haaren und kotzte wirklich auf die Bühne. Nach dieser Improvisation nahm mich unser Lehrer Memet in seine Arme. Ich atmete tief an seiner Brust und stöhnte. Memet sagte, er könne heute keinen Unterricht mehr machen. »Der tote Mann auf dem Foto ist ein Jude, und der Ort ist ein Konzentrationslager.« Daß es in der Nähe von diesem toten Mann Bäume gab, machte mich fast verrückt. Ich kratzte während des Unterrichts ständig an meinen Beinen, bis sie bluteten.

Wenn ich auf dem Schiff zwischen Europa und Asien saß und die Zeitungen der anderen las, schaute ich jetzt immer auf die Zeitungsfotos und versuchte, die Gefühle zu betrachten, die diese Fotos mir vermittelten. Auf einem Foto hielt ein Mann ein großes Messer an den Hals seines Kindes. Das Kind hielt in der Hand ein Spielzeug, der Mann war unrasiert, und an seinem Hemd sah man, daß er sehr verschwitzt war, er stand zwischen staubigen Steinen und Holzbalken. Die Polizei hatte sein illegal gebautes Slum-Haus eingerissen. Um die Polizei an dem weiteren Abriß zu hindern, drohte er, seinem kleinen Sohn den Hals abzuschneiden, wenn sie weitermachen würden. Auch die Pyjama-Jacke seines Kindes war verschwitzt. In den Zeitungen gab es oft Fotos von dem regierenden Parteichef Demirel, der z. B. neben dem amerikanischen Präsidenten Johnson stand, sie schwitzten nicht. Aber das Hemd des amerikanischen Soldaten, der auf einem anderen Foto in

Vietnam ganz allein mit seinem Maschinengewehr durch den dichten Dschungel lief, war auf der Brust naßgeschwitzt, wie das Hemd des armen Mannes aus dem Slumviertel in Istanbul. Oder das Foto von einem Vietcong-Kämpfer, der gerade von einem amerikanischen Soldaten eine Kugel durch den Kopf bekommen hatte: Diesem Mann hatten sie die Hände nach hinten gebunden, und auch sein Hemd war verschwitzt. Oft gab es Fotos von Grubenunfällen am Schwarzen Meer. Die Familien der Toten trugen 60 Särge unter der starken Sonne, und die Hemden der Männer, die die Särge trugen, waren auch verschwitzt. Die Haare der Ehefrauen der toten Grubenarbeiter klebten an ihren Wangen oder Stirnen. Sehr oft gab es Fotos von Palästinensern und Juden, sie standen auf den Straßen, vor ihnen lagen Leichen, und die Hemden und Haare der Juden und der Palästinenser waren verschwitzt. Auf einem Foto trug ein jüdischer Mann eine Brille, aber die Brille war vom Schwitzen heruntergerutscht. Er schaute auf die auf der Straße liegenden, durch Bomben zerfetzten Körperteile seines Sohnes. Das große Schwitzen hatte ich schon als Kind gesehen. Mit der Schulklasse waren wir in eine Fabrik gegangen. Dort gab es ein großes Feuer, die Arbeiter legten glühende Eisenstücke aus dem Feuer in das Wasser und schwitzten. Wir Kinder fingen auch an zu schwitzen und kamen mit nassen Schulkitteln und Haaren aus der Fabrik heraus. Ich hatte ein kleines Eisenstück gestohlen, nahm es mit nach Hause, und wenn ich meine Schularbeiten machte, nahm ich es öfter in meine Hand, es war sehr schwer. Die Lastträger trugen schwere Sachen auf ihren Rücken und schwitzten. Wenn ich in den Bus einstieg, sah ich manchmal einen freien Platz, auf dem es Schweißspuren gab. Einmal stand im Bus neben mir ein Zwerg. Er schaute von unten her zu mir hoch und schwitzte. Wir standen an der Bustür. An jeder Haltestelle öffnete sich die Tür, unsere Schatten fielen auf die Straße, und auch sein Schatten blieb klein neben meinem. Vielleicht rückte deswegen der Zwerg an jeder Haltestelle näher an mich heran, so fiel irgendwann sein Schatten genau über meinen, und es entstand ein einziger großer Schatten. Als er seinen Schatten auch bei den nächsten Bushaltestellen in meinem versteckte, fing auch ich an zu schwitzen. Einmal sah ich einen Wasserverkäufer unter der Brücke vom Goldenen Horn, er trocknete gerade mit einem Tuch seinen Schweiß ab, fiel um und war tot. Von seinem toten Gesicht liefen die Schweißperlen weiter auf die Erde. In den Zeitungen gab es Überschriften über streikende Arbeiter: »Der Arbeitgeber will den Schweiß der Arbeiter zu billigen Preisen kaufen.«

Auf der Bühne versuchte ich, die Figuren zu improvisieren, die schwitzten, und wollte so das Drama einer Figur zeigen. Aber es war schwer, auf der Bühne richtig zu schwitzen, deswegen nahm ich ein Glas Wasser und kippte es auf meine Haare, bevor ich auf die Bühne ging, oder ich schmierte auf meine Stirn kleine Vaselinetropfen und klebte einige Haare darauf.

Einmal spielte ich eine Arbeiterin, die durch Polizeikugeln starb. Während sie starb, sollte sie aus dem Mund bluten. Ich hatte in meinem Mund einen kleinen Plastikbeutel mit künstlichem Blut, biß in diesen Beutel, der platzen sollte, aber er platzte nicht. Ich biß noch mal und noch mal, und das brachte mich und die anderen zum Lachen. Aber dann fragten wir uns: Die Leute sterben wirklich, und wir lachen, was machen wir hier? Wir dachten, wir sind Parasiten und leben von dem Blut der anderen, die wirklich bluteten oder schwitzten. Die Schüler, die links waren, fragten: Theater für Kunst oder Theater für das Volk? Wie könnte man mit dem Theater zum Volk herabsteigen? So spielten sie Arbeiter, die entweder Helden oder arme, gute Menschen waren. Unser Brecht-Lehrer sagte: »Ihr spielt nicht die Arbeiter, sondern eine Meinung über sie, und um Mitleid und Schmerz zu erzeugen, schreit ihr nur.« In der Zeitung sah ich auf einem Foto eine Arbeiterfrau, deren Mann von der Polizei getötet worden war. Sie preßte einen Zipfel ihres Kopftuchs an ihren Mund, vielleicht um gerade nicht zu schreien. Ich sah auch das sich vom Kopf lösende Tuch einer Mutter aus Palästina, die vor der Leiche ihres getöteten Kindes stand, oder den gerade herunterfallenden Hut eines Juden, der sich auf der Straße zu einem sterbenden Kind bückte. Aber das Schreien war eine große Mode in der Schauspielschule. Die ganze Schule schrie und schrie. Die Straßenfeger aus Anatolien liefen wegen ihrer niedrigen Löhne zu Fuß 750 Kilometer nach Istanbul, und wir schrien in der Schauspielschule in der Rolle eines dieser Straßenfeger. Wir schrien wie die Boulevardpresse: »Schrei eines Arbeiterkindes«, »Der ungehörte Schrei eines Armen«, »Das verhungernde Volk schreit«. Unser Lehrer, der Brecht liebte, sagte: »Ihr dürft nicht schreien, sondern müßt die Geschichte untersuchen. Weil ihr die Geschichte nicht untersucht, fällt, was in der Welt passiert, wie ein Alptraum auf euch herab, und ihr stellt nicht die Realität dieser Menschen dar, sondern eure Gefühle diesem Alptraum gegenüber, und daraus macht ihr einen neuen Alptraum. Wer kennt von euch einen Arbeiter? Niemand. Oder Menschen im Krieg? Ihr stellt schreiende Denkmäler her, aber die Analyse der Geschichte fehlt. Hört auf mit dem Schreien, ihr werdet noch krank. Schreien ist eure Maske. Setzt die Maske ab und lest Geschichtsbücher über das Ottomanische Reich.« Wir schrien aber weiter, das Schreien ging bis in unsere Schlafzimmer, auch dort nahmen wir diese Maske nicht ab. Ich schlief mit ein paar Jungen aus der Schauspielschule. Sie wohnten in Kellerwohnungen mit anderen jungen Leuten zusammen, entweder gab es drei, vier Vögel, die in der Wohnung frei herumflogen und auf alles schissen, oder es fielen viele leere Weinflaschen aus dem Schrank, wenn man ihn aufmachte. Wir schliefen zusammen, und die frei fliegenden Vögel schissen manchmal über unsere nackten Körper und Haare, es war schön, sich in den von den Vögeln vollgeschissenen Betten zu küssen, aber der Orgasmus mußte unbedingt ein Schrei sein. Ich kannte noch keinen Orgasmus, aber spielte ihn mit verschiedenen Schrei-Tönen. Auch die Jungs dachten, wenn sie kamen, sie müßten unbedingt schreien, sonst wäre das Kommen ungültig. Ich übte, wie ich am besten schreie, damit es nicht künstlich klang. Manchmal bekam man dabei einen Hustenanfall, wir husteten und husteten, und die Vögel schissen in dem Moment patsch patsch noch auf unsere Rücken, Stirn oder Beine. Am nächsten Morgen sagte der Junge zu mir: »Ich glaube, das war sehr schön für dich, du hast so schön geschrien. Laß uns wieder mal treffen, es war sehr schön mit dir.« So verabredeten wir uns, um wieder Schreien zu üben.

Einer unserer Lehrer, der uns Sprechen und Artikulieren beibrachte, unterbrach seinen Unterricht, wenn unten auf der Straße ein Straßenverkäufer vorbeilief und schrie. Alle Straßenverkäufer in Istanbul hatten ihre eigene Art zu schreien. Es waren sehr arme Männer, die, um Wasser oder Sesamringe oder Obst zu verkaufen, jeden Tag siebzehn Stunden durch die Straßen liefen und schrien.

Waaasssseerrr

Seessssaammrinnnngee

Guuuute Baaanaaaneen

Am späten Abend sah ich oft Straßenverkäufer, die auf den steilen Gassen von Istanbul ihre Holzkarren vor sich herschoben oder hinter sich herzogen. Ihre Karren waren noch halb voll mit Ware. Wohin brachten sie die Waren, wenn sie in ihren Einzimmerwohnungen mit ihrer ganzen Familie schliefen? Legten sie die Auberginen oder Gurken oder Bananen neben ihre Betten, um sie am nächsten Tag zu verkaufen? Roch das Zimmer die ganze Nacht nicht nur nach schlafenden, müden Menschenkörpern, sondern auch nach Bananen und Äpfeln? Es war verboten, auf der Straße zu verkaufen. Dafür gab es eine spezielle Polizei, die die Straßenverkäufer schnappen sollte. Öfter sah ich auf den steilen Straßen Verkäufer, die plötzlich mit ihren Holzkarren losrannten. Die Äpfel fielen dabei aus den Karren und rollten die steilen Straßen herunter. Oder die Holzkarre kippte auf die Seite, und wieder rollten Auberginen oder Artischocken die steilen Straßen herunter. Der Straßenverkäufer blieb dann neben seiner umgefallenen Karre stehen und schaute auf die Gesichter der Menschen, die vorbeigingen, und wollte, bevor er seine Äpfel aufsammeln ging, ihr Mitleid sammeln. Ihre Schreie, um die Menschen zu erreichen, klangen wie eine komponierte Musik, ihre unterschiedlichen Schreie flossen ineinander, und unser Lehrer, der uns Sprechen und Artikulieren beibrachte, sagte: »Wenn ich Gelegenheit hätte, meine Damen und Herren, würde ich manchen Straßenverkäufer als Opernsänger an der Oper singen lassen.« Wir sollten in Istanbul herumlaufen und uns alle diese Stimmen anhören, damit wir das Oratorium von Istanbul lernten. Alle diese Männer waren Bauern gewesen und waren mit ihren aufgerollten Betten nach Istanbul gekommen. Ich sah sie öfter auf der Brücke vom Goldenen Horn. Die niedrige Brücke wackelte durch das Meer unter ihren Füßen, und sie gingen, als ob sie durch eine Wüste liefen, deren Ende niemand sah, die aufgerollten Betten über ihren Köpfen, und als ob sie von der Ankunft an einer Wasserstelle träumten. Die Bauern sagten: »Die Straßen von Istanbul sind aus Gold«, und sie fuhren sechs, sieben Tage lang mit Lastwagen aus ihren Dörfern nach Istanbul, um dort eine Arbeit zu finden. Es gab einen Witz über die goldenen Straßen von Istanbul:

Ein armer Bauer kam in Istanbul an und stieß mit seinem Fuß sofort auf einen Klumpen Gold, groß wie ein Ziegelstein. Er hob das Gold auf und warf es ins Meer, weil er glaubte, alle Straßen seien aus Gold, warum sollte er das erste Gold aufheben? Unser Lehrer, der uns Sprechen und Artikulieren beibrachte, sagte: »Laßt die Straßenverkäufer schreien, deren Schrei ist kunstvoll, es ist ihr Schmerz, der sich zu einer Musik entwickelt hat. Anstatt zu schreien, schaut euch Stummfilme an und übt eine Weile, Schweigen zu spielen. Ihr werdet sehen, daß es schwer ist, aber wer hat euch gesagt, es wäre leicht, ein guter Künstler zu sein. In dem Brecht-Film ›Kuhle Wampe‹ begeht ein arbeitsloser Mann Selbstmord. Er springt aus dem Fenster. Aber bevor er springt, zieht er seine Uhr vom Arm und legt sie vorsichtig auf den Tisch. Dann springt er und stirbt. Wie werdet ihr die Szene spielen? Er denkt noch daran, seine Uhr abzuziehen, damit seine Familie die Uhr verkaufen und sich noch eine Weile davon ernähren kann. Und der Moment, als er seine Uhr hinlegt, erzählt den Zuschauern etwas Genaueres über die Figur und über die Arbeitslosigkeit. Mit einer solchen Genauigkeit könntet ihr die Gefühle der Zuschauer einfangen und sie gleichzeitig zwingen, über die sozialen Umstände der Arbeitslosen nachzudenken. Ihr müßtet euch gute Filme angucken und in den Filmen die Kamerabewegungen beobachten. Wie bewegt sich die Kamera von einer Großaufnahme auf ein Detail zu?«

Stummfilme gab es nur in einem Kino, in der Cinemathek. Hüseyin sagte: »Die Cinemathek ist das Zentrum der linken Intellektuellen. Und die linken Gewerkschaften reservieren für jeden Film zwanzig Karten und schicken zwanzig Straßenfeger oder Stahlarbeiter in die Cinemathek. Diese werden sich den Film anschauen und ihn den anderen Arbeitskollegen erzählen. Der französische Filmemacher Jean-Luc Godard hat gesagt: ›Was zwischen

den Ländern zuerst ausgetauscht wird, sind die Filme.‹«
Die Filme, die man in der Istanbuler Cinemathek zeigte,
waren Sowjet-Revolutions-Filme, z. B. »Panzerkreuzer Po-
temkin« von dem russischen Regisseur Eisenstein. Diesen
Stummfilm hatte ich schon in Berlin mit deutschen Linken
gesehen, das zweite Mal sah ich ihn jetzt mit türkischen
Linken. Hüseyin sagte: »Gut, daß wir heute hierhergekommen sind. Heute wird uns ein Mann, der Russisch kann,
den Film live übersetzen. Ein berühmter türkischer Kommunist, der jahrelang in Rußland im Exil gelebt hat.« Der
Mann war klein, hielt in seiner Hand das Mikrophon und
übersetzte die russischen Untertitel ins Türkische. Wenn
es in dem Film regnete, sagte er: »Jetzt regnet es, meine
Damen und Herren.« Wenn sich ein Paar küßte, sagte er:
»Jetzt küssen sie sich, meine Damen und Herren.« Das ganze Kino lachte, und er sagte ins Mikrophon: »Ach.« Die
linken Soldaten revoltierten gegen das zaristische Regime.
Ich schaute immer auf die Kamerabewegung und wiederholte leise, was ich sah: Ich sehe eine alte Frau, eine Kugel
trifft ihre Brille, die Kamera fährt nahe zur Brille, ich sehe
das zerstörte Glas. Dann sehe ich ein Schiff. Auf dem Schiff
sind unzufriedene Matrosen. Die Kamera fährt nahe zum
Fleisch, das man für die Matrosen kochen wird. In dem
Fleisch sehe ich viele Würmer, das Fleisch ist verfault.
Was ich in den Detailaufnahmen gesehen hatte, versuchte ich am nächsten Tag auf der Bühne zu spielen. Ich
kaufte zwei Brillen, bei einer machte ich das Glas kaputt,
dann spielte ich, daß man mich ins Gesicht schlug, tausch-
te heimlich meine Brille mit der kaputten aus und drehte
mich wieder zu den Schülern und meinem Lehrer Memet.
Sie sahen das zersprungene Glas der Brille, dieses Detail
gefiel ihnen. Es war, als ob eine Kamera ihnen diese Brille
in einer Nahaufnahme zeigte. Sogar unser Lehrer Memet
fand diese technisch vorbereitete Nummer sehr gut. Ich

sah einen Film, der »Heulen« hieß. In einer Szene sagte ein Mädchen zu dem Hauptdarsteller: »Spiel du Geige und ich Klavier.« Sie fing an, Klavier zu spielen, auf dem Klavier lag ein Geigenkasten. Der Mann nahm die Geige heraus, aber bevor er die Geige an seine Schulter legte, um zu spielen, begann schon die Musik, weil man den Film schlecht synchronisiert hatte. Am Ende des Films bekam das Mädchen Tuberkulose, und bevor sie starb, wollte sie noch einmal Klavier und Geige spielen. Aber schon bevor er den Geigenkasten öffnete, rief ein Zuschauer im Kino zur Leinwand: »Gib dir keine Mühe, Bruder. Die Geige spielt sowieso von alleine.«

Danach spielte ich im Unterricht auf der Bühne eine Geigenspielerin, und ein anderer Schüler begann schon zu spielen, bevor ich den Kasten öffnete, das brachte die Schüler zum Lachen.

Ich hatte meine heimliche Schauspielschule gefunden: die Filme. In die Cinemathek ging ich aber nicht nur wegen der Filme. In einem normalen Kino gingen die Menschen, wenn die Lichter nach dem Film angingen, langsam heraus und knöpften sich die Jacken zu. In der Cinemathek aber schauten sich alle Leute an und begrüßten sich. In großen Gruppen standen sie vor dem Kino und sprachen über den Film, und immer wieder schloß sich jemand, der gerade aus dem Kino rauskam, der Gruppe an. Alle kannten sich untereinander, oder man lernte sich schnell kennen wie in einer Moschee.

Die Cinemathek in Istanbul war für die Linke ein Zentrum wie das Kino am Steinplatz in Berlin. Aber in Berlin hatte ich nur Studenten gesehen. Hier in Istanbul sah ich auch viele Arbeiter oder ältere Männer und Frauen. Wir sahen russische Filme über die Kindheit von Maxim Gorki oder über Tolstoi, Tolstoi verteilte seine Grundstücke an die armen russischen Bauern. In den Filmen über die Russische

Revolution starben viele Menschen durch die Kugeln der zaristischen Soldaten, und wenn wir aus der Cinemathek herauskamen, sahen die Menschen, die sich vor dem Kino auf der Straße versammelten, so aus, als ob sie zu einer Totenfeier gekommen wären. Die Revolutionsgeschichten in den Filmen spielten auf den russischen Straßen, und wir als Zuschauer standen dann auch lange auf der Straße vor dem Kino, so als ob die Istanbuler Straßen die verlängerten Revolutionsstraßen aus den russischen Filmen wären. Dann machten wir uns langsam in Gruppen auf den Weg, als ob wir diese Toten zu Grabe tragen würden, und schauten auf die, die vor uns liefen und die mit uns die gleichen Toten zu Grabe trugen. Man wollte lange auf der Straße bleiben. Die Intellektuellen sprachen zuerst über die Toten, dann aber fingen sie an, über die Kameratechnik oder Lichttechnik des Films zu reden. Dabei stiegen sie in dieselben Busse oder Taxis ein, sprachen dort weiter, und sprechend kamen sie bei dem Restaurant »Kapitän« an, und wenn die Kellner die Tische für sie zusammenstellten, sprachen sie im Stehen weiter über den Film. Und um die revolutionären Straßen aus den Filmen weiter zu verlängern und um noch weiter auf der Straße zu bleiben, ging auch ich immer mit ihnen mit. Die Straßenfeger aber, die von ihren linken Gewerkschaften zur Cinemathek geschickt worden waren, kamen nie mit uns ins »Kapitän«-Restaurant. Ich hörte öfter, daß sie vor dem Kino »Schnell, es ist Nacht geworden« sagten und sich beeilten. Wenn dann die Arbeiter und die Intellektuellen in unterschiedlichem Tempo losgingen, sah es so aus, als ob es zwei unterschiedliche Nächte gäbe. Eine Nacht gehörte den Arbeitern zum Schlafen, und die andere gehörte den Intellektuellen zum Weitermachen.

Die Kellner im Restaurant brachten sofort Rakı an den Tisch. Das Restaurant lag direkt am Meer neben dem Hafen. Wenn ein Schiff dann nah an den Häusern vorbeifuhr, begrüßte der Kapitän des Schiffes die Menschen vom Schiff aus, die in ihren Häusern zu Abend aßen, in ihren Pyjamas Zeitung lasen oder wie wir im Restaurant saßen. Wir erhoben unsre Rakı-Gläser auf ihn, und manche Frauen warfen Äpfel auf das Schiff. Wir saßen im Restaurant an einem langen Tisch. Die alten Männer trugen weiße Bärte und saßen am Kopf des Tisches. Es gab nur ganz wenige Mädchen oder Frauen, und wenn ich, um jemanden zu begrüßen, mich irgendwo an den Tisch setzte, erinnerte mich das an die Huren in einer Bar. Die Huren in Istanbul nannte man Konsumatristen, sie gingen von Tisch zu Tisch, an denen nur Männer saßen, um diese ein teures Getränk bezahlen zu lassen. Deswegen sagte ich, bevor ich mich irgendwo an den Tisch setzte: »Ich bin als Konsumatristin gekommen.« Die Männer lachten, ich war für sie ein Mädchen mit Bewußtsein. Das Wort Bewußtsein war ein wichtiges Wort. Und ich liebte es, zwischen diesen bärtigen und nichtbärtigen Intellektuellen als einziges Mädchen zu sitzen. Es war wie eine Hauptrolle, und die Männer waren meine Zuschauer. Wenn ich aber in der Nacht vom Restaurant »Kapitän« alleine nach Hause fuhr, fuhr ich mit dem letzten Schiff, dem »Schiff der Besoffenen«, weil in dieser Zeit nur noch die Männer mitfuhren, die sich auf der europäischen Seite von Istanbul betrunken hatten. »Jetzt denken sie, daß ich eine Hure bin.« Ich lief, als ob ich einen langen Stock geschluckt hätte, und zog eine meiner Augenbrauen hoch, damit ich ein ernstes Gesicht bekam. Aber es war anstrengend, ständig »Ich bin keine Hure« zu spielen. »Woher kommst du, meine Schöne, so spät in der Nacht?« Gut, sollen sie doch denken, daß ich eine Hure bin, dachte ich plötzlich. Huren hatten auch Mütter gehabt wie ich. Und ein Mädchen, das richtig arm war, konnte sich innerhalb von zwei Tagen in der Hurenwelt wiederfinden. Nur zwei Tage Hunger, zwei Tage ohne Bleibe und keine zwei Menschen, die ihr helfen konnten, das reichte. Dann klopfte ein Mädchen an die Tür eines Hurenhauses. Ich war schwanger gewesen, aber andere Menschen hatten mir geholfen. An meiner Stelle wäre ein armes Mädchen in die Hurenwelt eingetreten. Daß ich jetzt Leute wie Hüseyin, die Surrealisten, die Cinemathek-Intellektuellen oder die Schauspielschüler kannte, war mein Glück. Viele andere Mädchen, die gar keine Hilfe fanden, mußten als Huren an die Arbeit gehen. Von allen Frauen, die ich auf den Straßen sah, interessierten mich plötzlich nur noch die Huren. Sie saßen in den noch geöffneten Nachtrestaurants unter hellen Neonlichtern und gaben mir Mut.

Im Restaurant »Kapitän« erzählten ein paar Intellektuelle, was sie in der letzten Nacht erlebt hatten. Sie waren zum Puff gegangen, aber der Puff hatte Feierabend gehabt. Sie hatten ans Fenster geklopft: »Macht auf, wir werden bezahlen.« Die Huren riefen: »Geht nach Hause, wir haben Feierabend.« – »Wir werden bezahlen!« Eine der Huren schlug vom Fenster aus mit ihrem Stöckelschuh auf den Kopf eines Intellektuellen und rief: »Bezahlen wolltet ihr? Damit hast du bezahlt!« Dann tranken alle Rakı auf die Huren. Der Rakı löste den Zungenknoten, und einer der Männer mit den weißen Bärten fing an, über das erotische Buch »Bahname« zu erzählen: Das 700 Jahre alte Buch stand in einer Istanbuler Bibliothek, aber nur wenige Professoren durften es sich ausleihen. Einer der Schriftsteller dieses Buches hieß Nasreddin, eigentlich der Vater der Astronomie. Er berichtete von einem Sultanssohn, der mit den schönsten Frauen der Welt schlief, aber eines Tages verlor er seine Kraft. Die Ärzte probierten alles, aber er hatte keine Lust. Der Astronom Nasreddin wurde zum Serail gerufen, und der Sultan wollte, daß Nasreddin ein Buch schrieb, damit sein Sohn wieder Lust bekäme. Nasreddins dreizehntes Rezept für die Lust war: Man sollte ein Vogelbaby nehmen, es durfte aber noch keine Federn haben. Man sollte es neben einen Bienenstock legen, die Bienen sollten es stechen. Danach sollte man das Vogelbaby erwürgen und blutig in einen Topf legen, darauf Basilikumöl geben, kochen, dann das gekochte Vogelbaby zerquetschen, in eine Flasche füllen und die Öffnung der Flasche mit einer Kerze verschließen. Dann sollte man es drei Tage an die Sonne legen, danach aus der Flasche etwas Öl auf ein Stück Stoff geben, zwischen die Zehen und Finger reiben und dann Liebe machen. Der weißbärtige Professor wußte nicht, ob das Rezept geholfen hatte, berichtete aber sofort über weitere Rezepte. »Um Ehefrauen, die nicht mehr Jungfrau waren, wieder zu Jungfrauen zu machen: 5 Gramm Ziegenbart, 16 Gramm Weintraubensaft und Essig kochen. Die Frau neben diesen kochenden Topf setzen, sie siebenmal den Dampf einatmen lassen, den gekochten Ziegenbart, Essig und Weintraubensaft auf ein Stück Stoff gießen und das Popoloch der Frau damit einreiben.« Auch die Kellner hörten den Rezepten zu und brachten einen Rakı nach dem anderen, damit die Geschichten weitergingen. Ein anderer Alter am Tischende fing an: »In dem ›Bahname‹ gibt es Ratschläge, wie die Männer und Frauen sich riechen und küssen sollten, und in welchem Alter man wie viele Male Liebe machen sollte. Die, die noch in der Pubertät waren, sollten jeden zweiten Tag Liebe machen. Zwischen zwanzig und dreißig am Tag zweimal, in der Nacht einmal. Zwischen dreißig bis vierzig dreimal am Tag. Wenn man siebzig Jahre alt ist, zweimal am Tag. Wenn man achtzig Jahre alt ist, im Jahr zwei- oder dreimal, wenn man aber viel Lust hat, im Jahr viermal.« Es gab Hinweise, wie und woran man erkennen konnte, ob Frauen Lust hätten. Die Lustlosigkeit konnte man an ihren Augenbrauen, Fingerlängen, Haarfarben, Fersen, Fuß- und Handgelenken, Nasenlöchern, Bauchnabeln, Hälsen, Ohren und am Lachen erkennen. Zur Größe von Frauen- und

Männerorganen: Die Männerorgane teilten sich in drei Gruppen. Erste Gruppe: Zwölf Fingerbreit lang. Zweite Gruppe: Acht Fingerbreit lang. Dritte Gruppe: Sechs Fingerbreit lang. Das Buch empfiehlt, daß sich die großen Frauenorgane mit Zwölf-Fingerbreit-Männerorganen, mittlere Frauenorgane mit Acht-Fingerbreit-Männerorganen und enge Frauenorgane mit Sechs-Fingerbreit-Männerorganen treffen.« Der Intellektuelle, den in der letzten Nacht eine Hure auf den Kopf geschlagen hatte, kannte das Buch auch: »Die ersten ottomanischen Huren gab es im Jahr 1565. Sie arbeiteten zuerst in den Wäschereien, wohin alleinstehende Männer ihre Wäsche zum Waschen brachten. Dann wurden diese Wäschereien verboten. Danach arbeiteten sie in den Joghurt- und Sahneläden, bis die ottomanische Polizei entdeckte, daß die Männer in den Sahneläden nicht nur Sahne aßen, und die Sahneläden wurden auch verboten. Die legale Hurerei fand in den Sklavenbasaren statt. Dort mietete sich ein Mann eine Sklavin, ließ sie ein paar Tage bei sich, und dann brachte er sie zum Sklavenbasar zurück und sagte:»Sie hat einen Fehler.« Es gab auch männliche Huren: 1577 suchte ein Mann aus verschiedenen Vierteln von Istanbul neun Jungen. Er ließ ihre Haare länger wachsen, zog ihnen Frauenkleider an und schickte sie zu den reichen ottomanischen Häusern als Bettwäscheverkäuferinnen oder Wahrsagerinnen. So bekamen die verheirateten reichen Frauen ihre Geliebten. Aber eines Tages erfuhr die Polizei davon, und viele reiche Männer ließen sich von ihren Frauen scheiden, weil sie nicht sicher waren, ob diese Männer mit den langen Haaren auch in ihre Häuser hereingekommen waren. Deswegen gab es im Jahre 1577 plötzlich viele geschiedene Frauen in Istanbul.

Wir saßen lange Stunden im Restaurant »Kapitän«, weil die Geschichten nie aufhörten. Der Besitzer des »Kapitäns« sagte nie, daß er jetzt schließen müßte, er zeigte nicht einmal, daß er wartete, sondern schickte uns kleingeschnittenes Obst auf einem Teller und hob sein Rakı-Glas aus einer dunklen Ecke zu uns. Zum »Kapitän« kamen auch Istanbuler Griechen. Und am Ende der Nacht schlugen sie vor Lust die Teller auf den Boden, die Kellner fegten die Scherben ins Meer, und im Mondschein spiegelten sie sich im Wasser. Einer der Intellektuellen erzählte, daß viele Istanbuler Griechen, als in einer Septembernacht im Jahre 1955 nationalistische Türken die Läden, orthodoxen Kirchen und Friedhöfe der Istanbuler Griechen zerstört hatten, aus Angst nach Athen gegangen waren. Bevor sie Istanbul verließen, warf eine Familie, die auf einer Istanbuler Insel wohnte, alle ihre alten Schallplatten ins Meer, und die alten schönen griechischen Lieder auf den Schallplatten schwammen tagelang auf dem Marmara-Meer. Als der Intellektuelle das erzählte, schlugen die Wellen gegen das Restaurant »Kapitän« und machten uns naß. Die Nacht war warm und trocknete uns schnell. Wir saßen da in den Armen des Meeres und der warmen Nacht, und die Welt schrumpfte auf dieses Restaurant, es war, als ob ich mit allen diesen alten und jungen Männern dort geboren und am Ende der Nacht dort sterben würde, und inzwischen würden wir uns viele Geschichten anhören. Vielleicht werde ich selber eine erzählen und dann die Augen zumachen, und das Meer wird unsere Toten in seinen Armen wiegen, und wir werden im Marmara-Meer wie die schönen alten griechischen Schallplatten schwimmen, und jeder, der uns sieht, wird wissen, daß von jedem Toten ein paar schöne Lieder kommen.

Wenn ich in den Nächten spät nach Hause kam, saß mein Vater manchmal noch vor dem Radio, suchte Musik, schlug ein paarmal auf das alte Radio, damit die Stimme herauskam, und sagte zu mir: »Meine Tochter, du bist ein Mann geworden. Du hast aus Deutschland eine neue Mode gebracht. Du kommst in der Nacht nach Hause.« Er sagte auch: »Meine Tochter, du drehst dich wie die Welt im All, hoffentlich gehst du nicht im Himmel verloren.« Tagsüber ging ich zur europäischen Seite zur Schauspielschule, dann zur Cinemathek, dann zum Restaurant »Kapitän«, und dann kam ich zurück zur asiatischen Seite von Istanbul zu meinem Elternhaus wie in ein Hotel. Ich schlief in Asien und fuhr, wenn der Vogel Memisch am Morgen anfing zu singen, wieder nach Europa.

DIE ZIGARETTE IST DAS WICHTIGSTE
REQUISIT EINES SOZIALISTEN

Zwischen Asien und Europa gab es damals, 1967, noch keine Brücke. Das Meer trennte die beiden Seiten, und wenn ich das Wasser zwischen meinen Eltern und mir hatte, fühlte ich mich frei. In einem Märchen warf ein junger Mann einen Spiegel hinter sich, die Riesen, die ihn fressen wollten, waren hinter ihm her, aber der Spiegel wurde zu einem großen Meer, und die Riesen blieben auf der anderen Seite des Ufers. Ich konnte auch lügen und sagen: »Vater, ich habe das letzte Schiff verpaßt, ich habe bei meiner Lehrerin geschlafen.« Die asiatische und die europäische Seite in Istanbul waren zwei verschiedene Länder. Man erzählte, daß einer unserer Schauspiellehrer diese beiden Seiten von Istanbul benutzt hatte, um berühmt zu werden. Als junger Mann war er angeblich nach Rußland gegangen und hatte dort als Assistent bei dem berühmten russischen Theaterregisseur Stanislawski gearbeitet. Dann war er zurückgekommen und hatte als Theaterregisseur in Istanbul gearbeitet, viele sagten, er wäre der beste Theatermann im ganzen Land, er wäre unser Stanislawski. Seine Feinde aber erzählten, daß er zwar damals auf der europäischen Seite von Istanbul allen seinen Freunden »Auf Wiedersehen, ich fahre nach Rußland zu Stanislawski« gesagt hatte, dann aber nur auf die asiatische Seite von Istanbul gefahren wäre. Die Fahrt dauerte zwanzig Minuten. Er hätte sich dort in einem Haus sechs Monate lang versteckt, alle Bücher von

Stanislawski gelesen, auswendig gelernt, und nach sechs Monaten wäre er aus seinem Versteck auf der asiatischen Seite von Istanbul wieder herausgekommen und mit dem Fährschiff wieder auf die europäische Seite zurückgekehrt. Ob das wirklich so gewesen war, wußte ich nicht, vielleicht war es eine Lügengeschichte gegen diesen Lehrer, weil er sehr berühmt war. Man sagte: »Wer viele Äpfel an seinem Baum trägt, wird gesteinigt.« Ich liebte diesen Lehrer sehr. Er war über 90 Jahre alt, in seinem Unterricht mußten wir ganz schnell eine Geschichte erfinden, auf die Bühne gehen und alle Personen unserer Geschichte selbst spielen. Manchmal schlief er im Unterricht ein. Memet sagte: »Das macht er absichtlich, weil ihr ihn auf der Bühne mit eurer Begabung nicht überrascht. Er stellt euch eure zukünftigen Zuschauer dar.« Beim Theaterspielen müßte man die Zuschauer, die ihre Plätze bezahlt und vorher gegessen hätten und jetzt im Theater schlafen wollten, als Schauspieler aufwecken. Einmal spielte ich in seinem Unterricht eine Frau, die mit ihrem Kind spazierenging. Ich stellte auch das Kind dar. Der Lehrer sagte: »Mein Kind, nichts kann dich vom Theater trennen, nur ein Kind. Kinder, habt ihr gesehen, wie zärtlich sie zu ihrem Kind war.« In der Rolle der Mutter spielte ich meine Mutter nach und merkte dann, wie zärtlich meine Mutter zu mir war. So entdeckte ich am Theater meine Mutter.

Der 90jährige Lehrer gab dicken Schülerinnen auch Diätrezepte. Er sagte: »Mein Kind, du mußt jeden Morgen, bevor du frühstückst, eine Zitrone pressen und trinken, dann iß, was du willst.« Wenn wir auf der Bühne etwas Komisches machten, lachte er, und vor lauter Lachen schlug er der neben ihm sitzenden Schülerin auf die Schenkel. Auch ich hatte danach einmal einen Intellektuellen vom Restaurant »Kapitän« auf seine Schenkel geschlagen – am Ende einer Nacht waren alle Intellektuellen wie immer vom langen Tisch zusammen aufgestanden und wie aneinandergeklebt herausgegangen. Mich fuhr ein Karikaturist, der mit seinen Karikaturen auf der Seite der linken Bewegung stand, mit seinem Auto zum Hafen. Er sagte: »Die Männer im Restaurant ›Kapitän‹ stehen immer zusammen vom Tisch auf, damit keiner hinter dem Rücken des anderen reden kann.« Ich lachte darüber und schlug mit meiner linken Hand auf seinen Schenkel. »Habe ich dir weh getan?« fragte er. »Was hast du für ein Bein?« – »Ein Holzbein, ich stehe in der linken Bewegung. ›Laß mich sterben in meinem Bett mit dem Mond, den ich kenne.‹ Das ist ein Gedicht des spanischen Dichters Lorca, den Francos faschistische Guardia civil getötet hat.« Auch über Istanbul gab es den Mond, und er war groß. Ich sagte zum Holzbein: »Ein ganzes Gedicht von Lorca, bitte.« Lorca, das war meine Liebe in Paris, Jordi. Ich dachte, Jordi schaut jetzt auf den gleichen Mond wie ich.

Und ich nahm sie mit zum Flusse,
glaubte, sie sei noch ein Mädchen,
doch sie hatte einen Mann.

In der Nacht auf Sankt Jakobus
wars und fast wie abgemacht.
Es erloschen die Laternen,
und die Grillen fingen Feuer.
Bei den letzten Häuserecken
rührte ich an ihre Brüste,
die sich leicht im Schlummer wiegten,
und sie blühten für mich gleich
auf wie Hyazinthensträuße.
Ihres Unterrockes Stärke
raschelt' mir im Ohr wie Seide,
aufgerissen mit zehn Messern.

Ohne Silberlicht in ihren
Kronen warn die Bäume höher,
und ein Horizont von Hunden
kläffte – weit entfernt vom Fluß.

Als wir nun die Brombeersträucher,
Binsen und die Weißdornbüsche
hinter uns gelassen hatten,
höhlte ich den feuchten Sand
unter ihres Haares Fülle.
Ich entledigt' mich des Halstuchs.
Sie entledigt' sich des Kleides.
Ich des Gurts mich mit Revolver.
Sie sich ihrer drei, vier Leibchen.

Narden nicht, nicht Blütenmuscheln
haben solche feine Haut,
selbst Kristall, darauf der Mond,
schimmert nicht mit solchem Glanz.

An dieser Stelle kam der Karikaturist Holzbein am Hafen an, wo ich aussteigen mußte. Ich sagte zu ihm: »Fahr weiter, ich will das Gedicht zu Ende hören.«

Ihre Schenkel schlüpften mir
fort wie aufgescheuchte Fische,
halb voll Feuer, halb voll Frost.
Ich durchrast' in jener Nacht
aller Wege schönsten Weg,
ritt ein Füllen aus Perlmutter
ohne Zügel, ohne Bügel.
Will, als Ehrenmann, nicht sagen,
all das, was sie mir gesagt hat.
Die Erleuchtung des Verstandes

heißt mich sehr bescheiden bleiben.
Brachte fort sie dann vom Fluß,
unrein ganz von Sand und Küssen,
während mit der Luft gewandt
sich der Lilien Schwerter schlugen.

Ich benahm mich wie ich bin.
Wie ein wirklicher Zigeuner.
Schenkt' ihr einen Nähzeugbeutel,
prächtig, aus strohgelbem Atlas,
und ich wollt mich nicht verlieben,
weil sie mir, wiewohl sie einen
Mann schon hatte, dennoch sagte,
daß sie noch ein Mädchen sei,
als ich sie zum Flusse mitnahm.

Als das Gedicht von Lorca zu Ende war, kamen wir an
Holzbeins Haus an. Er sagte mir: »Still, ich wohne mit meiner Mutter.« Er zog sein Holzbein aus, wir schliefen zusammen, und er erzählte im Bett lustige Geschichten, wieder
lachte ich, schlug aber nicht auf seinen Schenkel, sondern
auf die Matratze, und darüber lachte er diesmal. Gegen
Morgen sagte er: »Jetzt wird meine Mutter zum Morgen-
gebet aufstehen, laß uns gehen.« Er zog sein Bein wieder
an und zeigte mir eine weiße, leere Likörflasche. An einer
Stelle sah ich im Glas einen kleinen Blutfleck. »Es gibt in
Istanbul eine Glasfabrik, in der Arbeiter das Glas blasen.
Viele der Bläser haben Tuberkulose, und einer von ihnen
hustete und spuckte gerade Blut, als er diese Likörflasche
blies.« Holzbein fuhr mich über die Brücke vom Goldenen
Horn zum Hafen, aber plötzlich hielt er an, weil man die
Brücke gerade hochzog, damit die großen russischen Schiffe durchfahren konnten. Wir blieben auf der einen Seite
der Brücke im Auto sitzen, die großen Schiffe auf dem Weg

nach Arabien fuhren sehr nahe an uns vorbei und hupten
laut. Holzbein rief:

Manchmal sieht er selbst sich segeln,
klein, durch seine eignen Augen.
Und vergißt – er ist ein Seemann –
die Orangen und die Bars.
Sieht ins Wasser.

Als die Brücke langsam wieder herunterkam, nahm Holzbein aus dem Handschuhfach ein Buch von Lorca. »Für
dich.« Auf dem Schiff las ich ein Gedicht daraus, Lorca
schrieb über zwei Nonnen. Sie saßen unter der heißen Sonne auf einer Wiese und stickten die Farben der Natur auf
die Tücher. Es waren Fotos in dem Buch, ich sah ein kleines
Haus, aus dem die faschistische Guardia civil Lorca vielleicht zum Töten abgeholt hatte. Er hatte in seinem Gedicht
geschrieben: »Laßt mich in meinem Bett sterben mit dem
Mond, den ich kenne.« Das Haus, die Nonnen, die die Farben der Natur in ihre Tücher stickten, vielleicht hatte Lorca
diese Nonnen aus dem Fenster dieses Hauses gesehen, aus
dem er eines Tages auch die Guardia civil kommen sah. Ich
stellte mir diesen Moment vor, Lorca im Haus, die faschistische Guardia civil kommt, um ihn abzuholen. Draußen
Sonne, ein Wind bewegt das Gras, und die Faschisten ließen
Spuren im Gras zurück. Das Gras starb unter ihren Stiefeln,
und vielleicht färbte es mit seiner grünen Farbe und Nässe
die Spitzen der Faschistenstiefel etwas grün. Lorca ist allein
im dunklen Haus. Ein Soldat der Guardia civil trat mit seinen Stiefeln gegen die Tür, grüne Grasspuren blieben an
der Tür. Lorca, was machte er in diesem Moment im Haus?
Seine Minuten kamen mir so lang vor. Im Haus gab es eine
andere Zeit als die Zeit derer, die ihn abholen kamen. Ich
stellte mir vor, Lorca zu retten. Ich kam vor der Guardia

civil in dieses Haus. Ich bin als Nonne verkleidet und bringe ihm ein Nonnenkostüm. Er muß sich schnell rasieren, als Nonne verkleiden, und wir gehen zusammen aus diesem Haus in die Natur, setzen uns ins Gras und besticken unsere Tücher mit den Farben, die wir in der Natur sehen. Alle Toten gaben einem das Gefühl, daß man sich verspätet hatte. Ich begann Bücher über den Spanischen Bürgerkrieg zu lesen, Hemingways »Wem die Stunde schlägt«. Darin gab es eine Szene, in der der antifaschistische Held mit der antifaschistischen Heldin schlief – in diesem Moment bewegte sich die Erde, aber nicht wegen eines Erdbebens oder durch Explosionen, sondern wegen ihrer Liebe. Der Held war für mich meine erste Liebe in Paris, der Spanier Jordi. Warum ist Franco immer noch an der Macht, dachte ich oft, ich fühlte mich ohnmächtig, daß er noch lebte und Jordi und viele andere unter seiner Regierung leben mußten. In diesen Tagen kam aus Barcelona eine Postkarte von Jordi. Auf der Karte sah ich einen schönen Platz voller Cafés, Stühle und Tauben. Jordi schrieb mir, daß er sein Glas auf meine schönen Augen hebe und schickte mir seine Grüße. Ich schaute lange die Karte an und staunte, daß es unter dem faschistischen Franco in Spanien so einen schönen Platz gab, daß in den Cafés Stühle standen und vor diesen Stühlen die Tauben spazierten und Jordi ein Glas Wein auf meine schönen Augen hochheben und trinken konnte. Ich staunte, daß ein Linker wie Jordi in Spanien legal zur Post gehen, eine Briefmarke kaufen und in ein fremdes Land eine Karte schicken konnte. Ich las die Karte deswegen auch heimlich, damit er in Spanien keine Schwierigkeiten mit der Polizei bekäme. Auf eine Karte schrieb ich zwei Sätze von Lorca – »Grün wie ich dich liebe, grün. Grüner Wind, und grüne Zweige« – und warf sie ins Meer mit Jordis Adresse. Das Meer würde sie ihm bringen. Jordis Karte machte mich so glücklich, daß ich elektrische Schläge bekam, wenn ich einen Gegenstand anfaßte. Ich lief über die Brücke vom Goldenen Horn, in diesem Moment regnete es, und ich dachte: »Jordi, aus dem Himmel, dem wir manchmal unsere Liebe zum Tragen gaben, regnet es Liebe auf die Hemden der armen Männer auf der Goldenen Brücke.«

Die Armut lief wie eine ansteckende Krankheit durch die Straßen. Ich schaute auf die Armen wie auf Pestkranke und konnte nichts für sie tun. Wenn ich einen halben Mann im Rollstuhl sah, versuchte ich, nicht von vorne mit ihm in Augenkontakt zu kommen, aber ich schaute lange hinter ihm her. Nur die Blinden schaute ich von vorne an. In die Augen der Armen zu gucken war sehr schwer. Ich schaute so oft über meine linke Schulter, um die Armut von hinten zu sehen, daß mir meine linke Schulter weh tat. Auf den steilen Straßen standen viele Bücherverkäufer. Sie legten ihre Bücher auf die Erde, und der Wind blätterte in ihnen, Bücher von der Russischen und Französischen Revolution oder über Widerständler, die vor fünfhundert Jahren von den Ottomanen geköpft worden waren, Bücher von Nazim Hikmet, Bücher über den Spanischen Bürgerkrieg. Alle getöteten, erwürgten, geköpften Menschen, die nicht in ihren Betten gestorben waren, standen in diesen Jahren auf. Die Armut lief auf der Straße, und die Menschen, die in ihrem Leben dagegen etwas hatten tun wollen und deswegen getötet worden waren, lagen jetzt als Bücher auf den Straßen. Man mußte sich nur zu ihnen bücken, sie kaufen, und so kamen viele Getötete in die Wohnungen, sammelten sich in den Regalen, neben den Kopfkissen und wohnten in den Häusern. Die Menschen, die mit diesen Büchern die Augen zu- und aufmachten, gingen am Morgen als Lorca, Sacco und Vanzetti, Robespierre, Danton, Nazim Hikmet, Pir Sultan Abdal, Rosa Luxemburg wieder auf die Straßen. Zu Hause machte ich den Kühlschrank auf, und wenn es dort Fleisch oder Obst gab, sagte ich zu meiner Mutter: »Schämt ihr euch nicht, soviel Fleisch zu kaufen, wo so viele Menschen verhungern.« Meine Mutter sagte: »Wenn wir verhungern, gibt es noch ein paar Verhungerte mehr. Wenn du nicht willst, iß nicht.« Ich aß, aber mit bösen Blicken. Manchmal versuchte ich, ein Kotelett auszukotzen, aber ich schaffte es nicht. Mein Vater sagte zu mir: »Meine Tochter, du hast dir wahrscheinlich in Deutschland deinen Kopf erkältet.« Ich schlug die Tür laut zu, ging auf die Straße und kaufte dort noch ein Buch über einen Getöteten. Tolstoi hatte seine Erde an die armen Bauern verteilt. Ich hatte eine Jacke, die ich an zwei Jungs auf der Schauspielschule, die nicht viel Geld hatten, verlieh, eine Woche lang dem einen, eine Woche dem anderen gegeben. Das schaffte eine Legende: Ich wäre sehr freigebig, wie eine echte Linke. Ich fing an, Bücher zu klauen, besonders in teuren Buchhandlungen, ich sah dort zwischen dem Luxusweltatlas oder den Enzyklopädien Bücher von Getöteten und stahl sie. So sammelte ich fünfmal das gleiche Nazim-Hikmet-Buch im Regal zu Hause. Ich stahl auch Geld von meinem Vater und kaufte damit wieder Bücher über Getötete. Als ich zu viele Bücher hatte, um sie alle zu lesen, fingen diese ungelesenen Bücher an, mir Schuldgefühle zu machen. Ich ordnete sie immer wieder und wischte Staub von den Regalen, das beruhigte mich, aber nur kurz. Auch die Intellektuellen vom Restaurant »Kapitän« beruhigten mich, sie hatten sehr viel gelesen und erzählten viele Geschichten aus Büchern, es kam mir vor, als ob ich mit lebendigen Büchern am Tisch sitzen würde. Die Männer fragten sich untereinander: »Was meinst du dazu?« Mich fragte niemand, was ich zu einem Thema meinte, ich spielte für sie die Zuschauerin, sie spielten miteinander, und ich schaute ihnen zu. Ich war gerne Zuschauerin, Holzbein sagte: »Wer spricht, kann sich schuldig machen.« Vielleicht schützten sie mich davor. Zwischen ihren Gesprächen verlangten sie, daß ich alte Lieder aus der ottomanischen Zeit singe. Sie applaudierten mit geschlossenen Augen, und manchmal sangen sie mit.

Eines Tages saß ein neuer Intellektueller unter ihnen, er sah aus wie eine Eule, er hatte den Blick eines religiösen Sektenführers aus Indien. Ich liebte Eulen sehr, und er kam mir bekannt vor. Ich sagte zu dem Intellektuellen, der neben mir saß: »Ich kenne dieses Gesicht.« – »Du kennst seinen Vater aus den Zeitungen. Er war in den 50er Jahren ein berühmter Minister der amerikanisierten Partei.« Er saß da wie der Geist seines Vaters, mit dem gleichen Eulengesicht, und war Mitglied der neuen linken türkischen Arbeiterpartei, die bei den letzten Wahlen sofort 15 Parlamentssitze gewonnen hatte. Sonst hatten die Intellektuellen gerne Rakı getrunken, langsam gegessen und lange Geschichten aus der ottomanischen Zeit erzählt. Heute abend aber vergaßen sie den Rakı in ihren Gläsern und das Essen auf ihren Tellern. Sie schauten alle zu dem Mann, der wie eine Eule aussah, und wenn einer einen Satz sagte, ging ein anderer in diesen Satz hinein wie eine große Schere, schnitt den Satz in der Mitte durch und vervollständigte den Satz selbst. Dieser Satz wurde wieder von einer anderen Schere zerschnitten. Plötzlich saßen zwanzig große Scheren am Tisch, die sich nach links und rechts drehten.

Eine Schere sagte: »Das Potential der türkischen Arbeiterklasse ...«

Eine andere Schere sagte: »Welche Arbeiterklasse? Die Ottomanen haben nicht mal eine aristokratische Klasse geschaffen ...«

Eine andere Schere sagte: »Weil die Menschen im Serail Karriere machen durften, mußten ...«

Eine andere Schere sagte: »... ihre Familien verlassen und nur dem Sultan ...«

Eine andere Schere sagte: »... dienen.«

Eine andere Schere sagte: »Man kann nicht von einer Nationalbourgeoisie ...«

Eine andere Schere sagte: »... reden. Die türkische Bourgeoisie ist eine von Amerika abhängige Montageindustriebourgeoisie, die ihr Geld ...«

Eine andere Schere sagte: »... in der Schweiz deponiert.«

Eine andere Schere sagte: »Die Türkei ist noch in einem feudalistischen ...«

Eine andere Schere sagte: »... Zustand.«

Eine andere Schere sagte: »Nein, es gibt eine schnelle Industrialisierung, und das Bewußtsein der Arbeiterklasse kann die Partei, wenn die objektiven Bedingungen ...«

Eine andere Schere sagte: »... reif sind, an die Macht bringen. Nur wenn man ihnen das Bewußtsein über Imperialismus ...«

Eine andere Schere sagte: »... beibringt. Aber die Türkei ist noch eine Kolonie von Amerika wie Afrika und ...«

Eine andere Schere sagte: »... Lateinamerika. Man muß erst zum Volk gehen und ihm das Bewußtsein ...«

Eine andere Schere sagte: »... bringen und nicht vergessen, wir sind ein ...«

Eine andere Schere sagte: »... Bauernvolk. Wo ist die Rolle ...«

Eine andere Schere sagte: »... der Bauern?«

Eine andere Schere sagte: »Falsch. Den Feudalismus gibt es nur im Osten der ...«

Eine andere Schere sagte: »... Türkei, bei den Kurden und ...«

Eine andere Schere sagte: »... der Rest der Bauern ist gebunden an den kapitalistischen ...«

Eine andere Schere sagte: »... Bazar.«

Eine andere Schere sagte: »Der legale Kampf gegen den Kapitalismus mit Leninismus ...«

Ich hörte mir als einziges Mädchen die Sätze der zwanzig Scheren an und klebte die Wörter für mich aneinander: Bewußtsein, zum Volk gehen, Imperialismus, abhängige Bourgeoisie, Feudalismus, Lateinamerika, Afrika, Schweizer Bank, Kurden, feudale Bauern, Potential der türkischen Arbeiterklasse, Nationalbourgeoisie, Leninismus, objektive und subjektive Bedingungen. Während ich die Wörter aneinanderklebte, sprachen die Intellektuellen weiter, vergaßen, weiterzuessen und zu trinken, kratzten sich an ihren Haaren, und ich sah aus ihren Haaren Schuppen auf den Tisch regnen.

Plötzlich fragte mich der Intellektuelle, der wie eine Eule aussah, über den langen Tisch hinweg: »Und was denken Sie über dieses Thema?« Ich saß ihm genau gegenüber am anderen Ende des Tisches. Alle Köpfe drehten sich jetzt zu mir wie in einem Slow-motion-Film. Der Alptraum einer Schauspielerin war, daß sie ihren Text vergißt. Jetzt war ich in diesem Alptraum. Ich kannte meinen Text nicht und mußte auf die Bühne. Ich schwitzte, und meine Haare klebten an meinen Wangen. Einer der weißbärtigen Intellektuellen nahm sein Rakı-Glas in die Hand und sagte: »Laßt uns den Rakı nicht vergessen.« Und alle sagten serefe (Prost), nahmen die Rakı-Gläser in die Hände, und der weißbärtige Intellektuelle sagte zu mir: »Sing ein schönes Lied.« Ich sang: »Ach warum, meine Geliebte, warum. Ich habe dich geliebt, das ist meine Schuld.« Der Intellektuelle, der wie eine Eule aussah, schaute mich lange an, während ich sang. Er erinnerte mich an die Zeitungen meiner Kindheit. Ich hörte, wie er zu jemandem sagte: »Ich als ein echter Bolschewist ...«, er hatte sehr schöne Augen. Als alle aufgestanden waren und in Richtung Tür liefen, bückte ich mich unter den Tisch und tat so, als ob ich meine Schuhe zuschnüren müßte. Unter dem Tisch sah ich ihn in meine Richtung kommen. Ich sah nur seine Beine, die einen

Moment stehenblieben. Er lief als letzter ganz langsam bis zur Tür, wir kamen zusammen dort an und wollten uns gegenseitig vorlassen, aber aus lauter Höflichkeit stießen unsere Körper zusammen, und wir lachten. Die anderen Intellektuellen sahen unser Lachen und ließen uns allein. Ich sagte: »Nimm mich mit.«

Sein Haus schaute von einem Hügel aufs Meer. Wir standen vor dem Treppeneingang und machten das Licht an. Er schob meine Bluse hoch, die Bluse mit den gelben Blumen, die ich getragen hatte, als der Berliner Student Benno Ohnesorg beim Schah-Besuch in Berlin getötet worden war. Der Mann, der wie eine Eule aussah, sagte: »Was für eine schöne Bluse.« Er faßte meine Brüste und sagte: »Was für schöne Brüste du hast.« Als wir uns küßten, hörte ich Sandgeräusche unter unseren Schuhen. Mit Sand unter unseren Schuhen gingen wir in die Wohnung, und dort wartete über dem Bett und ein paar Stühlen der große Mond auf uns. Wir saßen auf dem Mondschein, rauchten eine Zigarette zusammen und legten uns auf den Mond, der auf dem Bett lag. Mit dieser Eule im Mondschein bekam ich meinen ersten Orgasmus. Er brachte einen großen Teller Kirschen, stellte ihn auf den Tisch, und jetzt standen auch die Kirschen im Mondlicht. Wir saßen auf zwei Stühlen, ich sah seine Hände und meine, die die Kirschen vom Teller nahmen, die Kerne auf einen anderen Teller legten und wieder eine Kirsche nahmen, mit jeder Kirsche aßen wir das Mondlicht mit. Er deckte mich im Bett zu und sagte: »Schlaf, ich gehe in die untere Etage.« Und er ging fort im Mondlicht. Wieder hörte ich die Sandgeräusche unter seinen Schuhen. Was machte er, wenn er fortging? Ich schlief mit dem Mond ein und wachte auf mit der Sonne. Der Mann, der wie eine Eule aussah, saß, diesmal mit Sonne in seinen Haaren, auf dem Bett und sagte: »Du schläfst sehr schön, sehr ruhig, wie ein Kind.« Ich war das Kind, er war die Eule.

Danach traf ich die Eule öfter, einmal kaufte er von einem Nachtblumenverkäufer alle Blumen, und in seinem Zimmer, in dem der Mond wohnte, schüttete er sie über mich. Wieder bekam ich einen Orgasmus, dann ging er im Mondschein wieder fort in die untere Etage, und nur der Blumengeruch blieb im Zimmer. Am Morgen wollte ich das Bett machen, er kam herein und sagte: »Laß es. Weißt du, ich war verheiratet und ging mit meiner Frau nach London. Sie machte unser Bett nur, bevor wir ins Bett gingen. Sie hat sich in einen englischen Postmann verliebt und ihn geheiratet.« Die Geschichte paßte zu diesem Zimmer: Der Mond, die Blumen, die Eule, der ein Intellektueller war, einen berühmten Vater hatte und ein Bolschewist war – und seine reiche Frau, die sicher auch eine Intellektuelle war, hatte sich in einen englischen Postmann verliebt.

Einmal ging er schon in die untere Etage, bevor ich einen Orgasmus bekam. Ich hatte in der Apotheke zur Verhütung eine Creme gekauft. Er mußte mir dabei helfen, aber dann hatte ich im Körper zuviel Creme, es ging nicht weiter. Wir schliefen nicht zusammen und saßen im Mondlicht im Bett. Zum ersten Mal störte mich das Mondlicht. Er fragte mich: »Was ist dein Vater von Beruf?« Ich schämte mich wieder für den Beruf meines Vaters. »Bauunternehmer.« Er fragte: »Wie heißt er?« Es gab bekannte Bauunternehmer, aber mein Vater war nicht bekannt. Er war ursprünglich Maurer gewesen, und als die Partei, in der der Vater des Mannes, der wie eine Eule aussah, Minister war, in den 50er Jahren an die Macht kam, dem amerikanischen Kapital die Türe öffnete und mit dem amerikanischen Geld in der Türkei sehr viel gebaut wurde, war mein Vater Bauunternehmer geworden. Jetzt, in den 60er Jahren, gab es große Baukonzerne, und einzelne Bauunternehmer wie mein Vater fanden immer weniger Arbeit. Ich wußte nicht, wofür ich mich schämte – daß mein Vater ein Bauunternehmer war,

ein Kapitalist, oder daß er kein berühmter Bauunternehmer war. Eule fragte: »Hast du Abitur gemacht?« Ich log
und sagte »Ja«. Er fragte weiter: »Wo? In welchem Gymna-
sium?« – »Ankara.« Ankara war die Hauptstadt, und dort
wohnten viele Minister mit akademischer Karriere. Eule
deckte mich wieder zu und ging im Mondlicht wieder in
die untere Etage. Die Blumen, die er vor ein paar Tagen
gekauft hatte, waren im Zimmer vertrocknet. Am nächsten
Abend hatte ich mit dem Mann, der wie eine Eule aussah,
eine Verabredung. Aber unser Lehrer Memet behielt uns
sehr lange in der Schule. So kam ich ein paar Stunden zu
spät zu der Bar, in der wir verabredet waren. Er war gegangen, ich nahm ein Taxi und kam erst in der Nacht bei ihm
an. Ich stand vor seiner Tür und hörte seine Stimme und
die Stimme einer Frau. Zurück konnte ich nicht, das Taxi
wartete unten, weil ich kein Geld hatte. Ich mußte klopfen,
er bezahlte das Taxi, brachte mich in die obere Etage und
begleitete die Frau, die ich nicht gesehen hatte, zu dem Taxi,
mit dem ich gekommen war. Er kam hoch zu mir und sagte:
»Schlaf heute abend hier, ich muß arbeiten. Ich rufe dich in
den nächsten Tagen an.« Ich hörte unten nur die Geräusche,
die er machte. Er zog einen Stuhl oder Tisch über den Steinboden, ich hörte Papiergeräusche, Bücher, in denen er blätterte. So blätterte auch ich oben in seinen Büchern. Marx,
Lenin, Trotzki, Lunatscharski. Der Mond war nicht mehr
da, auch die trockenen Blumen waren fort. Das Zimmer
stand mit vielen Büchern wie ein großer Vorwurf da. Kein
Abitur. Ich schlief als blinder Esel ein. Am nächsten Morgen
kam er nicht hoch. Ich hörte die Tür zuschnappen und die
Sandgeräusche unter seinen Schuhen. Er rief mich nicht an.
Ich kaufte ein Buch von Lenin, aber fühlte mich wieder wie
ein blinder Esel. Auch schämte ich mich, weil ich mit dem
Taxi zu ihm gefahren war. Vielleicht ging ich deswegen zur
Arbeiterpartei und ließ mich als Mitglied einschreiben.

Die 15 Abgeordneten der Partei trugen oft Bandagen über ihren Nasen, Mündern und Wangen, weil die rechten Abgeordneten sie im Parlament verprügelten. Bei einem Parteitag standen die jungen Mitglieder wie ich an den Türen eines großen Gebäudes und steckten die Parteiabzeichen aus Papier an die Jacken der hereinkommenden Mitglieder. Als ich die Parteiabzeichen mit einer Nadel an ihre Kragen steckte, spürten meine Hände, wie unterschiedlich die Jackenstoffe waren. Viele Mitglieder trugen zu große oder zu kleine Jacken, vielleicht hatten sie die Jacken von jemand anderem für diesen Tag geliehen. Es kamen auch die Parlamentarier mit den Bandagen in den Gesichtern, alle Mitglieder drehten ihre Köpfe zu ihnen und klatschten, von den Zigaretten in ihren Händen fiel Asche auf den Boden oder auf ihre Hosen. Wenn neue Delegierte an der Tür vor mir anhielten, damit ich ihnen mit einer Nadel das Parteiabzeichen anstecken konnte, ließen sie ihre brennenden Zigaretten in ihren Mündern und schauten mir in die Augen. Sie gingen in den Saal, ich blieb mit den anderen jungen Mitgliedern an der Türe stehen. Auch wir rauchten, ohne etwas zu sagen, und lachten und machten immer wieder die nächste Zigarette an. In meiner Rocktasche hatte ich Kleingeld, ich ließ es öfter fallen, bückte mich, suchte die Geldstücke und wollte, daß die jungen, schönen Männer, die überall standen, meine Beine sehen. Wenn auf dem Parteitag jemand auf die Bühne ging und ins Mikrophon sprach, hörten die anderen ihm zu, als ob sie sich eine Trapeznummer anschauten. Ihre Gefühle gingen mit ihm mit: Schafft er es? Schafft er es nicht? Beim Zuhören sahen sie aus wie ein einziger Körper, wie eine Masse in einem Fußballstadion, die zusammen aufsteht, zusammen »Ach« oder »Buh« sagt oder klatscht. Wenn Zuhörer, während vorne einer ins Mikrophon sprach, durch den Saal liefen, irritierte mich das, weil es aussah, als ob der Körper sich auflöste.

Ich ging auf die Toilette und sah mir im Spiegel ins Gesicht, das plötzliche Alleinsein vor einem Spiegel war schwer. Auf dem langen Korridor zum Saal lief ich dann sehr schnell zurück, als müßte ich schnell meinen Körper wiederfinden. Wie ein Kind, das seine Straße verloren hatte. Die Partei war für mich wie die Cinemathek und das Restaurant »Kapitän« die Verlängerung der Straße. Viele Straßen kamen hier zusammen, und alle, die sich hier trafen, waren Straßenkinder, die, ohne ihre Namen voneinander zu wissen, sofort hinter einer Katze oder einem Verrückten herlaufen und die Katze am Schwanz ziehen konnten. Hier war die Katze Amerika, der amerikanische Imperialismus und seine Kollaborateure, die türkische, regierende Gerechtigkeitspartei und ihr Chef Demirel. Es gab eine Pyramide, in der die Arbeiter und Sozialisten ganz unten standen und die Reichen oben. Diese Pyramide sollte umgedreht werden. Es gab einen Slogan: »Die Füße werden eines Tages zum Kopf.« Wir waren die Füße, und wenn man genügend Füße hatte, konnte man die Pyramide umdrehen. Viele Füße hatten noch ein falsches Bewußtsein, das man aber in ein richtiges Bewußtsein verwandeln konnte, die Mittel dafür müßten demokratisch und legal sein – zum Volk gehen und ihm das richtige Bewußtsein bringen. Und das richtige Bewußtsein der Massen wird die Partei der Arbeiter durch die Wahlen an die Macht bringen. Bewußtsein bringen hieß sprechen können, so daß die anderen einem zuhörten: »Amerika ist ein Papiertiger«, »Erde für die Bauern, Arbeit für die Arbeiter, Bücher für die Studenten«, »Wir schaffen viele Vietnams«. Auf dem Parteitag hörte ich oft: »Hör mir jetzt zu.« – »Freunde, hören wir ihm jetzt zu.« – »Wir sind das Ohr der Partei.« Bei linken Demonstrationen zerschnitt die Polizei die Kabel der Mikrophone, aber die Linken hatten Generatoren dabei und riefen: »Freunde, Genossen, sie wollen unsere Stimme abstellen, aber wir werden unsere

Stimme höher drehen.« In der linken Bewegung gab es viele Generatoren-Geschichten, z. B. gab es in vielen Dörfern keine Elektrizität. Die Linken setzten den Generator für die Lautsprecher auf den Rücken eines Esels, der erste Sprecher fing an, aber der Esel lief mit dem Generator weg, und die Linken und die Bauern liefen hinter dem Esel her und lachten. Manche Mitglieder auf dem Parteitag waren Radios, manche Radiohörer. Die Radios und die Radiohörer standen in kleinen oder großen Gruppen und rauchten. Die Radios hatten Schuppen auf ihren Kragen. Beim Rauchen benutzten viele ihre Hände als Aschenbecher, einer hielt in der Gruppe seine offene Hand in die Mitte und machte sie zum Aschenbecher für alle. Oft ergaben ihre verschiedenen Stimmen ein Echo, als ob fünftausend Radios gleichzeitig eingeschaltet waren. Ich dachte, wenn das Dach dieses Gebäudes durch die vielen Stimmen hochflöge, würden die Radios und Radiohörer hinterherfliegen, in der Luft weiter rauchen und lachen, und die Menschen, die in ihren Häusern oder ihren Büros saßen, würden zum Fenster gehen und zum Himmel gucken und dort viele fliegende, rauchende, lachende Radios und Radiohörer sehen, und aus dem Himmel würde viel Asche und Schuppen herunterregnen.

In jedem Istanbuler Bezirk gab es ein Partei-Haus, ein großes Zimmer, in dem Stühle wie in einem Kino hintereinanderstanden. Ein Mann kochte Tee, und alle Mitglieder rauchten. Jeder mußte von seinem Stuhl aufstehen und zu dem Tagesthema etwas sagen. Der Stuhl quietschte, und derjenige, der aufgestanden war, rauchte im Stehen, sein Rauch stand höher als der Rauch der Sitzenden. Ich setzte mich immer ganz nach hinten, und bevor ich mit dem Sprechen dran war, ging ich schnell zur Toilette, rauchte auch dort vor dem Spiegel und hörte die Fragen: Ist die Türkei schon so weit industrialisiert, daß die Arbeiterklasse eine Arbeiterpartei an die Macht bringen kann? Oder ist die Türkei noch feudal oder eine Kolonie? Sind die objektiven Bedingungen schon reif, um frei und demokratisch vom Kapitalismus zum Sozialismus überzuwechseln? Oder muß man erst gegen den Feudalismus kämpfen und dazu alle progressiven Kräfte von Offizieren, Intellektuellen und Zivilisten des Landes beauftragen? Wer ist der Kopf? Die Arbeiter oder die Bauern, die bourgeoise Intelligenz oder die Offiziere? Ich hatte keine Ahnung, was Feudalismus war. Vor Wörtern wie Feudalismus, Imperialismus, Unterbau einer Gesellschaft, Überbau einer Gesellschaft stand ich wie vor einem Brunnen, der sehr tief war. Ich suchte Hilfe bei den Toten. Die Bücher, die ich alle lesen mußte! Rosa Luxemburg hatte so viel gelesen und geschrieben. Aber ich hatte noch Zeit, so wie sie zu werden. Ich war erst neunzehn Jahre alt. Und ein Satz, den ich bei der Partei sehr oft hörte, war eine große Erleichterung: »Darüber kann man diskutieren.« Mit diesem Satz schob man das Diskutieren auf den nächsten Tag. Nicht heute, aber morgen. Der Satz war ein guter Fluchtweg. Entweder diskutierte man, oder man sagte: »Darüber kann man diskutieren.«

Auf einer Parteiversammlung traf ich Eule wieder und ging mit ihm und anderen danach in ein Restaurant. Plötzlich fragte Eule mich wie beim ersten Mal: »Was meinst du dazu?« Ich sagte: »Darüber kann man diskutieren.« Als das Restaurant schließen wollte, lud Eule uns alle zu sich nach Hause ein. Ich ging mit, und wir saßen in dem Zimmer, in dem ich im Mondlicht geschlafen hatte. Eule und alle anderen Männer gingen in die untere Etage und ließen mich oben schlafen. Ich sah vom Bett zur Balkontür, an der Scheibe klebte eine Schnecke, sie hatte vielleicht ihren Weg verloren, war an der Glasscheibe höher und höher gekrochen und irgendwann gestorben, aber ihr Körper war am Glas klebengeblieben. Ich ging zum Balkon und schaute auf den Balkon der unteren Etage. Alle Männer standen dort nebeneinander in ihren dunklen Anzügen, rauchten und schauten auf das Meer. Sie standen dort unbeweglich wie auf einem dunklen Schwarzweißfoto, meine Augen suchten nicht mehr nach Eule.

Am nächsten Morgen schaute ich wieder vom Balkon herunter, und die Männer standen wieder nebeneinander und rauchten. Die Sonne schien, und sie rauchten sehr unterschiedlich, sehr langsam, sehr schnell. Die Zigarette war das wichtigste Requisit eines Sozialisten. Wenn ich zu Hause rauchte, vergaß ich meine brennende Zigarette im Aschenbecher, ging in die Küche, und dort machte ich noch eine Zigarette an, kam zurück, sah die andere Zigarette im Aschenbecher und rauchte beide Zigaretten. Wenn ich von einer Parteiversammlung nach Hause kam, sagte die alte Tante Topus zu mir: »Wie du stinkst. Lüfte deine Kleider aus.« Ich sah auf vielen Balkons zum Lüften aufgehängte Jacken, Hosen, und ich dachte, wir vermehren uns, auf jedem Balkon werden Sozialistenhosen ausgelüftet. Ich dachte, alle Linken rauchen. Wenn ich in der Nacht mit dem letzten Schiff zur asiatischen Seite nach Hause fuhr und junge Männer sah, die Zigaretten in ihren Händen hatten, dachte ich, es wären Linke. Ich rauchte dann auch eine Zigarette, damit sie verstehen, daß auch ich eine Linke bin. Viele Lastträger, die über die Brükke vom Goldenen Horn gingen, rauchten. Sie hatten auf ihren Rücken Sättel wie die Esel, und auf ihnen trugen sie Papierstapel, Stoffe, Ölkanister. Ihre Köpfe und Rükken waren fast parallel zur Straße gebückt, Schweiß tropfte von ihrem Gesicht, und sie spuckten die brennenden Zigarettenkippen auf die Straße.

Auf alten Fotos von 1872 rauchten die ersten Hutmacher oder 1885 der erste Arbeiterführer, ein Lastträger, der verhaftet worden war. Die ersten streikenden Hafenarbeiter

1872 rauchten. 1927 tötete man 15 Hafenarbeiter in Istanbul, ihre Freunde standen rauchend um die Toten herum.

Ich freute mich, wenn unser Schauspiellehrer Memet sofort nach dem Unterricht auf dem Korridor eine Zigarette anmachte. Wenn ein Schuhmacher rauchte, brachte ich meine alten Schuhe zu ihm, setzte mich auf einen Stuhl, und während er in seinem Mund die Nägel hielt und gerade einen davon in meinen Schuh schlug, versuchte ich ihm zu erklären, warum er die Partei der Arbeiter wählen sollte. Ich sagte: »Wir werden von Amerika zerquetscht. Wenn Sie Ihre Hand mit dem Hammer kaputtschlagen, haben Sie nicht einmal eine Versicherung. Der Kapitalismus ist der Hammer, sein Nagel ist Demirel, wir sind die Schuhe.« Der Schuhmacher konnte nicht reden, weil er die Nägel in seinem Mund hielt. Seine brennende Zigarette lag neben ihm in einer Blechdose. Auch wenn ein Obstverkäufer rauchte, ging ich in seinen Laden. Ich kaufte zwei Äpfel, dann wollte ich mit der Partei anfangen, aber es war schwer, im Stehen den Anfang zu finden. Der Obstverkäufer fragte mich: »Was noch, Schwester? Willst du noch etwas? Wenn du noch etwas anderes willst, gebe ich es dir.«

Ein anderer junger Obstverkäufer hatte eine Zigarette hinter seinem linken Ohr festgesteckt. Ich sagte: »Verfaulen die Äpfel sehr schnell?« – »Ja«, sagte er. »So wie die Äpfel verfaulen, werden auch die Menschen älter«, sagte ich, »haben Sie eine Altersversicherung? Amerika beutet uns aus. Amerika wird dicker und dicker, wir werden dünner und dünner.« Der Obstverkäufer hatte rote Wangen, jetzt wurden sie noch röter. »Sind Sie Lehrerin?« Ich sah, daß er einen Ständer bekommen hatte, und ich lief schnell aus dem Laden. Er rief: »Auf Wiedersehen, meine Lehrerin.«

Im Restaurant »Kapitän« erzählte mir ein Intellektueller, daß eine schöne reiche Frau sie alle in ihre Wohnung eingeladen hatte. 14 Männer. Sie gingen zu ihr, saßen in einem schönen Salon, sie spielte Klavier, dann stand sie auf und sagte: »Jetzt zieht euch alle aus. Auch ich gehe und ziehe mich aus und komme dann zurück.« Die Intellektuellen lachten, zogen sich aus, saßen da und warteten. Die Frau kam wieder ins Zimmer, aber sie war nicht ausgezogen. Sie setzte sich auf den Klavierstuhl und schaute sich die 14 nackten Intellektuellen an. Dann gab sie jedem eine Zigarette und Feuer.

Manchmal wollte Tante Topus von mir eine Zigarette, dann sagte sie: »Gib mir etwas Geld für mein Leichentuch.« Manchmal kam aus der Schule oder von der Partei ein Freund mit mir nach Hause. Spät nachts saßen wir in der Küche, kochten Tee und redeten. Mein Vater rief von seinem Bett aus: »Was ist los, meine Tochter, warum schläfst du nicht?« – »Nichts, Vater«, rief ich, »ich rauche nur eine Zigarette mit einem Freund.« Mein Vater schlief weiter, das Wort Zigarette beruhigte ihn. Wir rauchten unsere Zigaretten, und der Freund erzählte mir, daß die Marxisten für ein Kind statt des leiblichen Vaters den Onkel als Vater richtig fänden, weil ein Onkel bei einem Kind nicht so autoritär wäre. So würde ein Kind freier aufwachsen. Oder der Freund fragte: »Was soll man als Marxist zu seinem Kind sagen, wenn es eines Tages fragt: ›Vater, gibt es Gott?‹« Wenn Gott einem Kind Wärme gab, war es dann richtig, ihm diese Wärme wegzunehmen? Was gab man ihm statt dessen, wenn man ihm dies wegnahm? Wir rauchten und fanden keine Antwort.

Eines Nachts fuhr ich mit dem letzten Schiff von der europäischen Seite zur asiatischen Seite nach Hause. Mit einem Freund, der auch Schauspielschüler war, nahm ich ein Taxi. Der Fahrer warf seine glühende Kippe aus dem Fenster, fuhr los und steckte sich sofort eine neue an. Mein Freund stieg zuerst aus und bezahlte nur seine Fahrt. »Deutsche Gewohnheiten, nicht?« sagte der Fahrer. In der Türkei zahlten die Männer für die Frauen mit. Ich sagte: »Er hat nicht genug Geld. Warum soll er für mich zahlen? Ich habe Mitleid mit den Männern, sie müssen immer zahlen, deswegen sterben sie auch früher als die Frauen.« Der Fahrer steckte sich die nächste Zigarette an, fuhr mich zu meiner Straße und hielt an. Als ich gezahlt hatte, sagte er: »Ich habe gesehen, Sie sind ein modernes Mädchen. Darf ich etwas mit Ihnen sprechen?« Es war stockdunkel, nur ein Straßenhund lief schnell am Auto vorbei. Ich hatte ein bißchen Angst. »Nein, mein Vater wird böse.« Aber der Fahrer gab mir eine Zigarette und Feuer. Er fuhr in Richtung Meer, die Räder rollten über den Sand. Im Scheinwerferlicht sah ich den Sand zur Seite spritzen. Er machte den Motor und das Licht aus, öffnete das Handschuhfach, holte eine Pistole heraus und hielt sie in seiner rechten Hand. In der linken glühte die Zigarette. »Guck, Schwester, dich hat mir Allah geschickt, sonst hätte ich mich mit dieser Pistole hier getötet. Ich wollte mit Ihnen reden, weil Sie ein moderner Mensch sind. Das habe ich verstanden, als Sie sich das Fahrgeld nicht von Ihrem Freund bezahlen ließen.« Er gab mir die nächste Zigarette und erzählte: »Meine Frau hat Abitur, ich nicht. Und die Familie meiner Frau sagt: ›Unsere Tochter ist wertvoller als du. Du bist ein Esel.‹« Er weinte und rauchte. Ich schwieg, hörte seinem Weinen zu und blies meinen Zigarettenrauch immer ins Auto, nachdem er seinen Rauch ausgestoßen hatte. Dann rollte er das Fenster herunter und sagte: »Es ist Morgendämmerung, Schwester. Ich bringe Sie nach Hause.« Als ich meinem Vater die Geschichte erzählt hatte, sagte er: »Meine Tochter, bist du töricht? Was wäre, wenn er dich mit der Pistole getötet hätte?« – »Wir haben nur Zigaretten geraucht«, sagte ich. Danach blieb mein Vater ein paar Nächte wach und wartete auf mich. Wenn ich nach Hause kam, atmete er tief durch und sagte: »Komm, meine Tochter, laß uns eine rauchen.«

Auch für die Schauspielschule war die Zigarette das wichtigste Requisit. Wenn wir kleine Szenen aus Stücken probierten, spielten die Schüler die Figuren oft mit einer Zigarette in der Hand. Hamlet war ein Raucher, Othello war ein Raucher, Ophelia rauchte, Medea war eine Raucherin. Aber auf der Bühne wirkte das Rauchen langweilig. Es sah aus, als ob wir nicht wüßten, was wir mit unseren Händen tun sollten, deswegen steckten wir die Hände entweder in die Taschen, oder wir rauchten. Unser Lehrer Memet schickte uns auf die Bühne, jeder sollte dort fünf Minuten einfach stehen und etwas erzählen, ohne zu rauchen oder die Hände in die Taschen zu stecken.

DER SARG DES TOTEN STUDENTEN
SCHWAMM TAGELANG
IM MARMARA-MEER

Eines Tages kam ich von der Schauspielschule nach Hause, und Bodo und Heidi, meine beiden Freunde aus Berlin, saßen in der Wohnung meiner Eltern. Meine Mutter
sprach mit Händen und Kopfbewegungen mit ihnen und
sagte ständig das deutsche Wort »gut«. Mein Vater redete
ganz ruhig in türkisch. Bodo und Heidi verstanden kein
Wort, aber saßen da, hörten meinem Vater zu und lächelten. Mein Vater und meine Mutter gaben Bodo und Heidi
ihr eigenes Schlafzimmer und gingen die ganze Nacht am
Meer spazieren. Sie hätten auch im Salon schlafen können,
aber sie sagten, es wäre so romantisch, daß aus Deutschland meine Freunde in die Türkei gekommen wären, das
würde sie an ihre Jugend erinnern, und so sind sie die ganze Nacht am Meer entlanggelaufen. Das gefiel Bodo und
Heidi. Bodo sagte dauernd: »Unglaublich, unglaublich«,
und Heidi: »Wie schön ist das, wie schön.« Bodo und Heidi
waren zum internationalen linken Studentenfestival an der
Technischen Universität in Istanbul gekommen. Am nächsten Tag gingen sie zu diesem Treffen. Ein Orchester spielte, die linken Studenten und Studentinnen aus Europa und
der Türkei fingen an, miteinander zu tanzen. Der berühmte
türkische Studentenführer Deniz – sein Name bedeutete:
Das Meer – ging zu dem Orchester und trat die Trommel
kaputt. Die Musik hörte auf, alle schauten ihn an. Deniz

rief in englisch: »In Mittelost gibt es Krieg, in Vietnam gibt es Krieg, aber ihr tanzt hier zu amerikanischer Musik. Tod dem amerikanischen Imperialismus, es lebe der revolutionäre Kampf der Völker der Welt.«

So kehrten Bodo und Heidi früh zu uns zurück. Bodo trank in der Küche mit meinem Vater Rakı, mein Vater küßte ihn und sagte: »Oh, meine Seele, schau mal, was für schöne blaue Augen er hat«, und küßte ihn auf die Augen. Meine Mutter sagte zu ihm: »Laß die Kinder in Ruhe, sie verstehen deine Sprache nicht.« Mein Vater aber machte immer weiter: »Ihr seid der Honig, der von Allahs Bäumen herunterfließt.« Ich übersetzte das und kicherte. Dann sagte mein Vater: »Laßt uns ans Meer gehen.« Das Meer war fünf Minuten von der Wohnung entfernt. Mein Vater legte sich in den Sand, das Meer kam, die Wellen schlugen ans Ufer, zogen sich zurück und kamen wieder. Es gab so viele Sterne, ich hatte, seitdem ich aus Berlin zurück war, nicht mehr an die Sterne gedacht. Ich hatte sie vergessen, aber sie waren immer dagewesen. Jetzt sah ich sie wieder mit meinen Freunden aus Deutschland und freute mich, als ob ich für sie die Sterne an den Himmel geklebt hätte. Mein Vater reichte uns eine Flasche Rakı und sagte: »Oh, oh.« Bodo sagte: »Der Türke fühlt sich am Meer wohl, der Deutsche im Wald. Der Schriftsteller Elias Canetti sagte: ›Der Deutsche fühlt sich im Wald wohl, weil die aufrechten Bäume des Waldes die Deutschen an ein Heer erinnern.‹ Aber weil sie so lange in den Wäldern gelebt hatten, waren sie mißtrauisch geworden. Hinter jedem Baum sahen sie eine Gefahr, in den tiefen, dunklen Wäldern gab es überall Schatten. Erst als die Deutschen ihre Wälder abgehackt und Wege gebaut hatten, merkten sie, daß es auch andere Menschen in der Welt gab und andere Länder.

Die Engländer, Spanier und Holländer waren sehr früh Kolonialherren, weil sie Menschen vom Meer waren. Sie hatten am Meer gestanden und früh gesehen, daß die Welt groß ist.« Dann schwieg Bodo und schaute zu den Sternen. Mein Vater schlief schon auf dem Sand, und Heidi sagte: »Karl Marx hat gesagt, die Deutschen haben sich beim Kolonisieren der Welt verspätet, deswegen teilt der deutsche Intellektuelle die Welt im Kopf ein, so wie du, Bodo.« Dann lachte Heidi, Bodo nahm eine Handvoll Sand und ließ den Sand auf die nackten Beine von Heidi rieseln.

Auf den Istanbuler Straßen fanden Bodo und Heidi am nächsten Tag einen kleinen Hund und gaben ihm den Namen eines ottomanischen Sultans, »Murat«. Und weil sie den kleinen Hund mit nach Berlin nehmen wollten, kauften sie Baldrian, damit er an der Grenze nicht bellte. Als sie wieder in Berlin angekommen waren, riefen sie mich an, ließen den kleinen türkischen Hund ans Telefon kommen, und er bellte.

Telefon, das war etwas Neues. Wenn das Telefon klingelte, nahm meine Mutter den Hörer wie eine Schauspielerin in die Hand. Sie hatte Liz Taylor in den Filmen telefonieren gesehen und machte sie nach. Das Telefon hatte eine Autorität. Wenn das Telefon klingelte und mich jemand von der Partei anrief – »Komm her, in dieser Nacht kommen berühmte Kommunisten, die jahrelang im Gefängnis gesessen haben« – oder von der Schauspielschule – »Komm heute abend zum Goethe-Institut, Heinar Kipphardt ist da« –, sagte ich zu meiner Mutter: »Ich muß weg.« – »Warum, es ist spät, wohin willst du gehen?« – »Ich muß weg, sie haben mich angerufen.« – »Ach so, verspäte dich nicht.«

In der Schule sprachen die Schüler viele Tage über den Kipphardt-Besuch. Ein Mensch aus Europa. Was er sagte, war wie ein zementierter Satz. Ein Türke, der in Europa studiert hatte, bekam an einem Tisch den ersten Platz, und alle schauten auf seinen Mund, was er sagte. Wenn ein paar Menschen an einem Tisch diskutierten und ein Europäer dabei war, sagte einer zum anderen: »Mensch, sogar der Europäer glaubt mir, wie kannst du denn wagen, mir nicht zu glauben, du Holzkopf.« Europa war ein Stock, mit dem man sich gegenseitig die Köpfe einschlug. »Wir sind zu sehr à la Turca«, sagten die Türken und wußten nicht, daß selbst dieser Ausdruck aus Europa kam. »Sei nicht so à la Turca«, »Mach nicht auf à la Turca«. Europäisches Aspirin heilte Herzkrankheiten. Bei europäischen Stoffen konnte man aus 40 Metern Entfernung erkennen, wie gut sie waren. Europäische Schuhe konnten nie kaputtgehen. Europäische Hunde hatten alle in den europäischen Hundeschulen studiert. Europäische Frauen waren echte Blondinen. Europäische Autos machten keine Unfälle. Ein Maler, der in Paris studierte, kaufte auf Bestellung seines Freundes, der in Istanbul lebte, eine Sexpuppe aus Nylon. Er brachte sie nach Istanbul zu seinem Freund und sagte: »Für dich. Aber ich werde zuerst mit ihr schlafen. Dann gebe ich sie dir.« Der Freund schaute auf das Geschlechtsteil der Nylon-Puppe und rief: »Du Schuft, du hast sogar schon mit ihr geschlafen! Die Nähte sind offen. Ihr Organ müßte noch zugenäht sein.«

Dann traf auch ich einen Mann, der in Europa studiert hatte. Ich saß im Restaurant »Kapitän« mit vier jungen Schauspielern und fütterte eine Katze unter dem Tisch mit Fisch. Die vier fingen auch an, sie zu füttern und zu streicheln, dann ging der Strom aus, und wir sahen nur die leuchtenden Augen der Katze im Dunkeln. Einer der Schauspieler begann:

»Es spornt sich die Nacht
die dunkelen Weichen
mit silbernen Sternen«

In dieser Dunkelheit fuhr ein Schiff ganz nah am Restaurant »Kapitän« vorbei, die Tische wackelten, und ein paar

Gläser fielen um. Auf der Reling zündete sich jemand eine Zigarette an, und ich sah im Streichholzfeuer sein Gesicht, er hatte einen Kopf wie Lenin. Die vier Schauspieler hatten ihn auch gesehen. »Da kommt er!« Bis das Schiff am Kai angelegt hatte, sprachen die vier über ihn. Sein Vater hatte ihn zum Architekturstudium nach Europa geschickt, er stammte aus einer alten, bürgerlichen Familie. Statt dessen aber hatte er in Italien bei Fellini und Pasolini Film studiert und war als Marxist zurückgekehrt. Seine Familie wollte mit ihm nichts mehr zu tun haben und gab ihm kein Geld für seine Filmprojekte. Er gab eine theoretische Filmzeitschrift heraus und war ein Anhänger von Pasolini. Die vier sagten im Chor: »Ein großer Intellektueller, ein wichtiger Künstler, ein toller Kopf!« Er hieß Kerim. Kerim Kerim Kerim.

Der Strom kam zurück, die Lichter gingen wieder an, und Kerim stand plötzlich an unserem Tisch. Er hatte eine Hand aus Samt. Alle vier standen auf und boten ihm ihren Stuhl an. Er setzte sich mir gegenüber, und als später die Kellner seinen Fisch brachten und er die Hälfte des Fisches auf meinen Teller legte, verabschiedeten sich die vier. Ich aß nicht und lachte nur. »Beweg dich nicht mit diesem Kleid aus Seide«, sagte Kerim, und, als er mich später im Bett auszog:

»Ein Licht leuchtet auf in der Brust,
die sich spiegelt, vom rieselnden Bach.«

»Versteck deine Brüste nicht«, sagte er, als ich vor ihm stand, »lauf offen vor mir, sprüh Parfum, führ deine Nacktheit wie ein schönes Kleid vor.«

In seinem Zimmer hing ein Bild von Pasolini. Wenn er das Bett verließ und aus dem Zimmer ging, schaute er jedes Mal über seine rechte Schulter auf dieses Bild, wenn er zurückkam, schaute er über seine linke Schulter auf das Bild. Kerim sagte: »Die chinesischen Mädchen, die mit der Mao-Revolution bewußter geworden sind, sind auch in der Liebe bewußter geworden. Guter Sex hängt von revolutionärem Bewußtsein ab.« Während Kerim einen Pfirsich an meiner nackten rechten Brust rieb und dann aß, dachte ich an ein bewußtes, kleines chinesisches Mädchen. Ich sprach nicht viel mit Kerim, weil ich nicht wußte, wie bewußt meine Sätze waren. Er sagte: »Die italienische Schauspielerin Anna Magnani zieht sich nur schwarz an. Sie ist eine sehr gute, bewußte Schauspielerin.« Ich fing sofort an, mich auch schwarz anzuziehen, und wollte für ihn Anna Magnani und das chinesische Mädchen sein. Anna Magnani war leichter, jeden Tag schwarze Kleider, aber ein bewußtes chinesisches Mädchen mit bewußtem Sex zu sein war schwierig. Wir blieben drei Tage in einem Zimmer und liebten uns. Manchmal ging er kurz aus dem Haus, kaufte viel Obst, kam und schüttete es aus der Tüte über mich ins Bett. Ich nahm einen Pfirsich in die Hand, roch daran und wollte bewußter werden, konnte aber an nichts anderes denken, als Sex mit ihm zu machen. Mein Körper lernte neue Gefühle kennen und vergaß sie nicht mehr und fing an, süchtig nach ihnen zu werden. Wenn wir aufstanden und herausgingen, hatte ich das Gefühl, unser Fleisch wäre ineinandergewebt gewesen und würde jetzt mit einem großen Messer vom Fuß bis zum Kopf getrennt. Kerim lief dann im Nebel von Istanbul neben mir her, und ich dachte, er hat mich schon verlassen. Er wird mich verlassen. Was mache ich, wenn er mich verläßt? Ich wollte nach Rotchina fahren. In der Zeitung sah ich Brigitte Bardot in einem Mao-Kostüm. BRIGITTE BARDOT ZOG SICH MAO-KOSTÜM AN. Ich versuchte, solch eine Mao-Jacke zu finden.

Nach einer Woche mußte plötzlich Kerim, nach dem ich so süchtig geworden war, zum Militärdienst in eine andere

Stadt, und ich fing an, Zeitungen und Zeitschriften zu kaufen und im Schauspielunterricht zu lesen, um so bewußt zu werden wie das chinesische Mädchen. Ich setzte mich ganz nach hinten, draußen schneite es, und durch das Fenster des schläfrigen Klassenzimmers hörten wir draußen die Autos hupen. Die Taxifahrer streikten gegen das neue Steuergesetz, und die Studenten liefen durch den Schnee und schrien: »Die Universitätsprofessoren lieben nur das Geld. Wir sind gekommen, um die Revolution zu machen.« Am nächsten Tag schneite es weiter, und ich las in der Klasse, was gestern passiert war. Die Studenten, die gestern auf den Straßen gewesen waren, waren zum Rektor der Universität gegangen und hatten gefordert, die Universität solle zu ihren Reformwünschen endlich ja sagen. Der Rektor meinte: »Freunde, ich bitte euch als euer älterer Freund, bleibt ruhig, macht als Universitätsstudenten nicht soviel Lärm.« Die Studenten riefen: »Das ist kein Lärm, das ist die Stimme der Jugend. Tritt zurück! Wir sind die Atatürk-Jugend.« Der Rektor sagte: »Und was bin ich? Ich war vor euch die Atatürk-Jugend. Ich habe Atatürks Reden noch aus seinem Mund gehört.« Die Studenten sagten: »Machen Sie nicht den Fehler wie die Professoren in Frankreich und Italien. Wir wollen an der Uni die Revolution. Die Uni darf nicht mit der amerikanischen Regierung zusammenarbeiten. Tritt zurück!« Der berühmte Studentenführer Deniz schlug die Glasplatte auf dem Schreibtisch des Rektors mit einem Stock kaputt. Die Studenten besetzten die Juristische Fakultät, sangen, brachten am nächsten Tag ein großes Foto von Atatürk mit und hängten es hinter dem Tisch des Rektors an die Wand. Darauf schrieben sie: »Das ist ein Geschenk des Verteidigungskomitees, das die Universität besetzt hat.« Der Rektor fragte: »Warum hängt ihr Atatürks Bild an die Wand? Ich habe auf meinem Tisch schon einen Atatürk-Kopf aus Bronze und ein Foto. Wir werden mit einer

ruhigen Arbeit zu einem guten Ergebnis für eure Reform-
wünsche kommen.« So endete die Besetzung der Uni. Die
Studenten gingen wieder zum Unterricht, Atatürks über-
großes Bild blieb an der Bürowand des Rektors hängen.
Nach der Schule ging ich sofort in Richtung Universität
und sah vor der Uni im Schnee die Fußspuren der prote-
stierenden Studenten. Kerim schrieb mir vom Militärdienst
schöne Briefe, er schrieb Gedichte und schickte mir im
Brief eine Winterblume aus den Bergen. Ich las weiter jeden Tag im Schauspielunterricht die Zeitungen. Es schneite
weiter. Die faschistische Gruppe »Graue Wölfe« lief durch
die Straßen, ich hörte ihre Stimmen aus dem Schulfenster,
während ich Zeitung las. Sie schrien: »Die Türkei wird ein
Friedhof für Kommunisten.« In der Zeitung stand, der Bürgermeister von Istanbul habe den Minirock verboten, und
die religiösen Gruppen sagten: »Die Milch der Kuh ist besser als die Milch einer ungläubigen Frau. Wenn man eine
Mutter sucht, muß man eine gläubige Frau suchen. Es lebe
unser Militär! Unser Ziel ist der Islam.«

Eine andere Nachricht war: »In diesen Tagen hört Amerika auf, Nordvietnam zu bombardieren. Der amerikanische
Präsident fährt zu Friedensgesprächen nach Honolulu.«

Es schneite in Istanbul auch, als ich diese Nachricht las:
»Martin Luther King ist ermordet.« Seine Frau weinte an
seinem Sarg. Als ich nach der Schule mit der Zeitung auf
die Straße lief, schaute ich auf das Blatt mit dem Bild der
weinenden Frau. Der Schnee machte die Zeitung schnell
naß, sie löste sich auf, und aus dem Bild des toten Martin
Luther King tropfte schwarze Zeitungsfarbe auf den weißen Schnee. In diesen Tagen brannten in Washington und
Chicago Häuser, und die schwarzen amerikanischen Soldaten prügelten sich in Japan mit den weißen amerikanischen Soldaten. Amerikanisches Militär besetzte Chicago,
und in Washington gab es ein Ausgehverbot. Ein Istanbu-

ler Taxifahrer fuhr in diesen Tagen mit einem Bettuch auf seinem Taxi, auf dem stand: »Nein zur NATO«. Die Kinder rannten hinter seinem Taxi her und schrien: »Nein zur NATO«, und der Taxifahrer wurde entlassen. Dann zog er das Bettuch wie ein Kleid an und lief damit durch die Straßen: »Nein zur NATO«. 350 000 Lehrer, Gewerkschafter und Studenten protestierten gegen religiöse Fanatiker und den Imperialismus. Die Sprecherin einer religiösen Partei sagte: »Die Ehemänner dürfen ihre Frauen schlagen, aber nicht ins Gesicht.«

Kerim schickte mir weiter Briefe und Winterblumen aus den Bergen, und es fing an zu regnen in Istanbul. Mit diesem Regen kamen die Hippies nach Istanbul und wohnten auf den Straßen, in ihren Autos oder im Park. Ihre Wäsche trockneten sie auf Leinen, die sie zwischen den Bäumen gezogen hatten. Mit dem ersten Regen stand in der Zeitung: Der Roman »Hoffnung« des französischen Kulturministers André Malraux ist wegen seiner kommunistischen Tendenz verboten und eingesammelt worden. In diesen Regentagen stellten sich in Istanbul die faschistischen Studenten »Graue Wölfe« den sozialistischen Schülerinnen der Lehrerschule in den Weg und griffen ihnen mit Gewalt zwischen die Beine und an den Busen. »Tod den Kommunistinnen!« In der Schauspielschule hörten wir durch das Fenster, daß draußen Stöcke auf Köpfe schlugen, und als wir nach Hause gingen, sahen wir an den Mauern und in den vom Regen geschützten Hauseingängen Blutflecken. Am nächsten Tag hörten wir durch das Fenster unten die Linken vorbeilaufen und in die Mikrophone singen:

»Wie ist das möglich, wie ist das möglich?
Daß der Bruder den Bruder tötet, ist unmöglich.
Verfluchte Diktatoren!
Diese Welt wird euch auch nicht bleiben.«

Die Polizei schnitt die Kabel an den Mikrophonen der Studenten durch, und wir hörten ihre Stimmen nicht mehr. In der Zeitung stand: »Burt Lancaster hat gesagt: ›Wir Amerikaner sollten heute nicht in Vietnam sein.‹« Die Sowjetunion hat an die rumänische Grenze Tausende von Soldaten geschickt: Moskau, Budapest und Ost-Berlin bilden gegen die Liberalisierungswelle eine gemeinsame Front. In Rom schlugen die Polizisten die Studenten. In Paris tausend verletzte Studenten und Polizisten. In Paris wird das Brot knapp. Das Pariser Volk hamstert Brot wie im Krieg. De Gaulle will in die Türkei kommen. Die türkische Regierung ließ für de Gaulles Länge ein Bett bauen. Während die türkischen Bettbauer für de Gaulles Länge ein Bett bauten, bauten die Pariser Studenten und die streikenden französischen Arbeiter Barrikaden. Die Arbeiter besetzten hundert Fabriken. Die Franzosen begannen, ihre Gelder aus den Banken zu holen. In der Türkei verprügelte die faschistische Gruppe »Graue Wölfe« einen Minister der Partei der Arbeiter. Und der Ministerpräsident der amerikanisierten Regierungspartei, Demirel, sagte: »Die Sozialdemokraten sind Menschenfresser.« In Lyon und in Paris gab es 22 Tote, 477 Verletzte. De Gaulle sagte: »Ich wünsche, die Universitäten neu aufzubauen.« In den Zeitungen waren Fotos von verbrannten Autos mit Pariser und Lyoner Nummernschildern und von verbrannten Hundeleichen vor den Barrikaden. Die minirocktragenden Pariser Mädchen gaben den Polizisten Fußtritte, wodurch sich ihre Miniröcke noch höher rollten. Im nordspanischen Asturien streikten und starben Bergleute durch die Kugeln der faschistischen Guardia civil von General Franco.

Als ich diese Nachricht las, ging ich zum Fenster, hielt meinen Kopf in den Regen und dachte, daß vielleicht meine spanische Liebe, Jordi, in Asturien mit den Bergleuten getötet worden ist. Ich setzte mich wieder, die Regentropfen aus meinen Haaren tropften auf die Zeitung, genau auf das Foto der französischen Hundeleichen. Draußen vor der Schauspielschule liefen unter dem starken Regen die streikenden Arbeiter und Studenten. Die linken Studenten schrien: »Wir wollen eine Uni für Volksinteressen. Ihr wollt Marionettenstudenten. Wir wollen billige Bücher.« Die »Grauen Wölfe« prügelten auf die Köpfe der Arbeiter und linken Studenten ein, und die Polizei warf Tränengas. Als wir aus der Schauspielschule kamen, roch die Luft nach Tränengas, und der starke Regen fiel auf die liegengebliebenen Stöcke der »Grauen Wölfe«. Der Regen hörte nicht auf. Ich kaufte eine Zeitung und kam mit der nassen Zeitung in die Schule. Beim Lesen färbten ihre nassen Buchstaben meine Knie und Beine und meinen hellen Minirock. In der Zeitung brannte Paris. Die Polizei hatte die Sorbonne-Universität besetzt. In Istanbul und Ankara hatten die linken Studenten die Universitäten besetzt und schliefen auf den Korridoren. Die Stühle der Uni-Klassen waren hinter den Universitätstüren übereinandergestapelt, um die Türen zu versperren, und der regierende amerikanisierte Parteichef Demirel beschuldigte wegen der Verbarrikadierungen der Universitäten die Sozialdemokraten und die Partei der Arbeiter. Ich ging aus der Schule in Richtung Technische Universität. Vor der Uni lagen viele Messer, Stöcke und kaputte Stuhlbeine auf der Straße, und die Korridorfenster der Universität waren milchig vom Zigarettenrauch. Die unverständlichen Stimmen der linken Studenten hallten auf den Korridoren und machten Echos. Plötzlich rannten in dem starken Regen nasse Menschen über die Straße, ich dachte, die Polizei ist hinter ihnen her, aber der italienische Filmstar Gina Lollobrigida war nach Istanbul gekommen, fuhr in einem Auto und winkte. Der starke Regen schlug auf das Autofenster und machte Ginas Gesicht zu einer Wassersilhouette. Das Auto war mit Blumen geschmückt, vom Regen fielen die Blumenblätter auf die Straßen und blieben zwischen den Stöcken und Messern liegen, die Autos fuhren über sie. Um die Atatürk-Statue im Stadtzentrum herum lagen Tausende von aufgeweichten Blumen und Transparenten von allen Parteien, die sich jetzt bei Atatürk beschwerten. Die Sätze auf den Transparenten waren: »Tod den Kommunisten!« Oder: »Die Türkei wird kein neues Vietnam!«, »Gott soll die Türken schützen!« Manche Buchstaben hatten sich durch den starken Regen verwischt, und die Blumenblätter und Demonstrationsschilder schwammen mit dem starken Regen durch die steilen Straßen von Istanbul in Richtung Meer. Die Abendzeitungsverkäufer schrien im Regen: »Robert Kennedy ist erschossen!« Robert Kennedy lag tot auf der Straße. Seine Schwägerin Jacqueline Kennedy weinte, ein greller Blitzschlag erleuchtete in dieser Sekunde den toten Robert Kennedy. Ich fuhr mit dem Schiff von Europa nach Asien. Im Schiff sprachen zwei Männer über Robert und John F. Kennedy. Einer sagte: »John F. Kennedy war sehr mutig. Er hatte durch seine vielen Reisen nach Palm Beach dauernd Sonnenbräune im Gesicht. Ein blöder Reporter fragte ihn, ob dies nicht ein Symptom einer Nierenkrankheit wäre. Daraufhin zeigte Kennedy, der sonst zurückhaltend gegenüber Journalisten war, ihm den Körperteil, der nicht von der Sonne gebräunt war.« Im Himmel zuckten wieder Blitze und tauchten eine Sekunde lang alle aufgeschlagenen Abendzeitungen in den Händen der Menschen in ein blaues Licht, in dem ich mehrere weinende Jacqueline Kennedys und mehrere tote Robert Kennedys sah. Dann war wieder alles dunkel. Nur der Regen schlug gegen die Fenster, und ich hörte die Zeitungsblätter beim Umblättern rascheln.

Dann hörte der Regen auf, und die Sonne und der Sommer kamen. Kerim schickte mir in seinen Briefen Sommerblumen aus den Bergen, wo er seinen Militärdienst als

Ersatzoffizier machte. Die Papierseiten, auf denen er von seiner Liebe schrieb, waren von der Sonne gebleicht. Vielleicht hatte er stundenlang unter der starken Sonne gesessen, als er für seine Liebe Wörter suchte. Ich lief durch die Straßen, seinen Brief in meiner Hand, die Sonne wärmte den Briefumschlag, ich steckte ihn in meine Minirocktasche, und der Umschlag wärmte an dieser Stelle meinen Oberschenkel. Überall reparierten Glaser die zerbrochenen Fenster.

Jetzt besetzten Arbeiter Fabriken, Studenten schickten aus besetzten Universitäten Blumen zu den besetzten Fabriken, und die Polizei zerschlug wieder die Fenster von besetzten Gebäuden. An manchen Istanbuler Mauern sammelte sich weiter Arbeiter- und Studentenblut, die Sonne trocknete es und machte es weiß. In der Schauspielschule hörten wir 21 Kanonenschläge, und bei jedem Kanonenschlag zitterten die Klassenfenster. In der Abendzeitung stand: »Die 6. Flotte der amerikanischen Kriegsmarine in Istanbuler Wasser. Die Regierung grüßte die 6. Flotte mit 21 Kanonenschlägen.« Am nächsten Morgen liefen viele Istanbuler Schuhe im Stadtzentrum über Tintenflecken. Die linken Studenten hatten in der Nacht zuvor im Stadtzentrum die weißen Uniform-Jacken der amerikanischen Matrosen mit Tinte, Farbe und Knallfröschen beworfen. Am Hafen hatten die Studenten die türkische Fahne heruntergezogen. »Wir glauben nicht, daß die Türkei ein freies Land ist, deswegen haben wir die Fahne heruntergezogen.« Die Polizei zog die Fahne wieder hoch, und in der Nacht gingen die Fenster einiger amerikanischer Gebäude zu Bruch. Die Polizei stürmte gegen vier Uhr morgens die Studentenheime und verhaftete alle Studenten, die an ihren Händen Farb- oder Tintenflecke hatten. Ein Student, Vedat Demircíoglu, fiel aus dem Studentenheimfenster auf die Straße und wurde schwer verletzt. Am nächsten Tag sah ich vom Fährschiff aus amerikanische Matrosen der 6. Flotte in ihren Uniformen im Meer schwimmen. Die Studenten hatten sie verprügelt und ins Marmara-Meer geworfen. In der Abendzeitung sah ich den linken Studentenführer Deniz auf den Schultern der anderen Studenten. Die Studenten riefen: »Wir wollen Blut gegen Blut«, sie wollten Rache für ihren Freund Vedat Demircíoglu. Vedat lag ein paar Tage im Koma, dann starb er. Am Tag seines Todes blieb der Studentenführer Deniz zwei Stunden mit dem Gesicht zur Erde auf dem Universitätskorridor liegen. Als er aufstand, war der Steinboden des Korridors naß von seinen Tränen.

Mit einem symbolischen Sarg gingen die Studenten durch die Straßen – die Polizei hatte die Leiche verschwinden lassen –, jetzt forderte die Polizei auch den symbolischen Sarg. Die Studenten rannten mit dem Sarg über die Brücke vom Goldenen Horn, über ihren Köpfen flogen die Steine der Polizei, sie sprangen auf ein Schiff und besetzten es. Polizisten, die in das Schiff wollten, fielen ins Meer und schwammen mit den Helmen auf ihren Köpfen im Wasser, die Studenten ließen die Schiffssirene stundenlang hupen. Tausende von Menschen versammelten sich auf der Brücke vom Goldenen Horn. Ihre Schatten fielen ins Meer und mischten sich mit den Schatten des Schiffs und den Schatten der Studenten, die den Sarg auf ihren Köpfen trugen. Im Chor riefen die Studenten die ersten Zeilen eines Gedichts von Nazim Hikmet: »Mein Junge, schau gut auf die Sterne.«

Dann sangen sie wieder:

»Wie ist das möglich, wie ist das möglich?
Daß der Bruder den Bruder tötet, ist unmöglich.
Verfluchte Diktatoren!
Diese Welt wird euch auch nicht bleiben.«

Dann kam der Mond, und im Mondlicht fuhr das Schiff mit dem Sarg, und die Studenten sangen weiter: »Wie ist das möglich, wie ist das möglich?«, dann ließen sie den symbolischen Sarg des ersten toten Studenten ins Marmara-Meer, in dem er tagelang schwamm. Am nächsten Tag druckten die Studenten große Fotos des toten Vedat, trugen sie vor sich her und warfen Steine gegen die Polizei. Dann flogen die Steine der Polizisten gegen die Fotos des toten Vedat und rissen sie in Stücke.

Blutend rannten die Studenten zur Atatürk-Statue im Stadtzentrum und schrien: »Ihr Mörder.« Die Regierung schickte Soldaten, um der Polizei zu helfen. Die Studenten bewarfen die Polizei weiter mit Steinen, nicht aber die Soldaten, und riefen: »Volk und Militär – solidarisch Hand in Hand. Es lebe Atatürk. Atatürk kommt.« Die Gewehre und die Helme von Polizei und Soldaten blinkten gemeinsam unter der starken Sonne. Die Studenten standen um die Atatürk-Statue und sangen die türkische Hymne, und die Polizei und die Soldaten standen parat. Dann sangen die Studenten die Internationale, und die Polizei fing an zu knüppeln. Danach kamen die faschistischen »Grauen Wölfe« mit Stöcken und schrien: »Armenische jüdische Hurensöhne, die Türkei wird türkisch bleiben. Türke, zittere, und finde zum Türkischen zurück.« Die Polizei warf Tränengas auf die Studenten vor der Atatürk-Statue, alle weinten und husteten, weinende Stimmen riefen: »Revolution oder Tod.«

Während die linken Studenten vor der Atatürk-Statue ihr echtes Blut ließen, probierten wir in der Schauspielschule eine weitere Szene aus Marat/Sade mit künstlichem Theaterblut, dann wuschen wir uns und gingen mit den auswendig gelernten Theatertexten aus der Schule. Mein Text als Charlotte Corday war:

Was ist dies für eine Stadt
in der die Sonne kaum durch den Dunst dringt
und es ist kein Dunst von Regen und Nebel
es ist ein warmes dickes Dampfen
wie in Schlachthäusern
Was johlen sie so
Was zerren sie da hinter sich her
Was tragen sie da auf den Spießen
Was hüpfen sie so
Was tanzen sie so

Am nächsten Tag, als die Grillen zirpten und die Blätter müde von den Bäumen runterhingen, erschien in den Zeitungen ein Foto des Studentenführers Deniz. Er war kurz nach seinem Examen über Strafrecht von der Polizei verhaftet worden. Er und viele andere saßen dann 58 Tage im Gefängnis, und jeden Tag gab es seitdem in den Zeitungen Fotos von unrasierten Studenten. Die Regierung ließ die berühmten Linken aus Europa, die zu einem Friedensfestival eingeladen worden waren, nicht nach Istanbul, ihre Flugzeuge kehrten zurück. Jetzt marschierten die »Grauen Wölfe« und schworen an der Atatürk-Statue auf den Krieg gegen den Kommunismus. »Militär und Volk, solidarisch Hand in Hand.« Die Menschen erzählten sich jetzt Geschichten über Deniz. Als Kind soll er auf einem Müllplatz gestanden und sein bißchen Geld an die Müllarbeiter verteilt haben. Er und seine Freunde nannten sich untereinander »Ziegenbärte« oder »Schildkrötengesichter«. »Ziegenbärte« waren die, die dem Vietcong-Chef Ho-Chi-Minh folgten, die »Schildkrötengesichter« folgten Che Guevara und Fidel Castro.

Deniz war vor seiner Verhaftung mit anderen Schildkrötengesichtern zu den Bauern in Anatolien gegangen und hatte dort für die Bodenreform agitiert, und jetzt schnitten vielleicht viele Scheren seine Fotos aus der Zeitung, und viele Hände hängten sein Foto an die Zimmerwände. Dann war Deniz eines Tages plötzlich aus der Zeitung verschwunden. Die neue Nachricht war: »Sie gehen mit Apollo 7 zum Mond.« Ich riß das Mondbild aus der Zeitung und legte es in mein Heft, als ob ich den Mond vor den Astronauten verstekken wollte. Unter dem Foto des Mondes stand ein Foto von einem türkischen Dorf, das von einem Helikopter aus fotografiert worden war: »Sie gehen zum Mond, und wir leben noch in der Dunkelheit des Mittelalters.« An der türkisch-persisch-irakischen Grenze hatten sich Schneemassen im Hochgebirge gelöst, und das Schmelzwasser hatte die Wege zwischen Dörfern und die Straßen nach Hakkâri zerstört. Die Bauern konnten die Stadt nicht mehr erreichen, ihre Äcker waren überschwemmt, und sie verhungerten in ihren Dörfern. Die Regierung warf Nahrung und Medikamente aus Helikoptern, aber die Zeitungen berichteten, daß es in den Händen der Bürokraten landete. Als ich diese Nachricht las, legte ich aus Hilflosigkeit die Zeitung auf meine Knie und sah neben mir einen anderen Schauspielschüler, Haydar, der die gleiche Nachricht gelesen hatte. Er war der jüngste Schüler der Klasse und kam aus Kapadokia. Haydar sagte: »Wenn sie zum Mond gehen, können wir auch bis zur persischen Grenze fahren und über die verhungernden Bauern eine Reportage machen.« Ich sagte sofort ja und dachte an die Bauern, aber auch an Kerim. Ich könnte auf der Reise Fotos machen, ihn damit später überraschen und auf der langen Reise viele politische Bücher lesen. Auch Rosa Luxemburg hatte sicher im Zug zwischen Berlin und Warschau Bücher gelesen und ab und zu mal in den Regen, der gegen das Zugfenster schlug, geschaut, und draußen waren vielleicht die Rehe und Kaninchen auf den Wiesen vorbeigehüpft. Haydar fragte in der Schauspielschule noch einen zweiten Schüler, ob er mitkäme, den dicksten Jungen der Klasse, mit dem er manchmal die amerikanischen Komiker

Stan und Ollie nachmachte. Bei der Zeitung der Partei der Arbeiter sagten wir: »Wir wollen eine Reportage an der persisch-irakischen Grenze machen.« Der Zeitungsdirektor gab uns Journalistenausweise. »Wenn ihr Hilfe braucht, sucht in den Städten die Partei der Arbeiter.« Als ich meinen Eltern mitteilte, daß ich nach Anatolien wollte, fragte meine Mutter: »Hast du keine Angst?« – »Nein, die Bauern verhungern, ich will etwas für sie tun.« – »Meine Tochter, ich frage dich noch mal, hast du keine Angst, dich als Mädchen auf diesen Weg zu machen? Es sind zweitausend Kilometer.« – »Nein, die Bauern verhungern, ich gehe. Ich kann hier kein Kotelett mehr essen.« – »Du warst schon als Kind gefährlich«, sagte meine Mutter. »Ich stellte den heißen Suppentopf zum Abkühlen auf den Boden, und du setztest dich auf die heiße Suppe.« Mein Vater sagte: »Meine Tochter, du hast deinen Gehirnkompaß verloren. Wohin rennst du? In die Hölle. Und du wirst uns mit verbrennen lassen.« Tante Topus sagte: »Dieses Mädchen muß seinen Kopf verloren haben. Ein Doktor muß ihr eine Spritze geben. Mädchen, sammle dein Gehirn zusammen.« Mein Vater sagte: »Wenn du ein Mann wärst, aber du bist ein Mädchen.« Ich probierte am Theater eine Männerperücke und einen Schnurrbart aus. Haydar sagte: »Was machst du da? Ich dachte, wir wollen eine Reportage machen. Wenn der Weg gefährlich ist, ist er auch gefährlich für einen Mann.« So zog ich wenigstens ein langes, großes Hemd meines Vaters an, damit die Männer mich in Ruhe ließen. Mein Vater sagte: »Dir etwas beizubringen ist schwerer, als ein Kamel zum Springen zu bringen.« Er gab mir 300 Lira für die Reise. In der Apotheke kaufte ich ein Medikament gegen Schlangenbisse. Von den 300 Lira kauften wir drei Busfahrkarten bis nach Kapadokia, Haydars Vater war dort Arzt. Wir hofften, er würde uns Geld geben für die Weiterreise. Ich kaufte zwei Bücher, »Das Kapital« von Marx, von Lenin »Staat und Revolution«.

WIR KONNTEN DEN MOND
MIT DEM GETREIDE FÜTTERN

Der Bus nach Kapadokia war voll mit Bauern, die ohne
Geld in den Taschen zu ihren Dörfern zurückkehrten. Viele von ihnen waren von einem Istanbuler Betrüger reinge-
legt worden, der ihnen die Uhr neben der Atatürk-Statue
verkauft hatte. Der Betrüger hatte sich vor diese Stadtuhr
gestellt, und einer seiner Männer kam vorbei, schaute auf
die Uhr, stellte danach seine Armbanduhr und gab dem
Betrüger Geld. Dann kam ein zweiter Mann, stellte ebenfalls seine Uhr nach der Stadtuhr und zahlte auch. Die Bauern, die dort Arbeit suchten, fragten den Betrüger, warum
die Männer ihm Geld gäben. »Die Uhr gehört mir. Und
alle Leute, die ihre Armbanduhr nach meiner Uhr stellen,
müssen mir dafür Geld geben. Ich habe damit schon viel
verdient, wenn ihr wollt, verkaufe ich euch die Uhr.« Die
Bauern kauften ihm die Stadtuhr ab und wollten nun von
den Leuten, die zufällig ihre Uhr vor der Stadtuhr stellten,
Geld kassieren, diese holten aber die Polizei.

Kurz vor der Abfahrt kam der nächste Betrüger in den
Bus. Er zeigte einen Ballen Hosenstoff und wollte 100 Lira
für zwanzig Meter Stoff haben. Ein Bauer kaufte, der Betrüger stieg aus, der Bus fuhr ab, und die zwanzig Meter
Stoff waren nur drei Meter Stoff. Der betrogene Bauer wik-
kelte die drei Meter Stoff über seinen Beinen auf, und er
wollte weiter glauben, daß es zwanzig Meter waren. Ich
sagte zu ihm: »Amerika beutet uns aus, und seine Knechte

in dieser kaputten Gesellschaft beuten euch auch aus. Das kommt alles von der kaputten Ökonomie.« Ich wiederholte diese Sätze ein paarmal, bis einer der Bauern zu mir sagte: »Meine Schwester, Amerika geht zum Mond. Amerika hat keine Zeit, sich mit uns zu beschäftigen.« Die Bauern hatten Schafe mit im Bus, die dauernd blökten, »Amerika – mäh – beutet – mäh – uns aus – mäh, mäh, mäh«. Ich schwieg und öffnete Lenins Buch »Staat und Revolution«. Das Busbüro hatte mir das Ticket für den Platz direkt hinter dem Busfahrer verkauft, und der Fahrer schaute durch den Spiegel auf meine Beine. Ich gab das Lesen im Lenin-Buch auf und legte das Buch aufgeklappt über meine Knie. Der Busfahrer stellte den Spiegel höher und schaute jetzt auf mein Gesicht. Ich hielt das Lenin-Buch vor das Gesicht, verstand aber beim Lesen kein Wort, weil ich dauernd den Busfahrer kontrollierte, das Lenin-Buch ging mit dem Busspiegel hoch und herunter, bis die Nacht kam. Der Mond fuhr in der Nacht mit uns, alle Bauern schauten aus dem rechten Fenster des Busses hoch zum Mond und dachten an Apollo 7 und die Amerikaner.

Als wir in Kapadokia in Haydars Haus ankamen, rief seine Mutter: »Die Kinder sind gekommen! Habt ihr in Istanbul mehr über die Reise zum Mond gehört als wir hier in Mittelanatolien?« Ich sagte zu Haydars Mutter: »Der Mond ist auch unser Mond. Aber die Amerikaner haben uns nicht gefragt, ob wir wollen, daß sie hinfahren. Sie kommen auch in unser Meer und fragen uns nicht.« Haydars Mutter sagte: »Der Mond gehört nur Allah.« Der Vater fragte uns, warum wir gerade zur persisch-irakischen Grenze fahren wollten. »Wir wollen für die Schauspielschule Menschen studieren«, logen wir. Wir hatten Angst, daß er uns sonst kein Geld gibt. Haydars Garten stand voller Kirschbäume. Wir drei stiegen jeder auf einen Kirschbaum, saßen dort lange, aßen Kirschen, sprachen von Baum zu Baum über den amerikanischen Imperialismus, warfen die Kirschkerne auf einen großen Stein im Garten und riefen: »Es lebe die Rettung der unterdrückten Völker.«

Am Abend lud uns Haydars Vater zum Essen ins Offizierscasino ein. Als Provinzarzt war er mit den höheren Offizieren befreundet. Wir saßen an einem langen Tisch unter dem Mondlicht, und es sprach fast nur der ranghöchste Offizier. Während er sprach, aß niemand, wenn er aber eine Pause machte, klapperten die Gabeln und Messer. Der hohe Offizier fragte Haydars Vater: »Was machen dein Sohn und seine Freunde hier?« – »Sie sind Künstler und wollen Menschen und Charaktere unseres Landes studieren.« Jetzt wandte sich der hohe Offizier an uns: »Wir hoffen, daß junge moderne Menschen wie ihr uns das Milieu der modernen Länder und Amerikas bringen werdet. Atatürk hat dieses Land der Jugend überlassen. Wir erwarten, daß ihr die Türkei zum Mond bringt.« Wir drei sagten kein Wort, nur unsere drei Stühle knirschten gleichzeitig. Die anderen schauten sich den Mond an und sahen uns, die Jugend, schon dort. Bevor wir nach Hause gingen, schlug die Frau des höchsten Offiziers vor, daß am nächsten Morgen die Frauen gemeinsam ins türkische Bad gehen. »Wir wollen sehen, wie der Körper eines Istanbuler Mädchens, das Europa gesehen hat, aussieht.« Zu Hause holte Haydars Vater ein altes Grammophon, legte eine Tango-Platte auf und tanzte mit mir. Seine beiden Töchter lagen auf den Sofas und schauten uns zu. Haydar ging mit dem dicken Jungen auf sein Zimmer und sprach am nächsten Tag eine Weile nicht mit mir. »Haydar, warum sprichst du nicht mit mir?« Er lief unter den Kirschbäumen hin und her und sagte: »Die Bauern verhungern, und wir verlieren hier mit Tango unsere Zeit.« – »Wir haben kein Geld, um weiterzufahren. Sprich doch mit deinem Vater, er soll uns etwas Geld geben.« Er wagte aber nicht, mit seinem Vater zu sprechen. Deswegen stiegen wir weiter auf die Kirschbäume, aßen die Kirschen und schmissen die Kerne auf den großen Stein. Ich nahm meine Marx- und Lenin-Bücher immer mit in den Garten, ließ sie aber unter dem Baum liegen. Von oben sah ich dann, wie der Wind in ihnen blätterte. Manchmal fielen reife Kirschen vom Baum und färbten die Marx-Blätter mit ihrem roten Saft.

Haydars Vater fuhr mit uns zu der berühmten Vulkanlandschaft von Kapadokia. Der italienische Filmregisseur Pasolini drehte dort gerade seinen Film »Medea« mit der griechischen Opernsängerin Maria Callas. Ich wollte ihn unbedingt sehen und sprechen und dann an Kerim schreiben.

Wir standen in der Landschaft vor den Höhlen, und irgendwann kam Pasolini aus einer der Höhlen heraus und stand mit ein paar anderen Männern auf einem staubigen Weg. Ich lief zu ihm und wollte ihm sagen: »Ich kenne Ihren Schüler Kerim.« Er schaute auch in meine Richtung, kam langsam auf mich zu, ging aber an mir vorbei zu einer Frau, die hinter mir stand, und hakte sie unter. Es war Maria Callas in ihrem Medea-Kostüm und in ihrer Medea-Perücke. Sie hatte ihr Gesicht wegen der grellen Sonne mit einem schwarzen Tuch bedeckt und lief mit Pasolini den staubigen Weg hoch.

Im nächsten Dorf standen viele Bauern, Polizisten und zwei Offiziere auf dem Dorfplatz. Ein Mädchen aus dem Dorf hatte unten am Fluß mit einem fremden Mann gesprochen, und ihre Brüder hatten ihren Kopf zwischen zwei Steinen zerquetscht. Wir blieben dort, bis es dunkel wurde, und als der Mond aufging, vergaßen die Polizisten, Offiziere und Bauern die Mörder und das zerquetschte Mädchen und schauten hoch zum Mond, als ob sie die Ankunft des amerikanischen Mondschiffs Apollo 7 auf dem Mond beobachten wollten. Am nächsten Tag schickte uns

Haydars Vater zu seiner Mutter in ein anderes Dorf. »Ihr wolltet die Menschen unseres Landes studieren. Fangt bei Haydars Großmutter an.« Ich steckte »Staat und Revolution« ein, um dort zu lesen. Haydars Großmutter war eine alte Bäuerin. Sie setzte mich auf ihren Esel, und Haydar und der dicke Junge gingen zu Fuß hinter dem Esel her. Es war heiß, der Esel schlug mit seinem Schwanz die Fliegen, die auf seinem Körper saßen, und traf dabei jedesmal meine Beine. Ich versuchte, dabei Lenins Buch zu lesen. Hinter uns kamen zwei Bäuerinnen herangeritten, und mein Esel wartete auf die beiden Esel. Im Vorbeireiten sagten die Bäuerinnen: »Oh, du hast es gut, du reitest auf dem Esel, und dein Mann kommt zu Fuß hinter dir her. Du hast ihn gut ernährt. Wenn er dich umarmt, läßt er dich sicher nicht mehr los.« Mit Lenins Buch in der Hand fragte ich die Bäuerinnen auf dem Esel: »Wißt ihr, was ein Orgasmus ist? Orgasmus ist euer Recht«, rief ich. Die Bäuerinnen sprachen mit ihren Eseln, um sie anzutreiben. »Deeh, deeh«, und dann zu mir: »Sag uns, was dieser Urugasmus – deeh, deeh – heißen soll?« – »Gefallen euch eure Männer im Bett? Spielen sie schön mit euch?« Die Bäuerinnen lachten: »Wir Bauern haben nur einen Spaß, den Spaß im Bett. Und dein Mann? Gibt er dir auch einen süßen Geschmack im Bett?« Wir lachten, und unsere Körper wackelten auf den drei Eseln auf der steinigen Dorfstraße, die Beine der Esel kamen fast ins Rutschen.

Im Dorfgemeinderaum hatte eine Ärztin um sich die Bäuerinnen versammelt und wollte ihnen allen eine Spirale als Verhütungsmittel einsetzen. Die Bäuerinnen genierten sich und lachten. Die Ärztin sagte: »Die Welt geht zum Mond, und ihr macht so viele Kinder wie die Hühner, und kein Küken bekommt etwas Richtiges zu essen.« Die Bäuerinnen sagten: »Laß noch einen Sommer vorbeigehen, wir müssen erst unsere Männer fragen. Bauernköpfe arbeiten etwas langsamer.« Dann gingen sie zu ihren Teppichen, webten und sangen: »Ich webe Teppiche, ich webe Teppiche. Der Teppich läßt mich nicht los. Nur durch die Ehe mit einem Beamten retten wir uns vor den Teppichen.« Als der Abend kam und der Mond sich zeigte, gingen wieder alle heraus und schauten lange den Mond an, der heute die Farbe einer Mandarine hatte. Eine Frau sagte: »Ich habe die Männer gesehen. Sie haben den Mond aufgemacht und sind hineingegangen.« Die Kinder fragten: »Mutter, kann der Mond auf die Welt fallen, wenn die Männer hineingehen?« – »Wenn Allah böse wird, läßt er den Mond auf unsere Köpfe fallen.« Haydar und der dicke Junge hatten in der Zwischenzeit mit den Bauern nur Domino gespielt und keine Fragen über Zwischenhändler oder niedriggehaltene Preise gestellt. Haydar sagte: »Warum soll ich fragen? Die Bauern wissen selber, was los ist. Mein Gehirn arbeitet nicht besser als ihres.« Ich suchte meinen Esel, der war aber schon zu Haydars Großmutter zurückgelaufen und hatte mein Lenin-Buch »Staat und Revolution« halb aufgegessen. So kehrten wir zu Fuß zurück und sangen unter dem Mond, zu dem die Amerikaner sich auf den Weg gemacht hatten, laut den sozialistischen Marsch, die Internationale. In der Nacht quakten Tausende Kröten auf dem Dorfacker.

Haydars Vater gab uns dann doch etwas Geld, mit dem wir aber nur bis zur nächsten Stadt fahren konnten. Er gab uns viele Medikamente für die Bauern und alte Zeitungen mit. Die Zeitungen sollten wir aus dem Busfenster in die Dörfer werfen, damit die Bauern, die sonst keine Zeitungen bekamen, etwas zu lesen hätten. In der nächsten Stadt fragten wir LKW-Fahrer, ob sie uns gratis mitnehmen würden. Ein Fahrer sagte: »In diese Richtung fahre ich nie. Der Weg ist voll von kurdischen Banditen. Alle sind bis zu den Zähnen bewaffnet.« Beim Warten lasen wir die alten Zeitungen selber und fotografierten die Kutscher, die Pferde und die Pferdescheiße.

Ein Lastwagen nahm uns mit bis zur nächsten Stadt. Wir standen auf der Ladefläche zwischen Schafen auf dem klapprigen Weg durch Anatolien. Die Schafe blökten und schissen, wir pinkelten und sangen wieder im Mondschein die Internationale, unsere Stimmen zitterten wegen der holprigen Wege. In der Nacht schmissen wir vom Lastwagen die Zeitungen auf die Äcker der Bauern. Die Zeitungsseiten flogen durch den Wind auseinander. Drei Zeitungen hatten wir behalten und sie gegen den Fahrtwind auf die Brust gelegt, die Zeitungen knisterten im Wind. Die Hirtenhunde bellten und liefen neben dem Lastwagen her. Das Mondlicht schien in ihre aufgerissenen Schnauzen, und wir sahen ihre leuchtenden Zähne und den Speichel an ihren Mündern. Gegen Morgen hielt der Lastwagen vor einem Schlachthaus an. Zuerst sprangen die Schafe vom Lastwagen, dann wir drei, unsere Beine und Schuhe voller Schafscheiße. Der Fahrer kam später mit Blut an den Schuhen aus dem Schlachthaus und sagte zu uns: »Schmeißt nie wieder Zeitungen vom Wagen. Die Kinder wollen sie an den Dorfstraßen sammeln und sterben unter unseren Rädern.«

Die Stadt, in die wir gekommen waren, hieß Diyarbakır. Der Lastwagenfahrer sagte: »Seid vorsichtig, hier sind viele Kurden.« Wir standen an einem staubigen Weg neben einem eingetrockneten Fluß, ein staubiger Hund lief hinkend vorbei, ein verstaubter Bauer hielt seine Mistgabel in der Hand. Er wartete schon lange mit seiner Frau auf einen Lastwagen, der sie mitnehmen könnte. Seine Frau schlief auf der Erde im Staub und hatte sich mit all ihren Kindern zugedeckt. Eins der Kinder war wach, suchte auf der Erde etwas zu essen und aß Straßenschmutz. In einer leeren Coca-Cola-Flasche hatte sich der Straßenstaub gesammelt. An den staubigen Kinderhaaren klebten tote Moskitos. Jetzt, mit dem Morgen, kamen die Fliegen und setzten sich auf ihre Gesichter. Auch der verstaubte Bauer mit der Mistgabel hatte Fliegen im Gesicht, aber er hatte es aufgegeben, sie wegzujagen. Eine staubige Kuh stand in dem getrockneten Flußbett, und ihr vertrockneter Euter hing herunter bis zum Boden. Ab und zu fielen von Vögeln halb aufgefressene Feigen aus einem Baum, unter dem ein toter Hund lag. Auf seinem Körper hatten sich viele Feigen verklebt und vertrockneten dort mit der Leiche des Hundes unter der staubigen Sonne. Die staubigen Kurden sprachen sehr leise miteinander, es gab fast keinen Baum, alles nur Staub und trockener Schmutz, aus denen auch ihre kleinen Häuser, halb in der Erde, gebaut waren, wie Höhlen, in denen Menschen mit Fliegen, Schlangen, Moskitos und Ratten wohnten. Eine staubige Schlange überquerte den staubigen Weg und starb unter den verstaubten Rädern eines Lastwagens. Dann setzten sich die Fliegen auf den offenen Schlangenkörper. Ein Mädchen weinte, ihre Haare sahen aus wie alte Wolle, ihre Tränen zeichneten Streifen auf ihrem staubigen Gesicht. Ich fragte sie: »Warum weinst du?« Sie verstand mich nicht. Die Schreie der Schafe im Schlachthaus gingen langsam aus wie die Lichter des Abends. Dann kamen Männer aus dem Schlachthaus mit Blut auf ihren nackten Oberkörpern und an ihren nackten Beinen, überquerten die staubige Straße mit Schafsdärmen in den Armen und warfen sie in das eingetrocknete Flußbett, dann gingen sie, ihre Füße staubbedeckt, zurück ins Schlachthaus. Die hungrigen Hunde rannten, sich gegenseitig beißend, zu den noch warmen Schafsdärmen, und bald trocknete nur noch das Darmblut in dem eingetrockneten Flußbett. Wir warteten und warteten und wußten nicht, wo wir Hilfe suchen konnten, um bis zu den Verhungernden an der persisch-irakischen Grenze zu kommen. Ich fotografierte den toten Hund und die schmutzige Coca-Cola-Flasche. Wir hatten Hunger, vor allem aber der dicke Junge. Haydar und ich hörten auf, über den Hunger zu reden, weil das den Hunger des dicken Jungen noch steigerte. Wie drei staubige Hunde liefen wir durch die engen Gassen. In einem Schneiderladen bügelte der Schneider gerade mit einem schweren, glühenden Bügeleisen viele Hosen, amerikanische Soldaten- und Offiziershosen. Er schaute beim Bügeln auf, und wir schauten auf seine Bügelbewegungen, als ob wir uns an ihnen festhalten würden. Er bestellte uns Tee und kaufte uns Sesamringe. Oben in den Bergen waren Amerikaner stationiert, der Schneider liebte die Amerikaner. »Gute Menschen«, sagte er. »Aber Imperialisten«, sagte ich. Der Schneider spritzte ein paar Wassertropfen auf eine Hose, das Wasser zischte unter dem Bügeleisen, und er fragte: »Was heißt ›Imperialismus‹?« – »Sie beuten uns aus.« Der Schneider sagte: »Ich mache meinen hungrigen Bauch mit amerikanischen Hosen satt.« – »Du fragst aber nicht, was die amerikanischen Hosen hier zu suchen haben.« – »Amerikaner haben mir nichts Schlimmes getan«, antwortete der Schneider, und sein Bügeleisen zischte wieder über den Wassertropfen. Dann kam ein anderer Mann in den Schneiderladen, ein junger Mann aus Ankara, der seinen Militärdienst in Diyarbakır machte.

Er lud uns zum Essen ins Unteroffizierskasino ein. Der Staub der Stadt hörte im Garten dieses Kasinos sofort auf. Die Weidenzweige hingen in einen kleinen Bach, und der Mond lag im Wasser. Wir saßen unter der Weide, die Fische verwackelten den Mond im Wasser. Der Soldat, der uns zum Essen eingeladen hatte, hatte noch einen Freund mitgebracht. Sie fragten uns, ob wir Linke wären. Ich sagte: »Ja.« Er sagte: »Da freue ich mich, meine Schwester, wir sind Faschisten. Sag mir, was ihr tun würdet, wenn ihr an die Macht kämt.« – »Krankenhäuser für alle Menschen, billiges Fleisch, billige Bücher, billige Wohnungen, für alle armen Kinder Schule.« Der Faschist sagte: »Gut, ich habe dir zugehört. Wenn wir an die Macht kommen, wollen wir alle reichen Mädchen zum Straßenbau schicken. An den Füßen müssen sie Holzlatschen tragen, und wir werden von ihnen 90 Prozent Steuern kassieren.« Wir aßen und tranken und lachten, und der Mond wackelte weiter im Bach. Der Faschist lud Haydar und den dicken Jungen ein, in der Kaserne zu schlafen. Mir gab er Geld für ein Hotelzimmer und schickte seinen Freund mit mir, um ein Hotel zu finden. »Schwester, schließ deine Zimmertür zweimal ab und laß meinen Freund nicht herein.« Ich ließ seinen Freund auf dem Korridor stehen und schloß die Tür zweimal ab. Im Zimmer gab es keinen Strom. Den Weg zum Bett fand ich mit der Hilfe des Mondscheins und schlief ein. Als ich aufwachte, sah ich an der Wand eine Spinne hochlaufen, groß wie eine Kinderhand, und das Bettuch und die Kopfkissen waren voll von altem Moskitoblut. Das Bad roch verfault nach alten Badehäusern, und auf dem Steinboden liefen die Kakerlaken. Am nächsten Morgen fragten wir ein paar Lastwagenfahrer, ob sie uns zu der Stadt Hakkâri, wo die Bauern in den Dörfern verhungerten, mitnehmen könnten. Die Lastwagen waren mit Steinen beladen, es gab keinen Platz zum Stehen. So gingen wir wieder zum Schneiderladen. Der Schneider, der mit amerikanischen Offiziershosen seine Familie satt machte, sagte uns: »Geht zum Hohen Offizier von Diyarbakır, die Militärs haben viele Lastwagen, die nach Hakkâri fahren. Sprich mit ihm, er kann euch hinschicken.« Wir klopften an das Militärgebäude, der Hohe Offizier war ein kleiner, dicker Mann. »Wir sind Schauspielschüler aus Istanbul und wollen die unterschiedlichen Menschen unseres Landes studieren. Wir wollen bis zur persisch-irakischen Grenze nach Hakkâri.« Er sagte: »Bravo, Kinder, ihr seid die Ehre des Landes. Ihr seid Atatürks Kinder. Ich schicke euch mit unseren Lastwagen, wohin ihr wollt.« Er lud uns in sein Haus zum Essen ein, es war heiß, und er trank den schweren Schnaps Rakı, gab uns auch welchen. Zu seiner Frau und seinen beiden schönen Töchtern sagte er: »Schaut euch diese jungen Menschen gut an. Sie werden die Türkei in das Milieu der modernen Länder bringen. Sie sind unsere Augenlichter. Europa wird vor Staunen in seine Finger beißen. Vorwärts. Marsch, Kinder. Was unser Land leidet, leidet es wegen der unmodernen Köpfe. Wenn alle modern wären, gäbe es weder Mord noch Totschlag. Zum Beispiel: Wenn ich nicht ein moderner Mensch gewesen wäre, wäre ich jetzt ein Mörder. Wir hatten geheiratet, und in der Hochzeitsnacht kam kein Blut. Wenn ich, meine Herrschaften, nicht ein moderner Mann gewesen wäre, hätte ich meine Frau getötet. Euch würde jetzt kein Major gegenübersitzen, sondern ein Mörder. Später stellte sich raus, daß die Jungfernhaut meiner Frau eine Jungfernhaut war, die die Wissenschaft eine Sternjungfernhaut nennt.« Die Frau des Majors zog eine Augenbraue hoch und sagte: »Ich bitte dich, Necip, erzähle nicht weiter.« Der Major sagte: »Laß mich doch. Diese Kinder aus Istanbul sind hochmoderne Kinder.« Die hochgezogene Augenbraue der Majorsfrau blieb weiter oben, und der Major sagte: »Ihre Jungfernhaut hatte die Form eines Sterns. Mein männliches Organ ging genau durch die Mitte dieses Sterns hindurch, und der Stern muß sehr elastisch gewesen sein, platzte nicht, und so kam kein Blut.« Wir drei lachten, der Major wurde noch besoffener und erzählte von einem schönen Frauenpopo. Seine beiden Töchter gingen mit mir in ein anderes Zimmer. »Bitte, Artist-Schwester, sag unserem Vater, er soll uns im Offiziersclub mit den Leutnants tanzen lassen. Dir wird er zuhören.« Der Major war am Tisch eingeschlafen.

In der heißen Nachmittagssonne kamen wir wieder auf die Straße. Auf dem großen Platz, wo auch eine Atatürk-

Statue stand, fand eine Demonstration der linken Gewerkschaft statt. 4000 Bauern waren zu Fuß aus den Dörfern gekommen und wollten die Bodenreform.

»Großgrundbesitz muß abgeschafft werden« – »Den Bauern Boden, den Arbeitern Arbeit« – »Sozialismus kommt« – »Die Füße werden eines Tages zum Kopf«. Viertausend staubbedeckte Menschen standen nebeneinander und hörten den Gewerkschaftern zu. Ein Journalist kam zu uns herüber und fragte, was wir über diese Demonstration denken. Haydar sagte: »Wir denken gar nichts. Was denken denn Sie? Sie sind der Denker, oder?« Ich aber sagte: »Ich finde, daß die Rettung der Völker nur mit dem Sozialismus möglich ist.« Er fragte nach meinem Namen, nach der Adresse, wohin wir wollten, was wir wollten, ob wir von der Partei wären. Ich diktierte ihm alles. Haydar knirschte mit den Zähnen, aber ich hörte nur meiner Stimme zu, und der Journalist notierte und notierte. Der dicke Junge sagte danach zu Haydar: »Dieses Mädchen wird uns in Gefahr bringen, ich kehre von hier nach Istanbul zurück. Der Journalist war ein Geheimpolizist.« Er fuhr sofort mit dem Bus nach Istanbul zurück, ich und Haydar blieben. Aber auch Haydar sprach nicht mit mir. Wir liefen über die staubigen Wege, und ich sagte: »Auch einem Geheimpolizisten kann man Bewußtsein beibringen. Er kann seine Rolle wechseln, wie wir am Theater.« Haydar knirschte weiter mit den Zähnen. Als wir den Major fragten, ob er uns nun zu der Stadt Hakkâri schicken könnte, sagte sein Leutnant zu uns: »Er hat keine Zeit für euch.« »Siehst du«, sagte Haydar, »durch das Interview hast du unsere Rollen zerstört, als Schauspielerin hast du versagt. Der Geheimpolizist hat seine Rolle besser gespielt.«

Der Schneider bügelte weiter die Hosen der auf den Bergen stationierten Amerikaner und hatte eine Zeitung offen auf dem Tisch liegen. »Die Amerikaner sind schon auf dem Mond«, sagte er, »Apollo 7 hat die erste Nachricht vom Mond geschickt. Die Astronauten haben gesagt: ›Wir amüsieren uns sehr.‹ Und ein anderer Astronaut hat vom Mond aus den Direktor des Raketenkontrollzentrums angeschrien: ›Du Idiot.‹« Wir hatten uns gleichzeitig mit Apollo 7 auf den Weg gemacht, sie waren schon auf dem Mond, und wir waren noch nicht einmal in der Stadt Hakkâri angekommen. Der Schneider sagte: »Onlar Aya biz yaya.« (»Die fliegen zum Mond, wir gehen noch zu Fuß.«)

Der Schneider sprach dann mit einem Lastwagenfahrer, der nach Hakkâri fuhr, gab uns etwas Geld und bügelte dann weiter die amerikanischen Offiziershosen. Hinten auf der Getreideladung des Lastwagens fuhren wir jetzt zur persisch-irakisch-türkischen Grenze in die Stadt Hakkâri. Der Mond beleuchtete das Getreide, es roch sehr schön. Der Lastwagen fuhr steile Bergstraßen herauf, höher und höher, als führen wir zum Mond, wir rutschten mit dem Getreide nach vorne und nach hinten, unsere Haare voller Getreide. Wir konnten die Sterne mit den Händen fassen und den Mond mit Getreide füttern. Überall sahen wir Sternschnuppen, am Lastwagenfenster hörten wir Geräusche, als ob die herunterschneidenden Sterne gegen die Glasscheibe knallten. Es waren aber die Vögel, die gegen das Lastwagenfenster flogen. Und dort im Getreide, nahe dem Mond, sagte Haydar mir, daß er schon lange in mich verliebt wäre. Ich sagte: »Aber ich liebe einen anderen Mann.« – »Kerim wird dich unglücklich machen, er ist ein Bourgeois.« – »Nein, er ist ein Marxist.« – »Woher weißt du das?« – »Alle sagen, er ist Marxist.« – »Wenn er ein Buch von Marx ganz gelesen hat, will ich auf der Stelle meine Mutter heiraten.« Ich drückte Haydar tief in das Getreide, wir rauften darin, und der Mond deckte uns zu. Mit Getreidekörnern im Mund sagte ich: »Behalte deine Liebe. Vielleicht lieben wir uns in ein paar Jahren. Das Leben ist offen.« Wir schliefen auf dem Getreide ein und wachten mit der Sonne neben einer Atatürk-Statue auf. Die Stadt Hakkâri war umgeben von Bergen und klein, fast wie ein Dorf. Gegenüber der Atatürk-Statue stand das Rathaus. Der Bürgermeister bestellte für uns Tee. »Wir wollen zu dem Dorf der verhungernden Bauern gehen und ihre Gesichter für die Schauspielschule studieren«, sagten wir. Er hörte uns zu und war nicht dagegen, bis ein dicker, schwitzender Mann hereinkam und etwas in sein Ohr flüsterte. Der Bürgermeister zog seine beiden Augenbrauen hoch und hörte ihm mit vier Falten auf der Stirn zu. Dann drückte er etwas zu lange seine Zigarette aus, schaute nicht uns, sondern den Aschenbecher an und sagte: »Der Weg ist versumpft und voller Bären und Schlangen. Die Bären werden euch fressen. Kommt im Frühling. Bis dahin ist die Straße repariert. Ich bringe euch dann mit meinem eigenen Wagen dorthin. Aber jetzt kann ich es euch nicht erlauben. Wenn ihr auf dem Weg sterbt, bin ich verantwortlich. Zu Fuß braucht ihr drei Tage bis zu diesen Dörfern.« Als wir aus dem Gebäude heraustraten, standen sechs Zivilpolizisten auf der anderen Seite der Straße. Drei für Haydar, drei für mich. Wir blieben einfach stehen, bis uns ein Mann in seinen Kramladen rief. Er war von der Partei der Arbeiter, küßte uns und weinte, seine Tränen blieben auf seinem unrasierten Gesicht hängen. »Willkommen, meine Pupillen. Nicht mal Vögel kommen hierher. Wir sind hier allein mit den Bergen. Ihr seid Märchenhelden. Ihr habt den Ararat-Berg überquert und seid zu uns gekommen. Was macht unsere Partei in Istanbul? Geht's den Freunden gut?« In seinem Laden war es dunkel, wir saßen dort, aßen und tranken Tee, und draußen warteten die sechs Zivilpolizisten unter der heißen Sonne auf uns. Der Mann machte die Ladentür zu, jetzt saßen wir im Dunkeln wie drei Blinde, und der Parteimann flüsterte: »Der Bürgermeister ist von der Demirel-Partei. Jetzt hat er seine Hunde auf euch losgelassen. Ich bringe euch zum Hotel, und im Restaurant könnt ihr essen und trinken. Denkt nicht ans Geld. Aber seid vorsichtig. Wir, die Partei der Arbeiter, sind hier wie Vögel mit kaputten Flügeln, unser Wort ist ungültig wie altes Geld. Wenn ihr Schutz braucht, sucht den sozialdemokratischen Abgeordneten. Vor ihm haben sie Angst. Er hat ein Telefon und kann seine Partei in Ankara anrufen. Ich will nicht, daß die euch hier ein Haar krümmen. Und kehrt schnell zu euren Vätern und Müttern zurück.« Wir traten auf die Straße, unsere sechs Zivilpolizisten standen weiter dort, vor ihnen auf der Erde lagen viele Kippen. In der Stadt gingen wir für unsere Reportage auf die Suche nach Bauern, die drei Tage lang zu Fuß aus den verhungernden Dörfern hierhergelaufen waren, um Mehl zu kaufen.

Einen fanden wir, er war dünn wie eine Nadel, seine Augen lagen tief in seinem Gesicht. Auf seinem Rücken trug er einen schweren Sack Mehl, er wollte sich gerade zu dem verhungernden Dorf auf den Weg machen. Als wir mit ihm sprachen, sahen wir hinter einem Gebüsch wieder unsere sechs Zivilpolizisten. Der Bauer sagte: »Wir haben die Blätter von den Bäumen gegessen wie die Tiere, aber jetzt sind auch keine Blätter mehr da. Wir sind tot, meine Tochter. Keiner gibt uns eine Hand. Wir haben in dieser blinden Welt den Jüngsten Tag gesehen. Die Kinder sind gestorben wie Blüten, die der Wind von den Zweigen weht. Sagt dem Staat, er soll uns aus den Helikoptern Gift herunterwerfen. Wir werden es essen und dann alle sterben. Das ist mein Wunsch vom Staat. Schreib das, meine Tochter.« Haydar ließ mich mit dem Bauern allein, ging mit dem Fotoapparat in der Hand heimlich hinter das Gebüsch und fotografierte von hinten die sechs Ärsche der Polizisten, die mich dort gebückt beobachteten. Ich hörte das Klack des Fotoapparats, und die sechs Polizisten sprangen auf. Der Bauer aus dem verhungernden Dorf konnte nicht mehr stehen, er legte sich mit seinem Mehlsack auf den Boden wie eine auf den Rücken gefallene Schildkröte. »Meine Tochter, du siehst mich. Schreib, was du siehst, frag nicht mehr. Mein Atem ist ausgegangen.« Die Ameisen kletterten über den Mehlsack und wurden sofort weiß. Dann stand der Bauer wieder auf und lief mit den Ameisen auf dem Rücken in Richtung Landstraße. Die sechs Zivilpolizisten gingen hinter ihm her. Haydar kam und sagte: »Hoffentlich haben die Polizisten keinen Gangster-Film gesehen, sonst werden sie dem Bauern seinen Mehlsack mit dem Messer aufschlitzen.«

Haydar ging ins türkische Bad, ich kaufte mir eine Zeitung und setzte mich in den Hotelgarten. In Mexiko und Peru hatten die Studenten mit der Polizei gekämpft, 27 Studenten waren getötet worden, und ihre Mütter weinten über ihren Leichen. In einer anderen Zeitung sah ich Sowjetpanzer, die die Tschechoslowakei besetzten, die Tschechen standen in ihren Nachthemden und Pyjamas vor ihren Türen und schauten auf die russischen Panzer. Darunter stand ein Foto des tschechischen Ministerpräsidenten Dubček. Als ich diese Nachricht las, vergaß ich, die Zigarette in meinem Mund anzuzünden. Plötzlich gab mir eine Hand Feuer, es war einer der sechs Zivilpolizisten. Ich zog nicht an der Zigarette und das Streichholz verbrannte ihm seinen Finger. Er lachte und lutschte an seinen Fingern. Haydar kam aus dem Bad zurück und erzählte mir, daß einer der sechs Zivilpolizisten nackt ins Bad gekommen war und ihn gefragt hatte: »Bruder, darf ich dir deinen Rücken einseifen?« Am Abend gingen wir in das Freiluftkino, die sechs Zivilpolizisten saßen vor uns und drehten ständig ihre Köpfe nach hinten. Nur wenn sich die Schauspieler im Film küßten, schauten sie nach vorne. Der Mond warf sein Licht über die Schultern und Köpfe der Männer und die Holzstühle im Kino. Die beiden einzigen Frauen im Kino waren Audrey Hepburn und ich. Audrey Hepburn sprach mit Gregory Peck, aber man konnte ihre Stimme nicht hören, weil die Hirtenhunde bellten und die Frösche mit den Grillen Lärm machten. Die Moskitos bissen, und alle kratzten sich. Irgendwann ging auch der Strom aus, der Film verschwand, und auf der Leinwand blieb nur das Licht des Mondes. Alle Männer standen auf und schauten mich an. Ich pfiff leise die Internationale und lief aus dem Kino zum Hotel. Haydar sprach nicht mit mir, nahm meinen Zimmerschlüssel, schloß mein Zimmer zweimal von außen zu und ging dann in sein Zimmer. In der Nacht klopfte er ein paarmal an die Wand, wie von Zelle zu Zelle in einem Gefängnis. Ich schaute lange aus dem Fenster, es gab so viele Sterne, der Schnee auf den hohen Bergen leuchtete, und hinter ihnen lagen Persien und der Irak. Die sechs Zivilpolizisten standen vor dem Hotel und rauchten, an ihnen zogen einsame Hirtenhunde vorbei und bellten den Mond an. Am Morgen waren die sechs Zivilpolizisten verschwunden. Ein junger Mann, der in seiner Hand die linke Zeitung CUMHURIYET hielt, sprach uns an: »Ich zeige euch die Umgebung.« Er hatte schon drei Esel mitgebracht. Beim Reiten öffnete er auf dem Esel die CUMHURIYET. Ich sah Fotos des verhafteten tschechischen Ministerpräsidenten Dubček, ein kleines tschechisches Mädchen weinte vor den Sowjetpanzern. Er gab uns die Seiten zum Lesen herüber. In Istanbul hatte die Polizei die Hippies aufgesammelt und wollte sie aus der Stadt jagen. Im Iran hatte sich die Erde bewegt, und Tausende Menschen waren gestorben. Der junge Mann sagte: »Das iranische Erdbeben kann bis hierher reichen. Wenn das passiert, können sich diese Berge bewegen, man kann es mit den Augen sehen.« Wir schauten von den Eseln auf die Berge, sie waren nackt. »Früher sollen diese Berge grün gewesen sein«, sagte der junge Mann. »Es wuchs darauf

Gemüse und Obst, als die Armenier hier lebten. Dann hat man hier alle Armenier abgeschlachtet, und die Berge sind zu nacktem Stein geworden.« Haydar fragte ihn: »Bist du Polizist, Bruder?« – »Nein«, sagte er, »aber ich habe gehört, daß der Innenminister aus Ankara ein Telegramm zum Bürgermeister geschickt hat: ›Laßt diese zwei gefährlichen Kommunisten nicht zu den Dörfern gehen.‹« Haydar sagte: »Wir sind keine Kommunisten.« Ich sagte: »Aber wir sind Sozialisten.« Der Junge lächelte, zeigte mir über dem Esel in der Zeitung die Sowjetpanzer, die Prag besetzt hatten, und sagte: »Schau dir deine Leute an, sie sind in Prag.« – »Wir sind keine Sowjets.« Er sagte: »Die Sowjets sind ein großes, heldenhaftes Volk. Sie haben eine Revolution gemacht, willst du sie ablehnen?« Jetzt wollte ich ihm beweisen, daß ich Lenin las, und holte aus meiner Tasche das vom Esel angefressene Buch »Staat und Revolution«. Weil Haydar mit seinem rechten Fuß auf den Bauch meines Esels schlug, um mir ein Zeichen zu geben, wurde mein Esel plötzlich schneller, und der junge Mann sah nicht mehr, welches Buch ich ihm zeigen wollte.

Über einem verrückten Fluß hatten die Bauern von Ufer zu Ufer ein dickes, langes Kabel gezogen, an dem alte Lastwagenräder hingen, in die man sich hineinsetzte. Wenn die Bauern in die Stadt wollten, mußten sie so diesen verrückten Fluß überqueren. Sie setzten sich in die Lastwagenreifen und zogen sich mit ihren Händen zum anderen Ufer herüber. Der Fluß war in der Partei der Arbeiter und bei den linken Studenten in Istanbul und Ankara ein Symbol, weil jedes Jahr Bauern beim Überqueren des Flusses starben, und die Partei plante, eine richtige Brücke für die Bauern zu bauen. Als wir uns in die Reifen setzen wollten, fiel ich sofort heraus und verletzte mir meinen linken Arm. Haydar überquerte den Fluß, weil er geboxt hatte und kräftige Muskeln hatte. Ich saß zwei Stunden unter einem

Baum. Zeitungsblätter flogen eins nach dem anderen in den verrückten Fluß und verschwanden in dem sich ständig drehenden Wasser. Als Haydar zurückkam, war mein Arm dick angeschwollen. Der junge Mann sagte: »Ich bringe euch zu den Kurden da oben im Bergdorf.«

Zwei Frauen gaben gerade ihren Kindern die Brust. Ihrem Mann gaben wir die Medikamente, die Haydars Vater uns mitgegeben hatte, er legte sie in den Schatten. Wir wollten die Frauen fotografieren, aber sie sagten nein, öffneten aber eine Truhe und gaben mir ein farbiges Kleid, das ich anziehen sollte. Damit setzte mich der Mann auf sein Pferd, und Haydar fotografierte mich. Als wir mit den Eseln zurückritten, hatten die Frauen ihre Kinder immer noch an den Brüsten.

In Hakkâri im Krankenhaus bandagierte mir eine Ärztin den Arm und sagte: »Ihr müßt von hier verschwinden. Geht schnell zu euren Eltern zurück.«

Mit meiner Armbandage setzte ich mich in einem Café zu Straßenbauarbeitern und fragte sie, was sie verdienten und ob sie eine Gewerkschaft hätten, die für ihre Rechte kämpft. Sie berichteten mir, daß sie oft auf ihren Lohn warten müßten. »Aber was sollen wir tun, sehr geehrte Tochter?« fragten sie mich. Ein paar Soldaten kamen in das Café und machten, ihre Hände über ihren Gewehren, große Augen. Ich sagte zu den Bauarbeitern: »Ihr könntet zu Fuß nach Ankara marschieren, um eure Rechte zu bekommen.« Die Bauarbeiter lachten und sagten: »Wir haben aber nur ein paar Schuhe, mit Löchern. Bis Ankara brauchen wir viele Schuhe.« Ich sagte Slogans aus Istanbul auf, und die Arbeiter lachten mit mir.

»Arbeiter, Bauern, Jugend.
Zusammen nach Ankara.
Die Polizei auf Pferden.

Wir sind zu Fuß.
Genug dieser Ausbeutung, genug.
Wenn sie auch mit ihren Panzern und Kanonen kommen,
das Land wird sozialistisch.«

Die Soldaten schauten mich weiter, ihre Gewehre in den Händen, mit großen Augen an. Die Bauarbeiter sagten: »Unsere sehr verehrte Tochter, trink noch einen Tee von uns.«

Haydar war weggelaufen, es fing an zu regnen, das Hemd meines Vaters und mein Verband am Arm waren in ein paar Minuten durchnäßt, und das Wasser sammelte sich in meinen Schuhen. Endlich fand ich Haydar auf einer Parkbank sitzend. Er saß dort, als ob er das Wasser brauchte. »Weil du diesen bourgeoisen Mann liebst, bist du als Sozialistin nicht vorsichtig genug. Die bourgeoisen Kinder spielen nur Sozialismus«, sagte er. Wir saßen eine Stunde in dem strömenden Regen, wenn wir sprachen, spritzte uns das Regenwasser in den Mund, und wenn wir uns anschrien, spritzte der Regen aus unseren Mündern wieder heraus. Irgendwann ging ein Mann, der eine Brille trug, an uns vorbei. Er wischte mit seinem nassen Hemd dauernd seine Brillengläser ab und schaute uns an. Als ich am Abend mit Haydar im Hotelrestaurant saß und Rakı trank, kam der Mann, der dauernd seine Brille geputzt hatte, zu unserem Tisch. Er war der einzige Journalist in Hakkâri. Er nahm meine Hand, küßte sie ein paarmal und sagte: »Ich habe euch gesehen. Ihr seid wie die Figuren aus Sartres Buch ›Die Unschuldigen‹. Er ist Iwan, und Sie sind Natascha, die den Zaren mit Bomben töten wollten.« Der Journalist setzte sich zu uns, weinte und küßte weiter meine Hand. »Ich bin ein kleiner Provinzjournalist, aber ihr seid Sartres Figuren.« Als er weiter weinte und Rakı trank, hoben auch unsere sechs Zivilpolizisten ihre Rakı-

Gläser hoch, wir taten das gleiche. In der Nacht klopfte der Mann von der Partei der Arbeiter an unsere Türen und flüsterte: »Ein Lastwagen fährt zurück Richtung Ankara. Haut hier schnell ab.« Wir stiegen in den Lastwagen, der Fahrer war ein alter Mann, er gab uns dauernd Zigaretten. Im Dunkeln hörten wir Tausende von Vogelstimmen, und plötzlich wurden die Köpfe der Berge hell. Der Fahrer hielt seinen Atem an, dann warf die Sonne sich über die Berge, ging eine Sekunde wieder herunter und kam wieder hoch. In diesem Moment stießen ein paar Vögel gegen das Lastwagenfenster und blieben, rotgefärbt von der Sonne, tot auf der Lastwagenhaube liegen. Der Fahrer sagte: »Manche Vögel sterben für die Sonne.« Der Lastwagen fuhr und fuhr und tötete sechs Schlangen, die die Straße überqueren wollten. Am Abend kamen wir in der Stadt Van an, die an einem schönen See lag. Der Fahrer machte eine Pause in der Busgarage, trank Tee, kam zurück und sagte: »Ich muß weiter, aber ich kann euch nicht mehr mitnehmen, der Bürgermeister von Hakkâri hat hier angerufen. Ich darf mit dem Lastwagen des Staates keine Kommunisten fahren. Ich kann euch nicht helfen, ich habe Kinder.« Er gab uns Zigaretten und fuhr weiter Richtung Ankara. Haydar fotografierte die Erde und die Frösche im Staub, neben denen wir saßen. Erst kam ein kleiner Hund dazu, setzte sich neben uns und schaute auch auf die Frösche, dann stand plötzlich ein Mann vor uns, der unsere Namen kannte. »Ich weiß, warum ihr hier sitzt. Mein Freund, der Ladenbesitzer aus Hakkâri, hat mich angerufen.« Er lud uns in ein Restaurant ein, vor dem viele Frauen im See ihre Kleider wuschen. Sie brauchten keine Seife, der See hatte Soda und schäumte. Der Mond warf Licht auf den Schaum, und die amerikanischen Astronauten aßen etwas auf dem Mond, und einer von ihnen suchte vielleicht gerade den Büchsenöffner, der im Raum schwebte. Nach dem Essen brachte er uns zu einem Hotel. »Ich nehme für euch ein Zimmer. Ihr müßt zusammen in diesem Zimmer schlafen und die Tür zweimal abschließen. Ihr dürft niemandem aufmachen, versteht ihr, niemandem! Und morgen direkt zum Bus! Hier ist Geld für das Busticket.«

Als mich Haydars Mutter in Kapadokia wiedersah, rief sie: »Oh, wie schwarz du von der Sonne geworden bist. Wir waschen dich im Bad wieder weiß.« Haydar brachte den Film zum Fotogeschäft. Als er am nächsten Tag die Abzüge abholen wollte, sagte der Fotograf zu ihm: »Die Fotos haben in der Dunkelkammer Licht bekommen, es war nicht meine Schuld.«

Haydars Mutter gab mir Geld für die Busfahrt nach Ankara, wo Kerim jetzt stationiert war. In Ankara stieg ich in einen Minibus zu seiner Kaserne. Die Soldaten sagten mir: »Kerim ist nach Istanbul gefahren und kommt erst heute zurück.« – »Wenn er kommt, soll er mich heute abend in der Cinemathek in Ankara suchen.«

Die Tür der Cinemathek war verschlossen. Ein Junge, der gegenüber in einem Schneiderladen saß und an einer Jacke nähte, sagte mir, eine Stecknadel im Mund: »Ich weiß, wo die Leute, die sich hier treffen, essen gehen.« Durch viele Straßen brachte er mich zu einem dunklen Nightclub und sprach dort mit einem Mann, der mir sofort etwas zum Trinken schickte. Ich goß das Getränk, das komisch roch, heimlich auf den Boden und tat so, als ob ich davon eingeschlafen wäre. »Sie schläft schon. Hol ein Taxi.« Ich sprang auf und schrie: »Ihr seid das Produkt des amerikanischen Imperialismus. Nein zur NATO, nein zu Vietnam! Es lebe die Solidarität der unterdrückten Völker!« Ich rannte aus dem dunklen Club heraus und lief ziellos durch Ankara. Dann fand ich die Cinemathek wieder, die Tür war jetzt offen, und der Schneider, der mich vergewaltigen wollte, saß wieder in seinem Laden und nähte an seiner Jacke. Als er mich sah, stach er sich mit der Nadel in den Finger. Ich rief: »Freund, warum hast du mich angelogen? Du solltest deine Energie benutzen, um politisch bewußt zu werden. Ich verstehe dich, du wirst ausgebeutet und willst deswegen noch Schwächere ausbeuten. Aber deine Rettung ist nicht dort. Deine Rettung ist die Partei der Arbeiter.« Ein anderer Schneider hörte auf zu bügeln und fragte den Jungen: »Was sagt sie?« – »Ich glaube, sie ist verrückt«, sagte der Junge.

In der Cinemathek saßen in einem Raum drei Leute nebeneinander. Jeder hielt die gleiche CUMHURIYET vor sein Gesicht, ich sah dreimal das gleiche Foto von de Gaulle. Er war nach Istanbul gekommen und hatte der türkischen Regierung gesagt: »Bleibt in der NATO.« Daneben sah ich dreimal die gleiche weinende Frau aus der Tschechoslowakei. Ihr Mann kämpfte gegen die Sowjetsoldaten in Prag und kam nicht zurück. Irgendwann klappten die drei Männer ihre Zeitungen im gleichen Moment zu und schauten mich an. Alle hatten Bärte wie Che Guevara. Als ich ihnen von meiner Reise erzählte, zogen sie dauernd an ihren Schnurrbärten und riefen: »Was für ein mutiges Mädchen du bist, unglaublich!« Sie kannten alle Kerim. In den Regalen der Cinematheks-Bibliothek standen Filmzeitschriften, in denen er viele Artikel über Filme geschrieben hatte. Ich freute mich und hoffte, wenn Kerim kommt, werden ihm die drei Männer mit den Che-Guevara-Bärten sagen: »Was für ein unglaublich mutiges Mädchen liebst du!« Wir tranken zusammen Tee und aßen auf den Zeitungen Brot, Tomaten und Weintrauben. Am Abend wurde im Kino ein Film von Chaplin gezeigt. Einer der Cinemathek-Leute erzählte, daß man den Buschmännern in Afrika zwei Filme gezeigt hätte – einen Film von Chaplin und einen Film über die Konzentrationslager in Deutschland. Die Buschmänner, die von Hitler nichts wußten, lachten über diesen Film mehr als über Chaplin, weil sie es komisch fanden, daß weiße Männer so verhungert aussehen konnten.

Als Chaplin die Hand des Mädchens, das er liebte, küßte, nahm jemand im dunklen Kino meine Hand und bedeckte sie mit Küssen. Die Hand, die meine hielt, war aus Samt. Ich dachte, ein langes Samttuch hätte sich um meinen Körper gewunden, das mich sehr leise aus dem Kino zog. Als Chaplin am Ende des Films mit dem Mädchen fortging, seinen Stock drehte und seine zu großen Schuhe vor ihm herliefen, hatte mich der Samt schon zur Straße gezogen, danach zu einem Zimmer und in ein Bett. Der Samt zog mich aus, ich sah meine Kleider lautlos herunterfallen. Draußen gab es keine Straßenlampe, aber die Glühwürmchen flogen vor dem Fenster. Ihre Lichter drehten sich über meinen Kleidern. Das lange Samttuch fiel auf den Boden, die Glühwürmchenlichter drehten sich jetzt über ihm, und aus ihm wurde eine Seidenraupe, die mir ihre Spucke gab und anfing, ein Seidenhaus zu weben. Die vielen Seidenfäden gingen um meinen Körper herum und webten mich ein. Ich atmete, auch mein Atem war aus Seide. Und mit dem Atem bekam ich Flügel und flog im Zimmer, die vor dem Fenster sich drehenden Glühwürmchen warfen ihr Licht auf meine Flügel und machten mich schwindlig. Ich schlief ein und wachte neben Kerim auf. Er war am Abend illegal aus der Kaserne abgehauen, um mich in der Cinemathek zu suchen, lachte und sagte: »Du bist das erste Mädchen, für das ich für ein paar Tage ins Armeegefängnis gehen muß.« Von den Cinemathek-Leuten hatte er alles über meine Reise gehört. Er sagte: »Du hast alle erstaunt.« Er gab mir Geld für die Reise nach Istanbul und ging zur Kaserne ins Gefängnis. Das Geld hatte noch die Hitze seiner Hand, ich zog meine Kleider an, aber mein Körper warf sie weg, er wollte keine Kleider, er wollte Kerim, der jetzt zur Kaserne fuhr, wie ein Kleid anziehen. Ich saß im

Bus nach Istanbul, schaute aus dem Fenster und sah mich mit ihm auf den Wiesen, Steppen und in den Seen Liebe machen. Dann dachte ich, er sitzt neben mir, er steigt mit mir in Istanbul aus. In Istanbul sah ich überall Männer von hinten, die ihm ähnelten. Ich lief eine Weile hinter ihnen her. Einer lief über die Brücke vom Goldenen Horn, und dort sah ich links im Meer meinen alleinlaufenden Schatten, und ich kehrte von der Brücke zurück und fuhr zu meiner Mutter und meinem Vater.

DIE STIMMEN DER MÜTTER

Meine Mutter hatte, seitdem ich weg war, Beruhigungs-
tabletten genommen und saß wie im Nebel im Bett. Mein
Vater versuchte wieder, das Radio mit Schlägen zum Ar-
beiten zu bringen, und lachte, als er mich sah. »Allah sei
Dank.« Tante Topus kam und sagte: »Schämst du dich
nicht vor Allah? Du hast deine Mutter krank gemacht.« –
»Weißt du, wie viele Menschen jetzt vor Hunger sterben?«
fragte ich Tante Topus. »Wirst du denn die Welt retten?« –
»Ja«, sagte ich, »ich will die Welt retten.« – »Wenn du die
Welt retten willst, warum machst du deine Mutter krank?
Ist sie nicht auch von dieser Welt?« Ich ging zu meiner
Mutter herüber, sie weinte immer noch. Der Mond schien
durch die Vorhänge auf ihr Kopfkissen und ihre Tränen.
»Schau, Mutter, was bringt dir das Weinen, du mußt Bücher lesen. Die werden dir helfen.« Ich holte aus meinem Regal ein Buch von Dostojewski und legte es auf
ihre Bettdecke. Sie weinte weiter, aber nahm das Buch in
die Hand und fing an zu lesen. Ich schloß die Tür hinter
mir, blieb aber an der Tür stehen und hörte das Blättern
der Buchseiten. Dann ging ich in den Salon und sagte zu
meinem Vater: »Vater, hör auf mit dem Radio zu spielen, ich werde jetzt arbeiten.« Mein Vater ging mit dem
Radio in die Küche wie ein gehorsames Kind. Ich setzte
mich an den Tisch und schrieb die Reportage über die
verhungernden Bauern: »Hakkâri sucht die Türkei«. Am
nächsten Tag brachte ich ihn zur Zeitung der Partei der

Arbeiter, die ihn sofort druckte. In der Schauspielschule sagte der Lehrer, der Brecht liebte: »Dein Artikel ist gut, aber paß auf, daß die Politik dich nicht vom Theater wegzieht.« Die Politik zog mich nicht vom Theater weg, aber meine Zunge teilte sich. Mit der einen Hälfte sagte ich: »Solidarität mit den unterdrückten Völkern«, mit der anderen Hälfte meiner Zunge sprach ich Texte von Shakespeare: »Was du wirst erwachend sehn / wähl es dir zum Liebchen schön.« Kerim schrieb mir weiter Liebesbriefe aus der Kaserne, legte jetzt Herbstblumen dazu und schickte mir kurze Analysen über das Militär: »Die Unteroffiziere beim Militär neigen zum Faschismus, die jungen Offiziere neigen zum Sozialismus, das Militär zerfällt in zwei Teile.« Bald teilte sich auch die Partei der Arbeiter in zwei Fraktionen. Die erste Fraktion sagte: »Es gibt in der Türkei eine Arbeiterklasse, die die Arbeiterpartei legal an die Macht bringen kann.« Die zweite Fraktion sagte: »Die Türkei ist eine Kolonie. Zuerst eine nationaldemokratische Revolution, dann der Sozialismus.« Ich ging in das Parteihaus. Die Mitglieder redeten nicht mehr zusammen, sondern leise in vielen kleinen Gruppen. Und die Mitglieder, die sich früher hingesetzt hatten, wo sie wollten, hatten jetzt feste Plätze – erste Fraktions- und zweite Fraktionsstühle. Manchmal vergaßen die Mitglieder ihre Jacken oder Taschen, wenn sie nach Hause gingen. Aber wenn eine Jacke auf dem ersten Fraktionsstuhl hing, rief keiner von der zweiten Fraktion hinter dem Besitzer der Jacke her.

Ich fuhr weiter jeden Tag mit dem Schiff von der asiatischen Seite von Istanbul zur europäischen Seite. Das Schiff fuhr an einem großen Haus vorbei, in dem zwei Schwestern wohnten. Eine war verheiratet mit einem Abgeordneten der Partei der Arbeiter, die andere mit einem Abgeordneten einer rechten Partei. Jede der beiden Schwestern hatte jetzt ihre Hausseite neu streichen lassen, die eine Hälfte sah weiß aus, die andere rosa.

Auch im Schiff hatten sich die Menschen in drei Gruppen geteilt. Ein faschistischer Zeitungsleser saß jetzt neben einem faschistischen Zeitungsleser in einer Reihe. Religiöse Zeitungsleser saßen neben religiösen Zeitungslesern, linke Zeitungsleser saßen in einer Reihe und lasen die gleiche Zeitung. Niemand schaute auf das Meer, nur alte Leute oder schwangere Frauen oder Kinder. Das Schiff legte sich bei starkem Südwestwind mal auf die linke Seite, mal auf die rechte Seite, und die Teegläser, die auf der Teestubentheke standen, rutschten mal nach links, mal nach rechts, und alle aufgeschlagenen Zeitungen, die linken, faschistischen oder religiösen, bewegten sich dann mit dem Schiff nach links, nach rechts. Auf einem Foto in CUMHURIYET hielt ein amerikanischer Soldat die Mündung seines Maschinengewehrs genau auf die Schläfe einer alten Vietcong-Frau. Sie hatte acht Falten auf der Stirn. In der Zeitung der Rechten gab es Fotos von einem Schuh. Ein tschechischer Junge war auf der Flucht vor Sowjetpanzern im besetzten Prag getötet worden, einer seiner Schuhe war auf dem Pflaster liegengeblieben. Das Schiff kam auf der europäischen Seite an, alle linken, rechten und religiösen Zeitungen falteten sich und wanderten gefaltet in die Taschen der drei Gruppen. Wenn die Zeitungen in den Taschen der Menschen schwiegen, fingen die Istanbuler Mauern an zu sprechen, linke, religiöse oder faschistische Slogans.

Ein Anhänger der ersten Fraktion der Partei der Arbeiter sagte zu einem der zweiten Fraktion: »Wenn ihr so weitermacht, könntet ihr den Sozialismus nur auf dem Mond gründen.« Und vom Mond schickte der Astronaut Nachrichten in die Welt. Er sagte: »Von hier sieht die Welt wie Gips aus.« Bald konnte man in Istanbul den Mond nicht mehr sehen. Ein sehr starker Nebel lag tagelang über der Stadt. Die Schiffe konnten nicht mehr von Asien nach Europa fahren. Die eigene Nasenspitze konnte man nicht sehen, alles war vernebelt, die Busse fuhren langsam, die Taxis fuhren langsam, alles auf den Straßen bewegte sich langsam. Nur in den beleuchteten Räumen bewegten sich die Menschen normal. Im türkischen Parlament gingen die rechten Abgeordneten mit Stühlen auf die Arbeiterparteileute los. In den Universitäten prügelten sich die Religiösen oder Faschisten mit den Linken, in einer Wohnung schlugen sich zwei Brüder, einer aus einer linken, einer aus einer rechten Jugendorganisation, mit den Stühlen ihrer Eltern und zerbrachen die Stühle und die Fenster. Man hörte im Nebel die Geräusche der zersplitternden Glasscheiben. Der regierende amerikanisierte Parteichef Demirel sagte: »Das ist ein Phänomen, das man von draußen dirigiert.« Plötzlich suchte man russische Spione in Istanbul, und einmal wurde ein stummer Mann verhaftet. Die Hippies, die in den Istanbuler Straßen in ihren Autos lebten, schickten sie in ihre Länder zurück. »Die Hippies sind ein schlechtes Beispiel für unsere Jugend.« Manche Hippies ließen, um in Istanbul bleiben zu können, ihre Haare schneiden, und die Hippiemädchen gingen zum erstenmal in türkische Bäder. Sie kauften türkische Zeitungen und saßen tagelang mit der gleichen Zeitung in den Cafés, damit die Polizei sie nicht schnappte. Die Zeitungen waren auch Unterwäsche für arme Kinder. Wenn es kalt war, steckten die Eltern ihren Kindern die Zeitungen unter die Hemden. Wenn man an einem armen Kind vorbeiging, hörte man Zeitungsknistern.

An den Zeitungskiosken hingen die linken, faschistischen und religiösen Zeitungen nebeneinander, alle in türkisch, aber es war wie drei Fremdsprachen. Im Schiff öffneten alle ihre linken, faschistischen oder religiösen Zeitungen, und man sah keine Gesichter mehr. Aber kurz bevor das Schiff im Hafen ankam, falteten alle ihre unterschiedlichen Zeitungen, und ein Linker redete mit einem Linken, der neben ihm saß und die gleiche Zeitung gelesen hatte. Ein Faschist redete mit dem Faschisten, der neben ihm saß, und so übten alle die neu gelernten Wörter miteinander. Wenn an einer Bushaltestelle zwei Leute unterschiedliche Zeitungen lasen, stiegen manchmal die Zeitungsleser, die in der Minderheit waren, nicht in den Bus. So fuhren in den Bussen oft Menschen, die die gleiche Zeitung lasen. Manchmal kauften die Faschisten die linken Zeitungen und warfen sie vom Schiff aus ins Meer. Manchmal fochten zwei politische Gruppen mit gerollten Zeitungen gegeneinander.

An einem Februarsonntag 1969 versammelten sich die Linken im Stadtzentrum an der Atatürk-Statue zu einer legalen Demonstration. Alle hatten Zeitungen in ihren Händen und Taschen. Dagegen protestierten 15 000 Menschen aus vielen Städten, die mit Bussen nach Istanbul gekommen waren. Am Ende lagen zwei tote Demonstranten der Linken und bluteten auf ihre Zeitungen. Die Linken flüchteten, ihre linken Zeitungen fielen auf die Straßen. »Blutiger Sonntag«. Als in den Zeitungen die Schlagzeilen »Blutiger Mittwoch« oder »Blutiger Montag« folgten, traten viele linke Studenten aus der Partei der Arbeiter aus, gründeten Dev Genç (Revolutionäre Jugend) und bewaffneten sich: »Die Unabhängigkeit unseres Volkes können wir nur mit bewaffnetem Kampf erreichen.« Sie kostümierten sich wie die berühmten Kämpfer in der Welt: Trotzki-Brillen, Mao-Jacken, Lenin-Jacken, Stalin-Jacken, Che-Guevara-Bart, Castro-Bart, und ihre Sprache zerfiel in neue Sprachen. Es gab neue, linke Zeitschriften, ich kaufte alle diese Zeitschriften und saß lange auf der Toilette, um diese neuen Sprachen zu lernen.

In manchen Nächten saß ich mit einem Dichter bis zum Morgen zusammen, ein Freund von Kerim. Das Haus auf dem Hügel, in dem er wohnte, wackelte, wenn die russischen Schiffe unten am Bosporus vorbeifuhren. Dann rief der Dichter »Die Russen kommen« und lachte. Manchmal schlief ich bei ihm. Wenn er mich, in die Bettdecke gewickkelt, im kalten Zimmer mit meinen leninistisch-maoistisch-trotzkistischen Zeitungen sitzen sah, lachte er und sagte: »Sind das alles deine Männer? Lenin war ein besoffener Wodkatrinker und fuhr besoffen Fahrrad in der Schweiz, wo er im Exil lebte. Er ist auch besoffen auf Rosa Luxemburg gestiegen.«

Wenn Kerim mit seiner Halbglatze, wie Lenin, bei seinem Freund in Istanbul war und am Tisch schrieb, wagte ich nicht, ins Zimmer zu gehen. Und wenn er schlief und ich seinen Atem hörte, fragte ich mich oft, ob er tot war wie Lenin oder nicht. Dann schrieb ich über ihn etwas in mein Heft, als ob ich über Lenin schreiben würde. Der Dichter las diese Sätze und sagte: »Du nimmst die Männer zu ernst. Du glaubst, wenn er im Zimmer am Tisch sitzt, denkt er etwas Wichtiges. Dabei denkt er vielleicht, daß seine Hose schmutzig ist und daß er sie zu seiner Mutter bringen muß. Oder er denkt an einen guten Käse.« In der Nacht klopften junge Dichter bei ihm ans Fenster, kamen mit Schnee an ihren Schuhen herein und lasen ihre Gedichte vor. Wenn sie ihre Gedichte vortrugen, kam mir die Kälte im Zimmer selbst wie ein Gedicht vor. Einer der jungen Dichter, der in der Nacht zu Besuch kam, sagte zu mir: »Du glaubst zu sehr an Geschriebenes. Stalin war ein Mörder, weil er an das Geschriebene geglaubt hat, weil er ein Theologiestudent war. Hör auf, an die Schriften zu glauben. Versuche, eine gute Schauspielerin zu werden. Alle poetischen Sätze sind Entwürfe einer zukünftigen Realität. Poesie zwingt dich niemals zum Töten.« Was ich aus den Büchern verstanden hatte, war: In einer Nacht kommt die Revolution, und dann das Paradies. Bis dahin ist der Weg eine Hölle. Der Dichter sagte: »Die Hölle fängt erst dann an.« Dann lachte er. Ich lachte mit ihm und merkte, daß ich mit ihm lachte, aber nie mit Kerim. Ich nahm Kerim zu ernst, egal, was er machte, ob er las, aß oder sich kratzte.

An einem Morgen, als alle kleinen Fischerboote am Marmara-Meer streikten und die Delphine zwischen den Fischerbooten Salto mortale sprangen, fuhr ich mit dem Zug nach Ankara, weil ich mit der Schule fertig war und dort von einem Theater, dem Ankara Ensemble, eine Rolle bekommen hatte. Der Leiter des Ankara Ensembles war unser kommunistischer Heimleiter aus Berlin, der inzwischen in der Türkei ein bekannter Brecht-Regisseur und Schriftsteller geworden war. »Willkommen, Zucker«, rief er mit seiner Frau Taube wie damals in Berlin. Er inszenierte sein eigenes Stück über ein Mädchen, das sich im Kapitalismus nur retten kann, indem sie eine Hure und Puffmutter wird. Ich hatte Angst, die Huren auf der Bühne falsch darzustellen, und fragte den Polizisten an der Pufftür von Ankara, ob ich mit den Huren sprechen könnte, weil ich im Theater eine Hurenrolle spielen müßte. »Ich will von den Huren lernen, wie man eine Hure spielen muß.« Der Polizist lachte und sagte: »Gehen Sie bitte zur Sittenpolizei, die müssen Ihnen drei Kollegen mitgeben, die Sie hier beschützen.« Der Chef der Sittenpolizei sagte: »Ich habe von diesem Theaterstück gehört.« Er gab mir drei Polizisten, die mich begleiteten, ich ging in jedes Haus und sprach mit den Huren. Die alten Huren saßen an einem Ofen, die jungen erzählten. Es war kalt, deswegen trugen viele Huren kurze Socken aus Wolle und Wollwesten. Jede Hure hatte zwei Betten, eins war ihr eigenes Bett, das Bett einer Prinzessin, groß, mit einer schönen Bettdecke, das andere war ihr Arbeitsplatz. Alle Huren wollten mir helfen. »Sag mir, meine Schwester, was willst du lernen?« – »Bring mir bei, wie du von einem Mann Geld verlangst.« Die Huren zeigten mir ihre Tagebücher, alle sagten: »Mein Leben ist ein Roman.« Draußen stand die Puffmutter, die Männer kamen heraus und bezahlten bei ihr, sie rollte die Geldscheine wie eine Zigarette und steckte sie unter ihre goldenen Armbänder.

Ich zog in meiner Hurenrolle wie die echten Huren kurze, weiße Socken an, und die Geldscheine, die ich von den Männern bekam, rollte ich und steckte sie unter mein Armband. Die Männer im Saal lachten, die Frauen nicht. Zur Premiere kamen viele Huren aus dem Puff von Ankara, schauten sich das politische Hurenstück an und applaudierten. Neben ihnen saßen berühmte türkische Kommunisten, die den Spanischen Bürgerkrieg mitgemacht hatten. Einer von ihnen war von Francos Guardia civil so verletzt worden, daß er nur ein halbes Kinn hatte. In der Premierenfeier saß ich mit den Huren und mit ihm zusammen und erzählte, daß ich einen spanischen Freund hätte, die Huren wollten sofort seinen Namen hören. »Jordi«, sagte ich. Alle Huren, eine nach der anderen, wiederholten seinen Namen »Jordi«, »Jordi«, »Jordi«, und der Mann mit dem halben Kinn sagte: »Franco stirbt nie.« Die Huren fragten: »Wer ist Franco?« Der Mann mit dem halben Kinn sagte: »Der Feind von Jordi.« Die Huren fluchten und beteten, daß dieser Franco, der der Feind von Jordi war, bald stürbe und als verfluchter Hurensohn in die Hölle käme.

Nach der Premierenfeier wollten die Huren und der Mann mit dem halben Kinn mich bis zu meiner Wohnung begleiten, plötzlich fiel auf der Straße und überall in den Häusern der Strom aus. Die Huren zündeten Streichhölzer an und brachten mich mit den brennenden Streichhölzern bis in die Wohnung. Ich wohnte hier in Ankara bei einem blinden Studenten, der gerade mit einem blinden Freund das Geschirr spülte. Einer wusch ab, der andere trocknete ab, und beide redeten im Dunkeln über Marx und Engels, ohne zu wissen, daß auch alle anderen im Dunkeln standen. Der Mann mit dem halben Kinn mischte sich im Dunkeln sofort in ihr Gespräch ein, und die Huren fragten mich, ob deren Sprache eine Blindensprache wäre. Sie fingen an, in ihrer Hurensprache miteinander zu reden, Marx-, Engels- und Hurensprache im Dunkeln, wir lachten, und der Mann mit dem halben Kinn erzählte, daß 1960 ein spanischer Priester den spanischen Bauern im Himmel Plätze verkauft hätte. Tausend Quadratmeter oder fünf Quadratmeter, je nachdem, und die Bauern kauften im Himmel den Platz, auf dem sie nach ihrem Tod wohnen wollten. Die Huren beschlossen im Dunkeln, 60 Quadratmeter Himmel zu kaufen. Eine rief, das wahre Leben fände im Bett statt, dieser Platz würde im Himmel reichen. Keiner wußte, wieviel Quadratmeter das wären, nur einer der marxistischen Blinden sagte: »Laß uns messen, Schwester.« Er nahm ihre Hand und lief im Dunkeln ganz sicher ins nebenstehende Zimmer, während die Hure in der Dunkelheit wie eine Blinde ging.

Zu den Aufführungen kamen jeden Abend andere Huren, Sozialisten, Arbeiter, und sie rauchten in der Pause zusammen ihre Zigaretten.

Als es in Istanbul wegen eines Generalstreiks von 200 000 Arbeitern eine Notstandsregierung gab und eine nächtliche Ausgangssperre verhängt wurde, kamen viele Studenten aus Istanbul nach Ankara. Am Abend standen die Menschen vor dem Theater in der Warteschlange, manchmal sprang ein Zuschauer vor Schreck aus der Schlange, er hatte unter der Jacke des Studenten vor ihm oder hinter ihm eine Waffe gesehen. In den Händen der Studenten sah man ein Buch: Stadtguerilla. In der Nacht gingen in Ankara durch Kugeln Straßenlampen zu Bruch. Am nächsten Morgen lief ich über Scherben zum Theater, und plötzlich sah ich einen Mann, die Hände auf den Rücken gelegt, langsam durch die nervöse Menschenmenge gehen – den ehemaligen tschechischen Ministerpräsidenten Dubček, den die Russen nach Ankara ins Exil geschickt hatten. Er spazierte immer die gleiche Straße hoch. In den anatolischen Städten hatte die Polizei linke Studenten getötet, ihre Mütter kamen nach Ankara und liefen mit den Demonstranten zum Atatürk-Mausoleum, um sich bei Atatürk zu beschweren. Die Mütter waren verschleiert, man sah nur ihre Augen. Wenn sie im Atatürk-Mausoleum um ihre toten Söhne weinten, machten ihre Tränen den schwarzen Stoff ihrer Schleier naß. Einige kamen auch zu unserem Theater und schauten sich Bertolt Brechts »Die Mutter« an. Die verschleierten Mütter hoben am Ende des Stückes aus ihren Schleiern ihre Fäuste in die Luft.

Ein Freund erzählte mir, daß seine Jugendorganisation ihm ein Paket illegaler Flugblätter übergeben hatte, die er heimlich jemandem in der Universitätstoilette übergeben sollte. Er war mit dem Bus zur Uni gefahren, fand die verabredete Toilettenkabine, stieg in der Kabine daneben auf den Toilettendeckel und reichte das Paket herüber. In dem Moment erkannte er die Hände des anderen, es war sein eigener Bruder. Beide zogen die Toilettenspülung und verließen die Toilette, ohne miteinander zu sprechen, stiegen in den gleichen Bus und gingen mit dem Paket in ihre gemeinsame Wohnung.

Während wir mit unserem Hurenstück eine Tournee durch vierzig Städte in der Türkei machten, gründeten einige linke Studenten das THKO, das türkische Volksrettungsheer. Sie wollten den bewaffneten Kampf beginnen und dachten, das könnten sie von den lateinamerikanischen Guerilla oder in Vietnam lernen, aber Vietnam war weit. So beschlossen sie, zur El Fatah nach Palästina zu gehen.

In einem Guerilla-Camp machten sie Gymnastik, lernten, Waffen zu montieren und sahen bald, daß Palästina eine andere Geographie hatte als die Türkei. Die 16 Studenten fuhren wieder in die Türkei, wollten irgendwo in Südanatolien ihre Waffen begraben und dann an ihre Universitäten zurückkehren. Aber die Polizei verhaftete sie. Aus allen Städten kamen Studenten und besuchten sie im Gefängnis. Vor Gericht sagten die Angeklagten: »El Fatah ist eine arabisch-nationalistische Organisation, die kämpft, um ihren von Israel besetzten Boden wieder zurückzugewinnen, wir wollten ihnen nur helfen.« Das Gericht konnte sich nicht entscheiden, ob Palästinas El Fatah eine nationalistische oder eine kommunistische Organisation war. Es schrieb ans Außenministerium und stellte die Frage: »Ist die El Fatah« nationalistisch oder kommunistisch?« Das türkische Außenministerium antwortete: »Die El Fatah ist eine arabisch-nationalistische Organisation.« So ließ das Gericht die Studenten frei. Während sie aber noch im Gefängnis saßen, streikten die Opiumbauern, weil Amerika der Türkei das Anpflanzen von Opium verbieten wollte. Die streikenden Bauern besuchten die Studenten im Gefängnis, und die Studenten glaubten, die Bauern für den Volkskampf des türkischen Volksrettungsheers THKO organisieren zu können. Der Studentenführer Deniz kam gerade aus einem anderen Gefängnis und schloß sich der THKO an. Ein paar junge Militärschulstudenten sagten: »Mit dem Guerillakampf muß man noch warten, bald wird das türkische Militär eine linke Militärjunta bilden.« Die THKO-Studenten sagten: »Das türkische Militär ist in der NATO. Wir wollen in die Berge gehen und mit dem Guerillakampf beginnen, die progressiven Offiziere und Soldaten des türkischen Militärs können sich unserem Volksrettungskampf anschließen.« Ein berühmter Sänger dichtete das Lied »Berge, Berge«. Der Mann mit dem halben Kinn diskutierte mit Deniz.

»Steig auf den Berg. Sie werden dich mit dem Berg zusammen vernichten.« Deniz und die THKO-Studenten kauften türkische Landkarten und Motorräder wie Che Guevara. Am 1. Januar 1971 überfiel Deniz mit zwei Freunden eine Bank und verschwand. Der Vater von Deniz erklärte: »Mein Sohn ist kein Dieb.« In diesen Tagen sagten viele Studenten zu ihren Eltern »Vergeßt mich« und verschwanden. Die Polizei warf die Studenten aus den Fenstern der Universitäten, manche starben, die Regierung ließ die Universität von Polizei und Armee besetzen, dann wurden die Universitäten ganz geschlossen. Die Polizei suchte die Guerilleros in Buchhandlungen, prügelte die Buchhändler mit den schweren Büchern und verhaftete Motorradfahrer. Versammlungen und Demonstrationen wurden verboten und die Cinemathek und unser Theater als Kommunistenhöhle geschlossen. Die russischen Filme trug die Polizei zur Präfektur. Unser Theater spielte das Hurenstück gerade in Istanbul, am Abend kamen die Polizisten, warteten, bis die Vorstellung zu Ende war, verhafteten dann die Schauspieler in ihren Kostümen und Masken und unseren Theaterdirektor. Das Theater wurde geschlossen, das Theaterdirektorium sollte dem Volksrettungsheer THKO Geld gegeben haben. Die Straßenfeger in Istanbul streikten, und auf den Straßen liefen die Ratten auf den Müllbergen. Die Polizei durchsuchte türkische Schiffe, die aus dem Ausland kamen, nach Waffen. Die Bauern besetzten die Güter der Großgrundbesitzer, und die Bäuerinnen legten sich auf die Erde, um den Weg der Soldaten zu blockieren. Die Elektriker streikten und wollten in ganz Istanbul den Strom ausschalten. Die Tauben und Stummen machten einen Kongreß und forderten, daß die Regierung ihnen Arbeit gibt. Die Polizei hielt einen Kongreß ab und verlangte, daß man jemanden, der einen Polizisten geschlagen hatte, aufhängen durfte. Kunden, die im Obstladen Obst kauften und den

Preis zu hoch fanden, riefen, man müßte die Obstladenbesitzer aufhängen. So könnte man die Ordnung herstellen.

Kerim mietete mit sechs Freunden, die wie er revolutionäre Filme machen wollten, eine Wohnung gegenüber dem englischen Konsulat. Unten im Haus arbeiteten Istanbuler Griechen als Schneider, ich hörte von unten dauernd Nähmaschinengeräusche, oben wohnten Nutten und brachten in der Nacht Männer nach Hause, ich hörte ihre Betten bis zum Morgen quietschen. Nachdem wir Tische und Betten in die Wohnung gestellt hatten, um dort zusammen zu wohnen, kamen in der Nacht die Freunde in den Raum, in dem ich mit Kerim schlief, und sagten: »Ab jetzt teilen wir alles. Wir wollen auch mit ihr schlafen.« Dann lachten sie und liefen wieder heraus. Keiner hatte Geld. Unten auf der Straße waren viele Kneipen. Wenn wir etwas Alkohol brauchten, machten wir das Fenster auf, und der Geruch von Rakıschnaps stieg bis in unsere Nasen. Einer der Freunde legte die Stromkabel um, so daß wir in jedem Zimmer gratis elektrisch heizen konnten. Dann legte er als Köder trockene Brotstücke vor das Fenster und fing in einem Käfig acht Tauben, von denen er eine Suppe kochte. Wie in der chinesischen Kulturrevolution zerschlug ich meine beiden Beethovenschallplatten, die Jungs zerrissen ihre Kindheitsfotos. Ich trug immer die gleiche Hose und den gleichen Pulli. Daß ich noch zwei Blusen besaß, störte mich. Sogar das Bett, in dem ich schlief, störte mich. Ich träumte davon, in einem Zelt zu leben. Wenn ich zufällig in Schaufenster von Schuh- oder Kleiderläden schaute, sah ich mich in den Schaufensterscheiben und schämte mich. Nur vor Buchläden blieb ich stehen. Ich ging zu meinen Eltern, klaute Essen und brachte es in unsere Filmkommune. Die Jungs gingen tagsüber auf die Straßen und filmten Menschen, von denen sie dachten, daß sie ausgebeutet

werden, mit einer 8-mm-Kamera. Dann entwickelten sie
den Film in einer Dunkelkammer, hängten ihn im großen
Zimmer auf eine Wäscheleine und trockneten ihn mit meinem Haartrockner. Unten arbeiteten die Nähmaschinen
der türkischen Griechen, oben arbeiteten die Hurenbetten,
und in der Filmkommune arbeitete der Haartrockner. Wir
bekamen Filme von Eisenstein aus dem russischen Konsulat und schauten sie uns in der Kommune an, aus Frankreich kamen junge französische Kommunisten in unsere
Kommune und schenkten uns Rohfilme. Tagsüber gingen
sie zum türkischen Bazar, klauten, und abends redeten sie
mit Kerim über die französischen Filmemacher Truffaut
und Godard. Dauernd überlegte ich, wie ich Geld finden
könnte, damit Kerim einen Film wie Eisenstein oder Godard drehen könnte. Ich dachte auch daran, als Hure zu
arbeiten und ging einmal hoch zu ihnen, um zu hören,
was sie verdienen. Am Theater verdiente ich mehr. Eine
der Huren sagte: »Laß dich doch von deinem Mann bezahlen.« – »Er arbeitet nicht, weil er ein Theoretiker ist.«
Unser Dichter-Freund besuchte uns und sagte: »Nimm die
Männer nicht so ernst, habe deinen Spaß im Bett. Das ist
gut für die Kunst.« Ich wurde wieder schwanger, aber wir
sagten: »Kein Kind für diese kaputte Gesellschaft«, und
ich ließ das Kind abtreiben. Viele Studenten verließen die
Universität, weil Mao gesagt hatte: »Macht zuerst die Revolution.« Kerim hatte nur ein Paar kaputte Schuhe. Seine
Familie gab ihm weiter kein Geld. Ich nahm ein Paar Schuhe von meinem Vater, sie waren vier Nummern zu groß,
aber er zog sie an und trocknete weiter mit dem Haartrockner die 8-mm-Filme.

Von einem Tourneetheater bekam ich eine Rolle und
fuhr nach Anatolien. Dort schliefen wir jede Nacht in einem anderen Hotel, es regnete durch die Dächer, und auf
dem Hotelkorridor hängten Männer, die auf Arbeitssuche

waren, ihre nassen Schuhe und Jacken über dem Ofen an Wäscheleinen auf. In langen Unterhosen standen sie mit mir um den Ofen, und wir sprachen über die Studenten, die als Guerillas überall gesucht wurden. »Der Staat gab uns keine Hand, unsere Hoffnung sind die jungen Menschen.« Dann hörten wir im Radio, daß Deniz und seine Freunde einen amerikanischen Offizier, Jimmy Ray Finnley, entführt hatten. Man fand Finnleys Offiziersjacke am Tatort, in der Jackentasche befanden sich Präservative. Als wir an diesem Abend das Theaterstück spielten, schlugen die Faschisten die Fenster des Theatersaals ein, und ich bekam einen Stein an meinen großen, künstlichen Busen, den ich für diese Rolle trug. Manche Zuschauer bluteten, einer wischte sein Blut mit der Abendzeitung ab, in der stand, daß Deniz und seine Freunde den amerikanischen Offizier Jimmy Ray Finnley schon wieder freigelassen hatten. Ray hatte gesagt: »Sie haben mich gut behandelt.«

Die Polizei bekam für Deniz und zwei seiner Freunde, Hüseyin und Yusuf, einen Schießbefehl. Ein junger Schauspieler hörte dauernd Radio, um zu erfahren, was mit Deniz und seinen Freunden passierte. Er baute in seine Rolle ein Radio ein und hielt es auf der Bühne ständig an sein Ohr. Einmal rief er mitten in seinem Monolog: »Mensch, vier amerikanische Soldaten sind von Deniz, Hüseyin und Yusuf in Ankara entführt worden.« Die Zuschauer wollten das Stück nicht weitersehen, sondern fragten wie ein Chor: »Was sagt das Radio? Sag es uns.« Der junge Schauspieler rief: »Sie verlangen Lösegeld für die vier Soldaten. Der amerikanische Präsident Nixon hat den regierenden Parteichef Demirel angerufen und gesagt: ›Ich empfehle Ihnen, nicht zu handeln.‹ Die Polizei hat 2000 Studenten, die zwischen Ankara und Smyrna den Verkehr behindert haben, festgenommen.« Der Regisseur warnte den Schauspieler mit dem Radio, dies noch einmal zu tun, aber vier Tage später unterbrach der Schauspieler wieder die Aufführung: »Die vier Amerikaner sind freigelassen worden, aber Deniz und seine Freunde sind nicht gefaßt, keine Angst.« Die Zuschauer applaudierten, und auch der Regisseur war glücklich, daß Deniz und seine beiden Freunde die Geiseln nicht getötet hatten. Ein Journalist hatte an einem geheimen Ort Deniz und seine beiden Freunde über die Entführung interviewt. Überall erzählte man sich die Einzelheiten: Einer von ihnen hatte sich als türkischer Leutnant verkleidet und in Ankara eine Wohnung gemietet. Nachts hatten sie die Straße verbarrikadiert, auf der die vier amerikanischen Soldaten immer in einem Auto zu ihrer Kaserne fuhren. Es war kalt gewesen. Deniz und seine Freunde hatten Handschuhe getragen. Sie hatten die Autotür aufgerissen, waren eingestiegen, und einer von ihnen hatte zu dem amerikanischen Fahrer gesagt: »Don't move, ean (Mensch).« In einem anderen Auto hatten sie die Amerikaner zu der angemieteten Wohnung gebracht. Alle hatten ihre nassen Schuhe ausgezogen, und Deniz hatte Tee gemacht. Ein amerikanischer Soldat war ein Schwarzer gewesen. Dann hatten sie erfahren, daß die Ehefrauen von zwei Soldaten schwanger waren. Der dritte hatte Literatur studiert. Der schwarze Soldat hatte erzählt, daß sein Großvater noch Sitting Bull gesehen hatte. Das Ultimatum war 36 Stunden gewesen, aber Deniz hatte im Interview gesagt: »Wir konnten sie nicht töten, wir sind keine Faschisten, sie waren schuldlos und so jung wie wir. Ihre einzige Schuld ist vielleicht, daß sie Amerikaner sind. Sie hatten auch keine Waffen, die Bedingungen waren nicht gleich. Hüseyin konnte ihnen nicht ins Gesicht schauen, er hatte Angst, sie töten zu müssen. Auch ich versetzte mich in ihre Situation und dachte an meine Mutter, meinen Vater, meine Geschwister und sagte nein. Die Amerikaner hatten keine Hoffnung mehr und schrieben am dritten Tag an ihre Familien Abschiedsbriefe. Ich nahm einem von ihnen, Larry, den Brief weg und las, er hatte sein Testament geschrieben. Ich konnte es nicht aushalten.« Deniz sagte: »Wir haben sie sehr gut ernährt, ihnen sogar Bananen gegeben. Wir haben sie nicht getötet. Wir sind leise aus der Wohnung herausgegangen. Die Soldaten haben nicht mal gemerkt, daß wir weggegangen sind.«

Die Polizei durchsuchte eine Wohnung nach der anderen, um Deniz, Hüseyin und Yusuf zu finden, und verhaftete überall Leute, die wie Deniz aussahen. Vier Tage, nachdem die amerikanischen Soldaten freigekommen waren, putschte das türkische Militär, der regierende Parteichef Demirel wurde abgesetzt, und die Guerilla-Organisation gab eine Erklärung heraus: »Das Ziel ist erreicht. Der amerikanisierte Demirel und seine Regierung sind gestürzt. Wenn die Polizei mit den Durchsuchungsaktionen aufhört, wollen wir uns stellen.« Die Putschisten entfernten dann aber über Nacht alle hohen Offiziere, die sie verdächtigten, auf der linken Seite zu stehen. In der Theatergarderobe schauten wir auf die Fotos der drei Putsch-Generäle. Einer war Heeres-, der zweite Marine-, der dritte Luftwaffengeneral. Für uns konnte ein Marinegeneral nur Sozialist sein, denn das Meer ist groß, und ein Marineoffizier weiß, wie groß die Welt ist. Auch ein Luftwaffengeneral kann kein Faschist sein, dachten wir, weil er sieht, wie weit die Welt ist. Wir fuhren weiter mit dem Bus, von Stadt zu Stadt, um Theater zu spielen, niemand sprach im Bus, wir kauften alle Zeitungen, wir aßen sie fast und suchten darin nach guten Nachrichten und hofften weiter, daß nun der Marinegeneral und der Luftwaffengeneral gegen den Heeresgeneral einen sozialistischen Putsch machen würden. An einem frühen Morgen lief ich auf einem Hotelkorridor hin und her, es schneite, und im Hotel hatte man den Ofen nicht angemacht. Durch ein Fenster schaute ich auf die Straße und sah dort zwei Männer im Schnee miteinander reden, sie nickten traurig mit den Köpfen. Ich hörte nicht, was sie sagten, aber ich wußte in diesem Moment, daß die Polizei Deniz und seine Freunde geschnappt hatte. Am Abend las ich es in der Zeitung: Yusuf und Deniz hatten mit dem Motorrad von Ankara nach Anatolien fahren wollen und waren wegen des Schnees immer wieder gestürzt. Deswegen hatten sie unterwegs ein Auto gemietet und wollten das Motorrad auf das Autodach laden. Das Autodach war aber so vereist, daß das Motorrad immer wieder vom Dach rutschte und in den Schnee fiel. Das hatte ein Nachtwächter gesehen und wollte sie zum Kommissariat bringen. Sie schossen in die Luft, flohen, und bei der Verfolgung wurde Yusuf verletzt und gefangengenommen. Man brachte ihn zu einem Arzt und legte ihn auf einen Tisch, erkannte ihn aber noch nicht. Yusuf trug um den Hals ein Medaillon, das er einem der vier amerikanischen Soldaten abgenommen hatte, es sollte ihn vor Kugeln schützen. So dachte die Polizei zuerst, sie hätte einen amerikanischen Geheimpolizisten angeschossen. Später nahmen zwei als Bauern verkleidete Polizisten auch Deniz fest.

Ich kam nach Istanbul zurück, weil wir nicht mehr spielen konnten, überall, wo wir auftraten, wurden Theaterfenster eingeschlagen. Im Bus nach Istanbul hörte ich im Radio, daß der Komponist Strawinsky an einem Herzinfarkt gestorben war, dann folgte ein Stück von Strawinsky. Plötzlich brach die Musik ab, der Fahrer hatte den Motor ausgestellt. Draußen standen Soldaten, die alle jungen Männer aus dem Bus steigen ließen. Einige von ihnen, Bauern, hatten Schafe bei sich, die sie in der Stadt verkaufen wollten. Während die Soldaten die Taschen durchsuchten, sprangen die Schafe aus dem Bus und rannten über die Straße. Ein Teil der Soldaten lief jetzt hinter den Schafen her. Als alle Männer und Schafe wieder im Bus waren, stellte der Fahrer das Radio wieder an, und wir hörten weiter schweigend Strawinsky.

In Istanbul ging ich sofort zu meinem Freund, dem Dichter. Von seinem Fenster schauten wir auf das Meer, in dem seit Tagen so viele Haifische schwammen, daß die Zeitungen darüber berichtet hatten. Ich fragte ihn: »Glaubst du, daß das Militär Deniz, Yusuf und Hüseyin aufhängen wird?« – »Ja«, sagte der Dichter, »sie werden sie aufhängen, als eine Lehre für die anderen. Man sagte im ottomanischen Reich, wer sich mit Politik beschäftigt, hat zwei Hemden, eins für Festtage, eins für den Tag, an dem man ihn aufhängt. Warum haben Deniz und seine Freunde sich nicht in der Großstadt versteckt? Sogar die Ratten verstecken sich in den Großstädten.« Als die Haifische in den Fischgeschäften lagen, verbot die Militärjunta die Partei der Arbeiter. Die Begründung war neu: Kurdenpropaganda. Die Gewerkschaften organisierten weitere Streiks, die Arbeiter besetzten die Fabriken, vor den Türen der Generäle gingen Bomben hoch. Tagelang aßen die Leute in Istanbul Haifische, und wenn sie die Fische in den Mund nahmen, hörten sie die Bomben explodieren, ließen die Fische auf dem Teller liegen und rannten ans Fenster oder auf die Straße. Deswegen landeten viele Fische im Mülleimer, in der Nacht sah ich überall Katzen, die sich um die Mülleimer versammelten und die Haifische fraßen. Für die Menschen waren die Straßen verboten. Das Militär verbot alle Filme und Theaterstücke, in denen Themen wie Diebstahl und Entführung vorkamen. Sie verboten Gewerkschaften und Versammlungen. Wenn mehr als drei Menschen zusammen in ein Haus gingen, waren sie verdächtig. Die Polizei verhaftete und folterte. Man hörte die Schreie nicht, die Mauern, hinter denen gefoltert wurde, waren dick, aber aus vielen Häusern hörte man weinende Mütter und Väter. Die Polizei durchsuchte Häuser nach linken Büchern, einer der Polizisten sagte der Zeitung: »Vom Schleppen der kommunistischen Bücher ist mein Rücken kaputtgegangen.«

In unserer Filmkommune lasen wir uns jetzt gerade Marx, Engels und Lenin vor. Wie in Truffauts Film »Fahrenheit 481« wollten wir die Bücher auswendig lernen, um sie weiterleben zu lassen.

Die palästinensische El-Fatah-Guerillakämpferin Leila Khaled, die ein Flugzeug entführt hatte, trug einen Ring am Finger, auf den eine Pistolenkugel geschweißt war. Der Junge, der aus Stadttauben Suppe gekocht hatte, lötete für mich genau den gleichen Ring als Geschenk.

Ich lief mit dem Ring zum Bazar, kaufte Fisch, und einer der Fischer lachte und rief zu seinem Freund herüber: »Hast du den Ring gesehen? Sie ist eine Guerilla.« Kerim sagte oft: »Laß den Ring. Du bringst uns in Gefahr.« Er vergrub meine Briefe an ihn unter einem Baum und fragte mich: »Hast du meine Briefe noch? Bring sie zu deinen Eltern und verstecke sie dort mit den russischen Filmrollen.« Meine Mutter sagte: »Nimm deine Bücher hier und schmeiße sie weg. Bei den Nachbarn war schon die Polizei.« Ich konnte mich aber nicht trennen von den Büchern und trug sie in einer Tasche auf die europäische Seite zu meiner Filmkommune. Die Tasche war so voll, daß sie nicht zuging, die Leute trauten ihren Augen nicht. Kerim sah diese Bücher: »Bring sie weg, vergrabe sie, schmeiß sie weg.« Ich konnte es nicht und versteckte sie unter meinem Bett, mit den Briefen, die mir Kerim vom Militärdienst geschrieben hatte. Ich schlief über ihnen und träumte, daß ich ein Haus gemietet hätte, in dem ich die Studentenführer Deniz, Yusuf und Hüseyin versteckt hatte. Das Haus hatte große Glasfenster und keine Vorhänge. Ich zog um das Haus herum Wäscheleinen und hängte Bettücher darüber, damit niemand von der Straße aus in das Haus hineinsehen konnte. Deniz gab mir das Geld vom Bankraub, ich sollte es verstecken. Dann saß ich in einem Bus und steckte das Geld in meine Vagina, weil Soldaten in den Bus stiegen.

Vom Quietschen der Hurenbetten wachte ich auf. Vor Gericht hatte Deniz gegenüber dem Staatsanwalt erklärt: »Ihre Anklage verfolgt nur einen Zweck – uns unsere Köpfe abzureißen.« Der Staatsanwalt erklärte: »Der Staat will nie einen Kopf. Das Gericht reißt niemandem seinen Kopf ab. Der Schuldige steckt durch seine Taten seinen Kopf in die Schlinge, und das Gesetz zieht nur den Stuhl unter seinen Füßen weg.«

In diesen Tagen starb eine Hure, die über uns wohnte. Ich half, ihren Sarg herunterzutragen. Unten auf der Straße warteten 40 Huren und wollten hinter dem Sarg zum Friedhof gehen. Wegen des Versammlungsverbots kam ein Polizist und fragte, ob die Tote keinen Vater oder Mutter hätte. »Wenn sie eine Mutter und einen Vater hätte, wäre sie eine Hure?« antwortete ihm eine Hure. Die Polizisten kratzten sich am Kopf und ließen uns hinter dem Hurensarg herlaufen.

Ab und zu verdiente ich Geld als Synchronsprecherin bei Filmen von Yilmaz Güney, dem größten Film-Regisseur der Türkei, der unsere Filmkommune mit Filmmaterial unterstützte. Eines Tages schickte er uns zwei kurdische Studenten, die wir für ihn verstecken sollten. Der eine der beiden wurde von der Polizei gesucht, der andere trug eine Pistole bei sich, um ihn zu schützen. Die Straßen waren voll von Geheimpolizisten. Um sie in ein sicheres Versteck zu begleiten, verkleidete ich mich als Hure, schminkte mich, machte mir blaue Flecken unter ein Auge und wackelte auf der Straße mit dem Hintern. Einer der beiden kam hinter mir her wie ein Mann, der einer Hure folgte, der zweite Junge, der die Pistole trug, folgte ihm. Ich brachte sie zum Haus eines Freundes, kochte dort für sie und wusch in meinem Hurenkostüm ihre Hemden und Unterhosen in einer Schüssel. Dann saßen wir zusammen, der Junge zeigte mir die Pistole und wollte mir beibringen, wie man schießt. Er hatte schöne Augen, ich hörte ihm zu, dann nahm ich die Pistole in die Hand, legte sie aber gleich wieder weg. Sie war schwer, kalt. Als ich zur Filmkommune zurückging, liefen sofort ein paar Männer wegen meines Hurenkostüms hinter mir her.

Die Gesuchten mußten alle zwei Tage die Wohnungen wechseln. Ich verkleidete mich als Ehefrau, trug meinen Leila-Khaled-Ring umgekehrt als Ehering, bastelte mit Tüchern ein kleines Baby, nahm es auf den Arm, legte in ein Einkaufsnetz Auberginen, Tomaten, Zwiebeln und lief mit einem der beiden Arm in Arm in eine andere Wohnung, während der andere mit der Pistole folgte. Ich wusch wieder die Wäsche und kochte für sie wie eine brave Ehefrau. Dann saßen wir zusammen beim Essen, und der Junge, der die Pistole trug, sagte irgendwann: »Soll ich mich in das andere Zimmer zurückziehen? Ich lasse das Ehepaar allein und passe solange auf das Kind auf.« Wir lachten.

In der Filmkommune hatten sich alle in dem großen Raum versammelt. Kerim schaute unter den Sesseln und in den Lampen nach, ob die Polizei heimlich Mikrophone in der Wohnung installiert hatte. Dann schaltete er zur Sicherheit das Radio an, um unsere Stimmen zu übertönen. Wir entschlossen uns, an der Untergrundbewegung teilzunehmen, in die Berge zu gehen und die Guerillaarbeit zu filmen. Aber wir kannten die Guerilla nicht, ich wurde beauftragt, ein Mädchen zu treffen, die eine Guerillafrau kannte. Über sie sollte ich ein Treffen mit der Guerilla festmachen und sie fragen, was für eine Aufgabe sie uns geben könnten. Am nächsten Tag kaufte ich Weizengrütze für die beiden Kurden und verkleidete mich in der Filmkommune wie eine Bäuerin mit Kopftuch und langem Mantel, um die beiden wieder zu einer anderen Wohnung zu bringen. Plötzlich klopfte es an der Tür. Ich machte auf, und drei Zivilpolizisten standen vor mir. Sie schoben mich sofort auf die Seite, die Tüte mit

Weizengrütze fiel mir aus der Hand und platzte. Die Polizisten liefen durch den langen Korridor, ich warf mein Kopftuch und den Mantel in den Hof. Die Polizisten rannten in ein Zimmer, in dem drei von uns saßen. Ich riß in meinem Zimmer die Marx- und Engels-Bücher unter dem Bett hervor, machte das Fenster auf, auf dem Fenstersims saßen die Tauben und pickten trockenes Brot, ich stellte die Bücher zwischen die Tauben und holte schnell die Briefe, die Kerim mir vom Militärdienst geschrieben hatte. Was sollte ich mit den Briefen machen? Sollte ich sie runterwerfen? Dann sah ich einen Farbeimer, mit dem ein Junge in der letzten Zeit alle Türen gelb gestrichen hatte, und steckte die Briefe in die gelbe Farbe. Ich nahm die gelbgefärbten Briefe, rannte ins große Zimmer und steckte sie in die Sesselschlitze. Meine Hände waren gelb gefärbt, und die Farbe tropfte überall herunter. Dann lief ich schnell zur Toilette und wollte meinen Leila-Khaled-Kugelring abziehen und ins Klo werfen, aber er ging nicht ab. Plötzlich sah ich unsere Katze, die mit gelbgefärbten Pfoten durch den langen Korridor in das Zimmer lief, in dem die drei Polizisten standen. Die drei kamen hinter der Katze her, sahen meine gelbgefärbten Hände und folgten der gelben Farbe bis zum Sessel, aus dem die Briefe halb herausguckten. Sie nahmen die Briefe, und ein junger Polizist machte das Fenster zum Hof auf, hinter dem die Tauben gurrten. Er sah die drei Marx- und Engels-Bücher, nahm sie in seine Hand und sagte: »Wenn du sie da nicht hingetan hättest, hätten wir sie vielleicht gar nicht so wichtig genommen.« Die Tauben hatten schon ein bißchen auf die Bücher geschissen.

Die Polizisten brachten mich, Kerim, alle Jungs von der Filmkommune, die vollgeschissenen Marx-Engels-Bücher und die gelbgefärbten Liebesbriefe zur Polizei. Als wir in das Polizeiauto einstiegen, gab ich dem Hausmeister die kleine Katze. »Bitte, behalten Sie sie.«

Bei der Polizei fragten sie mich, wer die Frau gewesen war, die das Kopftuch und den langen Mantel getragen und ihnen die Tür geöffnet hatte. Dann zeigten sie mir sofort die Fotos von Deniz und seinen Freunden. »Kennst du sie?« – »Ja, aus den Zeitungen. Seit Jahren sehe ich sie in den Zeitungen.« Der Kommissar schrie ins andere Zimmer: »Sie kennt die Banditen.« Sie notierten, daß ich sie kannte, dann fragte mich der Kommissar: »Laufen alle diese Filmkerle über dich? Ja, sie schlafen mit dir. Ich habe auch eine Tochter in deinem Alter«, und spuckte mir ins Gesicht. – »Sie schlafen nicht mit mir.« – »Laßt diese Hure verschwinden vor meinen Augen.« Sie ließen uns alle wieder frei, und ich suchte beim Hausmeister die Katze. »Sie ist verschwunden.« Ich suchte auf der Straße nach der gelben Farbe, die die Katze an ihren Pfoten hatte, fand aber keine Spuren.

Kerim sagte: »Ich hatte dich gebeten, bring meine Briefe zur Wohnung deiner Eltern. Sie sollen jetzt wenigstens die russischen Filme verschwinden lassen.« Mein Vater wußte nicht, wo er die Filme verstecken sollte, ging ans Marmara-Meer und warf sie ins Wasser. Viele Menschen machten es wie er und schmissen in der Nacht Säcke voller linker Bücher ins Marmara-Meer, oder, eins nach dem anderen, aus dem Autofenster auf die Straßen. In diesen Tagen fuhren Schiffe und Fischerboote auf dem Meer zwischen Marx-, Engels-, Lenin-, Mao- und Che-Guevara-Büchern, und die Delphine sprangen weiter ihre Salto mortale. Und auf den Straßen fuhren Busse und Autos über Lenin, Marx und Engels, die Räder spritzten Straßenschmutz auf sie. Die Kinder aus den Slumvierteln sammelten diese Bücher zum Heizen, und die schmutzigen, zerquetschten Bücher lagen vor den Slumhäusern übereinander, neben den Müllbergen, Ratten, Kakerlaken und Läusen. Manchmal hängten Leute ein Buch in der Nacht mit einem Seil an einen Baum und schrieben mit Farbe auf den Baumstamm: »Mörder, wenn ihr Deniz, Yusuf und Hüseyin aufhängt, hängt ihr die Gedanken auf. Sie haben niemanden getötet.«

Unten im Haus arbeiteten weiter die Nähmaschinen des griechischen Schneiders, oben quietschten in der Nacht bei den Huren die Betten, und dazwischen liefen wir leise durch die Zimmer, wir wagten nicht mehr, dem Staat den Strom zu klauen, wir umwickelten uns mit unseren Bettdecken und liefen in der kalten Wohnung hin und her. Jedesmal lief ich dabei über die gelben Farbflecken. Ich hatte Kerim in Gefahr gebracht. Er sagte: »Man kann sich auf die Frauen nicht verlassen«, und machte die Tür des Zimmers zu, in dem er und die Jungs darüber redeten, was sie jetzt machen wollten. Zum ersten Mal schämte ich mich, ein Mädchen zu sein.

Ich ging zur Filmindustrie und fragte ein paar Kameramänner, ob ich als Assistentin bei ihnen arbeiten könnte. Einer der Kameramänner, ein religiöser Mann, sagte ja. Ich mußte die Kamera, sie war 18 Kilo schwer, tragen, und er zeigte mir, wie ich mit dem Zoom an das Gesicht des Stars heranfuhr. Er sagte: »Du bist die erste Kameraassistentin der Türkei.« Zwischen den Filmpausen verrichtete der religiöse Kameramann seine Gebete. In den Filmstudios redete niemand vom Militärputsch oder von den Studenten, die zum Tode verurteilt worden waren. Alle redeten in die Kamera von Liebe, von Verrat, »Du liebst mich nicht mehr, ich liebe dich«, und ich ging in diesem Moment mit dem Zoom nahe an ihre Lippen heran. Wenn ich aber nach dem Drehtag in einem Bus saß, hörte ich andere Sätze. »Was machen deine Söhne?« – »Sie sitzen.« – »In welchem Gefängnis?« Überall waren die Toiletten verstopft, weil die Söhne und Töchter zu Hause die linken Flugblätter oder Briefe zerrissen und in die Toiletten geworfen hatten. Auch ich warf meinen Leila-Khaled-Pistolenring in die Toilette. Er kam mit dem Wasser wieder hoch, so schmiß ich ihn ins Marmara-Meer.

An einem Tag drehten wir einen Karate-Sex-Film. Die Hauptdarstellerin mußte mit dem Karate-Star im Bett liegen. Man sagte, sie arbeitete als Hure in einem teuren Puff. Sie zog sich bis auf ihre Unterhose aus, der Regisseur sagte: »Ziehen Sie bitte auch Ihre Unterhose aus.« – »Nein, Herr Regisseur, das steht nicht in meinem Vertrag.« Wir warteten. Dann schickte der Karate-Star seinen Fahrer, um Kognac und Schokolade zu holen. Er goß der Schauspielerin den Kognac in den Mund, dann zog sie ihre Unterhose aus. In diesem Moment kamen drei Polizisten ins Studio. Der Regisseur rief: »Ihr seid noch nicht dran.« Aber es waren echte Polizisten, ihr Auto wartete unten auf der Straße, darin saß Kerim. Der religiöse Kameramann sagte zu den Polizisten: »Laßt sie bis zum Drehende hier, sonst bekommt sie kein Geld«, aber wir fuhren sofort zur Polizeipräfektur.

Dort saßen wir zwei Tage in einem Büro, in dem die Polizisten arbeiteten. Ab und zu klappten sie ihre Schreibmaschinen zu, nahmen ihre Pistolen, gingen aus dem Raum und kamen irgendwann zurück: »Von den Hunden sind zwei verreckt.« Nach zwei Tagen brachten sie mich und Kerim in ein anderes Zimmer, in dem eine Kommissarin saß. Auf dem Tisch vor ihr lagen die Liebesbriefe, die ich in die gelbe Ölfarbe gesteckt hatte. Die Kommissarin schaute mich ein paar Minuten lang von oben bis unten an, dann sagte sie: »Ich wollte das Mädchen kennenlernen, das so wunderschöne Briefe bekommen hat.« Dann gratulierte sie Kerim: »Das sind wunderschöne, hochliterarische Briefe. Aber Sie geben eine Analyse darin über das Militär. Dafür bekommen Sie mindestens 25 Jahre Gefängnis.« Dann trennten sie uns und brachten mich zurück in das Büro. Die Polizisten tippten in ihre Schreibmaschinen und redeten weiter von Hunden: »Der Hund von der Jura-Uni«, »Der Hund, der Philosophie studierte«. Jetzt saßen auch andere Frauen im Zimmer, eine Arbeiterin, eine Studentin. Die Arbeiterin

sagte zu mir: »Wieso läßt du deine Haare offen hängen?
Schnell, steck sie hoch, sonst wirst du als Hure behandelt.«
Dann brachten die Polizisten die Studentin zum Verhör.
Als sie zurückkam, setzte sie sich still auf ihren Stuhl. Sie
schaute auf ihren weißen Rock, und ihr fielen Haare von
ihrem Kopf auf den weißen Stoff. Sie hatte zuhören müssen, wie man ihren Freund folterte. Wir durften nicht ans
Fenster gehen, damit wir nicht Selbstmord begingen. Die
Politische Polizei reichte nicht für die politischen Untersu-
chungshäftlinge, deswegen holte man Verkehrspolizisten
und Sittenpolizisten zu Hilfe. In der Nacht bewachten uns
Verkehrspolizisten und ließen mich auf deutsch Postkarten
an die Touristinnen schreiben, die sie kennengelernt hatten.
Wir durften nur mit ihnen auf die Toilette gehen. Ich sah
gefolterte Studenten, zwei Polizisten faßten sie unter den
Armen, ihre Füße waren von den Schlägen aufgeplatzt. Das
Blut tropfte auf die Korridore, und die Polizisten liefen über
dem Studentenblut hin und her. In der Toilette stand ich vor
dem Spiegel, neben mir stand eine bekannte Guerillafrau.
Ein Polizist hielt sie fest, sie wusch sich die Hände mit Seife,
gab dann die Seife mir, und wir schauten uns im Spiegel an.
Ein gefrorenes Bild. Dann brachten sie mich zum Verhör,
und wir gingen mit Blut an unseren Schuhen in das Ver-
hörzimmer. Dort saßen fünf Männer, die mich fragten, wer
mich zur Cinemathek gebracht hätte, wer mich zur Partei
der Arbeiter gebracht hätte. Ich sagte: »Ich habe darüber in
der Zeitung gelesen.« – »Warum willst du, daß der Sozialismus kommt?« Ich sah die Schreibmaschine auf dem Tisch,
eine amerikanische Marke. »Ich will mit dem Sozialismus
erreichen, daß wir unsere Schreibmaschinen selber bauen.«
Der Chef der Verhörer sagte: »Das will ich auch.« Dann
sagte er zu den anderen vier Männern: »Sehen Sie, meine
Herren, die Kommunisten benutzen immer solche schönen
Mädchen. Schauen Sie, ihre Augen, ihre Augenbrauen, ihre

auberginefarbigen Haare, ihr süßer Mund. Schauen Sie diese Schönheit hier. Ist das nicht herzverletzend, daß diese Schönheit von Kommunisten für ihre Ziele benutzt wird?« Die vier Männer schwiegen. Der Verhörer fing plötzlich an zu schwitzen, nahm ein Papier, das neben der Schreibmaschine lag, und wischte sich den Hals ab. Einer der vier Männer fragte mich: »Hast du mich erkannt?« Er drehte sich zu seinem Chef und sagte: »Sehen Sie, mein Major, sie erkennt mich nicht!« Er schob mir Fotografien herüber. »Ich habe dich in Anatolien Schritt für Schritt verfolgt, als du zur persisch-irakischen Grenze fuhrst. Du hast den Kurden im Bergdorf gesagt, sie sollen die türkischen Gendarmen töten.« – »Nein, ich habe ihnen nur Medikamente gebracht.« – »Ich war dort, du hast das gesagt.« – »Es waren dort nur zwei Frauen, sie gaben ihren Kindern Milch, und ihr Ehemann, ein Pferd und drei Esel. Oder waren Sie das Pferd?« Der Verhörer lachte und sagte dann: »Meine Herren, laßt uns keine Zeit mit Artisten verlieren. Schauen Sie, meine Artistendame, Sie sind sehr schön. Sie könnten einen guten Ehemann finden und Kinder haben. Warum wollen Sie Sozialismus spielen?« Ich durfte raus aus dem Zimmer, und die Polizei brachte mich und Kerim zur Armee auf der asiatischen Seite von Istanbul. Sie sollten entscheiden, was man mit uns macht. Dort fragte mich ein Major: »Warum seid ihr hier?« Der Polizist zeigte ihm die Liebesbriefe. Der Major blätterte darin und sagte: »Deswegen haben sie euch gefangen? Haut ab, Mensch. Soll ich mich noch mit euren Liebesbriefen beschäftigen, haut ab und laßt euch nie wieder hier sehen.« Die Polizisten brachten uns mit den Liebesbriefen wieder zurück zur Polizeipräfektur. Von der Fähre sah ich durch das Gitter des Polizeiautos die Brücke vom Goldenen Horn. Kerim war abgemagert und unrasiert, er hatte Angst. Ich hielt seine Hand. Er sagte zu mir: »Ruf deinen Vater an. Sie sollen uns retten. Sag ihm, daß ich dein

Verlobter bin.« Bei der Polizei trennten sie uns wieder, und ich setzte mich wieder auf den gleichen Stuhl.

Ich saß noch drei Wochen auf dem gleichen Stuhl und spielte mit dem Verkehrspolizisten in der Nacht Schach und Domino. Immer wieder kamen neue Untersuchungshäftlinge ins Zimmer. Einmal brachten sie als Verdächtige eine Inderin, eine Zirkusfrau, herein. Sie war Schlangentänzerin und kam mit ihrer Boa-Schlange. Sie setzte sich auf einen Polizeistuhl, legte sich ihre Schlange um den Hals, bestellte uns allen ein halbes Hähnchen, die Schlange hing an ihrem Hals und schlief unter Opium. In der Nacht öffnete der Polizeichef die Tür, schaute uns an und fragte: »Was bist du?« – »Arbeiterin.«

»Was bist du?« – »Schlangentänzerin.«

»Was bist du?« – »Schauspielerin.«

Er sagte: »Eine Arbeiterin, eine Artistin, eine Schlangentänzerin. Allah soll euch alle verfluchen, ihr Nutten.« Dann ging er weg und ließ im Zimmer Studentenblutflecken von seinen Schuhen. Am Morgen, wenn die Polizisten kamen, brachten sie Salzpakete mit. Die Menschen, die sie folterten, mußten danach ihre Füße in Salzwasser halten, damit sie nicht dick wurden und keine Spuren zurückblieben. In die Penisse der Studenten leiteten sie in dieser Etage Strom, und wenn die Gefolterten schrien, machten sich die Polizistinnen über sie lustig. »Ooo, soll das der Held der THKO sein?«

Ich durfte meinen Vater anrufen. »Vater, bitte rette mich und meinen Verlobten von hier.« Er kam sofort mit zwei Tuben Zahnpasta, zwei Zahnbürsten und zwei Handtüchern und wollte mich sehen. Die Polizisten sagten ihm, er solle nach Hause gehen, mein Vater schrie aber auf den Treppen, seine Stimme hallte über sieben Etagen. »Ich habe für dieses Land meine Haare weiß werden lassen. Ich will meine Tochter sehen. Was habt ihr mit ihr gemacht?« Die Polizisten sagten: »Hau ab, geh weg.« Mein Vater schrie: »Ich will meine Tochter sehen.« Die Polizisten öffneten kurz die Tür für ihn. Er schwieg plötzlich und sagte leise: »Meine Tochter.« Dann gab er mir die Zahnbürste und die Handtücher und sagte: »Ich werde euch retten, meine Tochter.«

Jetzt kamen Studenten ohne Hände. Sie hatten, um gegen Deniz', Yusufs und Hüseyins Todesurteil zu protestieren, Bomben werfen wollen, die Bomben waren in ihren Händen losgegangen. Sie saßen nebeneinander auf den Stühlen, und einer verjagte dem anderen mit seinem Armstumpf die Fliegen aus dem Gesicht.

Als ich mit Kerim freigelassen wurde, standen draußen Väter von gefolterten Studenten mit großen Schuhen in den Händen. Ein Vater sagte: »Mein Sohn hatte normalerweise Schuhgröße 40, aber jetzt braucht er 45. Seine Füße sind kaputt.« Draußen gaben die Blinden den Tauben Getreide, und die Tauben flogen vor unseren Füßen hoch. Wir liefen über die Brücke vom Goldenen Horn. Beide waren wir 16 Kilo leichter geworden. Der Wind blies, ich hielt mich am Brückengeländer fest, und Kerim sich an mir. Von einem Lebensmittelladen rief ich meine Eltern an und sagte: »Wir sind raus.« Als ich den Hörer auflegte, sagte der Ladenbesitzer: »Gute Besserung. Mein Sohn war auch drin, aber jetzt ist er wieder raus«, und gab uns zwei Äpfel. Wir nahmen das Schiff und fuhren zur asiatischen Seite zu meinen Eltern. Als wir auf dem Schiff saßen, schaute ich auf das Meer, es kam mir vor wie ein alter blauer Teppich, der einen unendlich großen Fußboden bedeckte. Ich warf die Äpfel ins Meer, das Blau bewegte sich. Zu Hause sahen meine Eltern zum ersten Mal Kerim und küßten ihn. Mein Vater zeigte mir seinen neuen, dicken Schnurrbart und fragte mich: »Sage mir, meine Tochter, sehe ich Stalin ähnlich?« Meine Mutter erzählte von einer Nachbarin und sagte plötzlich: »Sie ist eine abhängige Bourgeoise.«

Die Filmkommune hatte sich aufgelöst, diejenigen, die noch nicht ihren Militärdienst gemacht hatten, wurden zum Militärdienst eingezogen. Kerim wohnte ein paar Tage bei meinen Eltern und zog dann zu seinem Freund, dem Dichter.

Nach drei Tagen sagte mein Vater zu mir: »Du hast einen Brief aus Spanien.« Jordi, meine erste Liebe, hatte mir ein Buch über Theaterarchitektur geschickt und einen langen Brief geschrieben. »Meine Geliebte, ich habe Angst. Lebst du noch, oder hat die Polizei dich schon getötet? Ich gehe jeden Tag zum Türkischen Konsulat und suche in den türkischen Zeitungen deinen Namen.« Ich schrieb ihm einen Brief, ich hatte eine Vogelfeder gefunden, ich tunkte sie in die Tinte und schrieb damit. Unten am Meer sprangen wieder ein paar Delphine zwischen den Fischerbooten auf dem Wasser. Die Ameisen auf dem Balkon sammelten sich über Jordis Brief, und die Sonne wärmte seine Wörter, die Ameisen und meine Füße. Es sah aus, als wollten die Ameisen Jordis Wörter zusammen in ihre Häuser tragen. Ich schloß die Augen. Die Vögel zogen vorbei.

Vögel, fliegt über Ebenen
findet ihn
grüßt ihn
mit euren tausend Flügeln.

Ich hatte meine Schuhe ausgezogen. Von einem Jasminbaum kamen mit dem Maiwind ein paar Jasminblüten herangeflogen und sammelten sich in meinen Schuhen. Der Wind und der Jasmingeruch erinnerten mich daran, wie jung ich noch war. Während ich an Jordi den Brief schrieb, schrieben Deniz, Yusuf und Hüseyin die letzten Briefe an ihre Väter. Yusuf sagte zu seinem Anwalt: »Morgen, nach meinem Tod, wird mein Vater kommen und meine Kleider abholen. Schau, ich habe Gummischuhe an. Mein Vater soll nicht traurig werden, daß ich nur Gummischuhe hatte. Sag ihm, er soll nicht traurig sein. Sag ihm, ich hatte auch Schuhe aus Leder. Ich hatte nur keine Zeit, sie anzuziehen.« Sie fingen mit der Hinrichtung in der Nacht um 1.25 Uhr an, und es dauerte bis 5.20 Uhr. Militär und Polizisten brachten Deniz zum Galgen, und Yusuf, der danach drankam, mußte auf einem Stuhl am Fenster warten und von dort aus zusehen, wie man Deniz aufhängte. Dann mußte Hüseyin von diesem Fenster aus zusehen, wie man Yusuf aufhängte. Als sie Deniz aufgehängt hatten und sein Körper sich am Galgen drehte, hörten alle Uniformierten ein Geräusch. Sie dachten an einen Überfall, alle Hände gingen zu den Gewehren, aber es war nur eine Taube, die im Gefängnishof mit den Flügeln schlug. Yusufs Vater sah im Sarg die Wunde am Hals seines Sohnes und bekam drei Monate später einen Tumor am Hals. Das Militär erlaubte nicht, daß die drei Toten nebeneinander begraben wurden, und die Imams verweigerten ihnen das letzte Ritual.

Am nächsten Tag saßen die Menschen auf dem Schiff mit den Zeitungen auf den Knien, keiner las darin. Schwarze, große Buchstaben. Nur ein Wort: ASILDILAR. (»Sie sind aufgehängt worden.«) Ein Bauer, Analphabet, hielt die Zeitung umgekehrt, weinte, seine Tränen blieben an seinem Bart hängen. Eine Möwe flog in das Schiff herein und stieß mit ihrem Kopf an die Schiffswände. Viele Mütter liefen still, auf die Erde blickend, über die Brücke vom Goldenen Horn. Sie sagten nichts, aber ich hörte ihre Stimmen.

»Wenn man seine Kinder verliert, hofft man zuerst, sie zu finden. Wenn man sieht, daß sie nicht mehr kommen, steht man jeden Tag zum Sterben auf. Wir machen weiter. Wir kochen, wir bügeln, sie haben uns unsere Körper zerrissen. So junge Hälse, so jung, wie von einem neugeborenen

Tier. Was denkt ein Kind? Dem Paradies nah zu sein, der Hölle fern. Jetzt ist das Leben ein paar Zeilen auf einem muffigen Blatt in der Tasche der buchführenden Beamten. In Gefängnissen mit schwachen Glühbirnen. Wanzen, Generäle, verrostete Betten. Vor oder hinter den Generälen zivile Männer, in ihren Händen verpackte, gefaltete Städte. Darum die Schritte von Haus zu Haus in der Spätstunde der Nacht. Der Mond, die naßgewordenen Gewehre. Die schwarzen Gefühle um ihre Hüften übereinandergezogen. Rache unter den Kissen. An den Ohren dröhnende Fliegenstimmen, Traurigkeit tragende Schiffe. Frieren, frieren. Er hatte Augen, er hatte Hände, die Haare naß. Sein Mund wurde geküßt in Träumen der träumenden Mädchen. Wie soll ein Galgen einem in so vielen Träumen wohnenden Jungen die Träume unter seinen Füßen wegziehen. Die Türe, die Türe, die Türe. Die geschlossenen Fenster. Die Wolken decken zu das Meer. Ein paar Schatten am Ufer sind naß. Frieren. Schau nicht auf seinen Tod. Er hat Augen, er hat Hände, seine Hände sind noch in Todesangst. Schweiß. Söhne, bleibt hier, bleibt hier. Fege die Dunkelheit in das Dunkel. Weinen sie. Sie haben ihre Lieder gesungen und sind gegangen. Gewöhnt haben sie sich an die Welt nicht. Heute war ich, morgen nicht. Auge schlug Wimpern. Ein Fisch ruht über dem Meer. DER MENSCH GEHT. Ein Kind stirbt, eine Frau weint, eine Katze läuft an der Hauswand, der Geruch von Holz, Gassen, Apfelsinen, Wolken aus Leinen, nach Seife riechenden, schlecht abgetrockneten Kindern, in Armut seine Federn zählender Vogel. Mit einer Schere, die Angst abschneiden kann. Der in den Augenpupillen wohnende Traum. Stadt, schweig. Höre unser Lied. Wir wohnen seit langem mit Toten ohne Grab. Schaut auf unsere Brüste, Arme. Wir wollen unsere Kinder lebend. Lebend wurden sie abgeholt. Besonders große Männer, Elite, auf Pferden, haben ihre Oberkörper zu den Gassen gebückt, von den Pferden unsere Kinder gesammelt. Dort sahen unsere Kinder noch aus, als ob sie dem Frühling seine Farbe geben. Tollwut spuckte in das Gesicht unserer Äste, Bäume. Tollwut rechnet nicht mit der Liebe der Mutter. Unsere Kinder haben noch Rohmilch an der Brust. Süße. Alle Kinder sahen sie. Alle wollten zu ihnen, weil sie nach süßer Milch rochen, an ihre Brust. Sie haben unsere Kinder in einem Vogelschnabel begraben, der nie gedacht hatte, daß er schweigen müßte. Im Wind gehen sie, wohin. Die Berge sind wie mit Händen gerupfte farbige Wolle. Die Sonne ist gefaltet. Gefaltete dunkle Lappen. Die Sterne geben ihnen die Hände. Das Meer brennt. Nicht der Regen, der fällt, die Wolken. Schwangere Frauen schauen, ihre Hände über ihre Münder geschlagen, aus ihrem Bauch herausgehende Kinder. So leicht wie ihre sündenlosen Taten fallen sie wie die Federn herunter. Die Milch, die sie aus unseren Brüsten getrunken haben, kam aus ihren Nasen heraus. Warum kommen unsere Kinder nur in unsere Träume. Hier stehen wir auf der Brücke vom Goldenen Horn. Mit diesen Augen gesehen haben wir in dieser blinden Welt den Jüngsten Tag.«

Kerim sagte zu mir: »Es ist die Zeit, die bürgerliche Kultur zu sammeln und neue Bücher zu lesen und andere Musik zu hören.« Wir saßen am gleichen Tisch, sahen die Jasminblätter, die vom gleichen Baum fielen, aber er hatte angefangen, eine andere Sprache zu sprechen als ich. Er sagte: »Sprich nicht diese Slogan-Sprache. Zieh den grünen Militärparka aus. Zieh dich an wie eine Frau.« Ich wollte mit Kerim nicht mehr schlafen. Viele sitzen im Gefängnis, dachte ich, und ich bin frei. Als meine Eltern ein paar Tage nicht zu Hause waren, verkaufte ich alle ihre Möbel. Meine Mutter sah die leere Wohnung, ich sagte: »Es war eine Kleinbürgerwohnung.« – »Ich weine für dich, weil ich weiß, daß du später sehr bereuen wirst, was du getan hast«, sagte sie. »Ich bin auch eine Linke geworden, habe Dostojewski gelesen, Aitmatov gelesen, Tolstoi gelesen. Was haben dir die Teppiche und die paar Sessel getan? Man muß doch sitzen können.« Mein Vater sagte: »Meine Tochter, du mußt zum Irrenarzt.« Mein Mund bekam eine Allergie, er ließ sich wie eine Apfelsine schälen. Ich konnte nicht mehr reden, jedes Wort tat meinem Mund weh. Mein Vater gab mir mit einem Löffel Suppe in den Mund und sagte: »Das ist für Marx. Das ist für Che Guevara. Das ist für Engels.« Ich lachte, und das tat meinem Mund noch mehr weh. In der Nacht hörte ich im Radio, daß der chilenische sozialistische Staatschef Allende ermordet worden war. Mein Vater sagte: »Weine nicht, meine Tochter. Schau, ich weine für uns beide.«

Dann gewann der Sozialdemokrat Ecevit und die religiöse Partei Wahlen, die drei Putsch-Generäle kämpften jetzt gegeneinander, Präsident der Republik zu werden.

Die neue Regierung erließ eine Generalamnestie für alle Gefangenen. Auf einmal waren die Istanbuler Straßen voller Männer mit rasierten Köpfen. Manche hatten keine Arme oder Hände mehr. Die Universitäten wurden wieder geöffnet. Einmal stand ich an einer leeren Haltestelle, in der Nähe stand ein Polizeiauto, und ich fragte den Polizisten, welcher Bus ins Stadtzentrum fährt. Er sagte: »Nummer 68«, und als der Bus kam, rief er: »Hände hoch. Hände hoch.« Ich hob sofort meine Hände, damit er nicht auf mich schoß, er wollte aber nur, daß ich dem Busfahrer ein Zeichen gab.

Dann mußte der Sozialdemokrat Ecevit die Regierung verlassen, und bevor die Haare an den rasierten Schädeln der Linken nachgewachsen waren, hörten wir wieder Schüsse in der Nacht. Die »Grauen Wölfe« kamen mit Gewehren in die Busse, entführten die Linken aus den Häusern, aus den Studentenheimen und töteten sie auf den Friedhöfen.

Sie kamen in Cafés, in denen Linke saßen, und töteten. Ich wollte nicht mehr mit dem Rücken zur Wohnungstür sitzen, weil sie auch durch die Wohnungstüre schossen. Wenn ich auf den Straßen schwangere Frauen sah, dachte ich, jetzt haben ihre Kinder in ihrem Bauch Angst. Wenn ich in einem Auto saß und um eine Kurve fuhr, bekam ich Angst und faßte die Hand des Fahrers. Wenn ein Teekessel kochte, bekam ich Angst. Wenn ich eine Kakerlake sah, dachte ich, sie kann sich in der Nacht vergrößern. Einmal kam ich nach Hause und sah eine Ratte in den Keller meiner Eltern laufen. Meine Bücher standen dort in ein paar großen Säcken. Ich ging in den Keller, die Tauben waren durch die Holzwände in den Keller gekommen und hatten auf alle Büchersäcke geschissen. Durch die Feuchtigkeit des Kellers hatten die Stoffsäcke sich an vielen Stellen aufgelöst, die Bücherecken schauten heraus, sie waren alle feucht und vollgeschissen. Karl Marx hatte kein Auge mehr. Ich nahm ein Buch von Bertolt Brecht, einen Gedichtband, und blätterte darin.

»Gott sei Dank geht alles schnell vorüber
Auch die Liebe und der Kummer sogar.
Wo sind die Tränen von gestern abend?
Wo ist der Schnee vom vergangenen Jahr?«

Ich sang leise in der dunklen Nacht das Lied auf Deutsch, und als ich bei meinen Eltern im Bett lag, dachte ich, ich werde nach Berlin gehen und am Theater arbeiten. Mein Herz klopfte laut.

In der letzten Nacht, bevor ich nach Berlin fuhr, weinte ich im Bett. Meine Mutter hörte das, kam mit ihrem zusammengerollten Bett zu mir, legte sich neben mich und sagte im Dunkeln: »Flieh und leb dein Leben. Geh, flieg.« Am nächsten Tag packte ich meinen Koffer und ging zum Zug.

Ein armer Mann stand vor dem Bahnhof und zeigte den Soldaten und Huren, die sich vor dem Bahnhof versammelt hatten, eine Flasche, in der eine kleine, arme Schlange lag. Der arme Mann sagte: »Wie raucht eine Schlange?« Dann öffnete er den Deckel der Flasche, nahm von seiner Zigarette einen Zug, pustete den Rauch in die Flasche und machte den Deckel wieder zu. Und die arme Schlange lag mit dem Rauch in der Flasche. »So raucht eine Schlange.« Ein paar Meter weiter hatte ein Mann ein Feuer angemacht, in das er dauernd Zeitungen warf. Auf einer Zeitung las ich: »Watergate-Skandal, Nixon vor amerikanischem Gericht«, und die Zeitung ging in Flammen auf. Dieser Mann hatte einen Hahn bei sich. Er fragte die Menschen, die sich dort versammelt hatten: »Wie tanzt ein Hahn?« und setzte den Hahn auf die brennenden Zeitungen, die Füße des Hahns brannten, und er zog die Füße immer wieder hoch, damit sie nicht verbrannten. Der Mann sagte: »Seht ihr, der Hahn tanzt.« Ein armer Sesamringverkäufer schaute zu und zog an seiner langen Filterzigarette, es fing an zu regnen. Das Zeitungsfeuer ging aus, der Zug schrie, und ich setzte mich in den Zug nach Berlin. Vom Zugfenster aus sah ich die Brücke vom Goldenen Horn. Die Bauarbeiter bauten sie ab, weil dort eine neue Brücke gebaut werden sollte. Ihre Hämmer, die sie auf die Brücke schlugen, hallten. Der Zug nach Berlin fuhr ab, ich sah aus dem Fenster weiter die Brücke vom Goldenen Horn. Ein paar Schiffe zogen die Brückenteile hinter sich her, und die Möwen flogen hinterher und schrien, und der Zug schrie auch, lange, und fuhr an den Istanbuler Häusern vorbei. Mir gegenüber saß ein junger Mann in meinem Alter. Er öffnete die CUMHURIYET, und ich las darin: »Franco ist tot.« Es war der 21. November 1975. Der junge Mann, der die Zeitung las, fragte mich: »Wollen Sie eine Zigarette?«

»Ja.«

ZITATNACHWEISE

S. 52: Charles Baudelaire, Les Fleurs du Mal, Paris 1991, S. 71

S. 68/69: Bertolt Brecht, Baal, Gesammelte Werke I, Stücke 1, Frankfurt/M. 1967, S. 3

S. 88: ders., Die Mutter, Gesammelte Werke 2, Stücke 2, Frankfurt/M. 1967, S. 826

S. 92 f.: Friedrich Engels, Der Ursprung der Familie, des Privateigentums und des Staates, Berlin 1892, S. 47

S. 136: Charles Baudelaire, Les Fleurs du Mal, Paris 1991, S. 99–100

S. 176, 318: Bertolt Brecht, Die Lehrstücke, Die Rundköpfe und die Spitzköpfe, Frankfurt/M. 1988, S. 1166

S. 188, 189: Als die Surrealisten noch recht hatten, Hrsg. v. Günter Metken, Hofheim 1983, S. 116, 119–120

S. 217–219: Federico García Lorca, Werke in drei Bänden. Ü: Enrique Beck. © Insel Verlag Frankfurt/M. 1982, S. 158 ff.

S. 220: Federico García Lorca, Gedichte, Frankfurt/M. 1995, S. 79

S. 254: Peter Weiss, Die Verfolgung und Ermordung Jean-Paul Marats, dargestellt durch die Schauspielgruppe des Hospizes zu Sharenton unter Anleitung des Herrn de Sade, Frankfurt/M. 1964, S. 31